LA FORCE DE VIVRE

TOME II

Les combats de Nicolas et Bernadette

Saga LA FORCE DE VIVRE

Tome I, *Les rêves d'Edmond et Émilie*, roman, Montréal, Hurtubise, 2009.

Michel Langlois

La Force de vivre

TOME II

Les combats de Nicolas et Bernadette

Roman historique

Hurtubise

Catalogage avant publication de Bibliothèque et Archives nationales du Québec et Bibliothèque et Archives Canada

Langlois, Michel, 1938-

    La force de vivre : roman historique

    L'ouvrage complet comprendra 4 v.
    Sommaire : t. 1. Les rêves d'Edmond et Émilie - t. 2. Les combats de Nicolas et Bernadette.
    ISBN 978-2-89647-220-8 (v. 1)
    ISBN 978-2-89647-264-2 (v. 2)

    I. Titre. II. Titre : Les rêves d'Edmond et Émilie. III. Titre : Les combats de Nicolas et Bernadette.

PS8573.A581F67 2009   C843'.6   C2009-941323-X
PS9573.A581F67 2009

Les Éditions Hurtubise bénéficient du soutien financier des institutions suivantes pour leurs activités d'édition :

- Conseil des Arts du Canada ;
- Gouvernement du Canada par l'entremise du Programme d'aide au développement de l'industrie de l'édition (PADIÉ) ;
- Société de développement des entreprises culturelles du Québec (SODEC) ;
- Gouvernement du Québec par l'entremise du programme de crédit d'impôt pour l'édition de livres.

Graphisme de la couverture : René St-Amand
Illustration de la couverture : Jocelyne Bouchard
Mise en pages : Folio infographie

Copyright © 2010, Éditions Hurtubise inc.

ISBN 978-2-89647-264-2

Dépôt légal : 2e trimestre 2010
Bibliothèque et Archives nationales du Québec
Bibliothèque et Archives du Canada

Diffusion-distribution au Canada :
Distribution HMH
1815, avenue De Lorimier
Montréal (Québec) H2K 3W6
Téléphone : 514 523-1523
Télécopieur : 514 523-9969
www.distributionhmh.com

Diffusion-distribution en Europe :
Librairie du Québec/DNM
30, rue Gay-Lussac
75005 Paris FRANCE
www.librairieduquebec.fr

Imprimé au Canada
www.editionshurtubise.com

Personnages principaux

Deschênes, Romuald : frère adoptif d'Edmond Grenon.

Downey, Henri : aubergiste, concurrent de Ludovic Lahaie.

Dumouchel, Bernardin : ami de Nicolas Grenon et époux de Marie-Josephte Grenon.

Grenon, Dorothée : fille d'Edmond Grenon et d'Émilie Simard, épouse de Ludovic Lahaie.

Grenon, Marie-Josephte : fille aînée d'Edmond Grenon et d'Émilie Simard, épouse de Bernardin Dumouchel.

Grenon, Nicolas : fils aîné d'Edmond Grenon et d'Émilie Simard, époux de Bernadette Rousseau.

Grenon, Éloi : fils de Nicolas Grenon et Bernadette Rousseau, époux de Marie-Louise Boisclair.

Grenon, Élise : fille aînée de Nicolas Grenon et Bernadette Rousseau.

Grenon, Édouard : fils de Nicolas Grenon et Bernadette Rousseau.

Grenon, Éphrem: fils de Nicolas Grenon et Bernadette Rousseau.

Grenon, Emmanuel: fils de Nicolas Grenon et Bernadette Rousseau.

Grenon, Éphigénie: fille de Nicolas Grenon et Bernadette Rousseau.

Lahaie, Ludovic: aubergiste, époux de Dorothée Grenon.

Sanders, Jimmy: fils du marchand Samuel Sanders.

Sanders, Samuel: marchand, voisin de Nicolas Grenon.

Personnages historiques

Adhémar, Jacques-Antoine (1774-1822) : fils de Toussaint-Antoine Adhémar et de Geneviève Blondeau, il naît à Détroit le 2 février 1774. En avril 1812, il est premier lieutenant de la compagnie des voltigeurs. Il s'illustre contre les Américains, à Sackett's Harbour, le 29 mai 1813, en tant que capitaine de sa compagnie. Il participe avec Heriot à la fondation de Drummondville où il travaille ensuite comme marchand. Il épouse Apolline Curot à Montréal le 17 juin 1816. Il meurt à Drummondville le 4 novembre 1822.

Dupont, Pierre de l'Étang (1765-1840) : entré dans l'armée comme sous-lieutenant, il est nommé chef d'état-major de l'armée de réserve et contribue à la victoire de Marengo. Fait comte de l'empire le 4 juillet 1808, il commande les troupes françaises en Andalousie la même année et est contraint de capituler devant les Espagnols à Baylen. Il est destitué de ses grades et honneurs en 1812. Il meurt à Paris en 1840.

Heriot, Frederick-George (1786-1843) : fondateur de Drummondville. Né le 2 janvier 1786 à l'île Jersey d'une famille française huguenote. Enseigne d'une compagnie d'infanterie, il accompagne son régiment au Canada en 1802. En janvier 1813, il devient major au régiment des voltigeurs canadiens, puis lieutenant-colonel. Il accède au grade de colonel en 1830 et à celui de major-général en 1841. En 1815, il est chargé, à la demande du gouverneur par intérim Drummond, de fonder la future ville de Drummondville. Il meurt célibataire le 29 décembre 1843, emporté par la fièvre typhoïde.

Menut, Henry (1784-post 1856): fils d'Alexandre Menut, aubergiste, et de Marie Deland, il est élu député de Drummond à une élection partielle en 1836. Favorable à la cause des Canadiens français, il appuie le Parti des bureaucrates. Son mandat de député prend fin à la suspension de la Constitution le 27 mars 1838. Il épouse Mabel Root à l'église anglicane de Hatley, le 29 juin 1818. Il meurt après 1856.

René, Jean Gaspard Pascal (1768-1808): général de brigade de l'armée de Napoléon, né à Montpellier le 20 juin 1768 et mort brûlé vif par des guérilléros espagnols le 29 août 1808 à La Carolina, en Espagne. Il fait partie des 660 personnalités dont le nom est gravé sous l'Arc de Triomphe, à Paris.

Robson, Hubert (1808-1847): missionnaire dans les Cantons-de-l'Est, il dessert l'église de Drummond de 1832 à 1842. On disait de lui qu'il était un saint homme et on prétendait qu'il détenait des pouvoirs surnaturels. Il quitte Drummondville pour Kingsey en 1842. Il est ensuite curé de Saint-Raymond-de-Portneuf,

vicaire à Saint-Thomas-de-Montmagny et missionnaire à la Grosse-Île. Il meurt du typhus le 1er juillet
1847.

Watts, Robert Nugent (1821-1867): après avoir
occupé un poste au Bureau du secrétaire civil du Bas-
Canada, il s'installe à Drummondville chez son cousin
Frederic-George Heriot. Ce dernier lui cède par testament une grande partie de ses biens. Il épouse
Charlotte Sheppard à l'église anglicane de Québec le
8 janvier 1839. Il est élu député de Drummondville en
1841. C'est un conservateur favorable à l'Union. Il est
réélu en 1844 et 1848 avant de devenir réformiste en
1850. Il meurt à Drummondville le 19 avril 1867.

*Ce n'est pas la victoire qui rend
l'homme beau, c'est le combat.*

Madeleine FERRON

PREMIÈRE PARTIE

LE MYSTÈRE DES GRENON

Chapitre 1

Une rencontre insolite

Printemps 1815

Quand ils entendirent parler de l'expédition pro-jetée par le major Heriot sur la rivière Saint-François en vue de poser les bases d'un établissement le long de ses rives, Nicolas Grenon et Bernardin Dumouchel offrirent spontanément leurs services. Cette mission serait la dernière de leur carrière militaire. Au terme de leurs sept années d'engagement au régiment Meuron, ils obtiendraient leur congé de l'armée, mais en même temps, ils cesseraient de toucher leur solde : ils devraient désormais trouver le moyen de gagner leur pain. En se faisant désigner pour participer à cette expédition, tous deux avaient une idée bien arrêtée : découvrir le territoire choisi pour la future ville et s'y faire octroyer une terre.

Nicolas était devenu soldat un peu malgré lui. Il avait hâte de se libérer de ce carcan qui lui avait volé dix des meilleures années de sa vie.

— Te rends-tu compte ? dit-il à son ami Bernardin. Dans quelque mois, l'uniforme, la discipline, les combats, tout cela sera du passé…

— Tu oublies sans doute que nous aurons désormais à nous débrouiller pour gagner notre vie.

— Nous saurons bien le faire. À l'avenir, je te le jure, personne ne va me dicter ma conduite. Des ordres venant des autres, j'en ai eu assez pour tout le reste de ma vie. Pouvoir décider moi-même, chaque matin, de ce que je vais faire, ça n'a pas de prix.

Bernardin prit un moment avant de répliquer. Il semblait réfléchir à ce que venait de lui dire son ami. Puis il reprit :

— Tu as raison, Nicolas ! Être son propre maître n'a pas son pareil. C'est vraiment être libre, et celui qui ne cherche pas sa liberté avant tout mérite-t-il de vivre ?

Tout en causant, ils étaient arrivés au bord du fleuve où, amarrés au quai de William-Henry, les vaisseaux de l'expédition feraient bientôt voile. Le munitionnaire, le sieur Boucher, avait su se procurer tout le nécessaire. Il ne restait maintenant qu'à remonter la rivière Saint-François vers son embouchure. Outre Nicolas et Bernardin, ils étaient une vingtaine à faire partie de l'expédition. Sur la première embarcation, une goélette d'une cinquantaine de pieds de longueur, le commandant Heriot était accompagné de trois de ses plus fidèles officiers, d'un commissaire général de la colonisation, d'un haut fonctionnaire du département de l'arpentage et de quelques soldats parmi ses meilleurs amis. En compagnie d'une dizaine d'autres hommes, Nicolas et Bernardin montèrent à bord de l'autre goélette sous le commandement du capitaine Jacques Adhémar. Ils avaient eu l'occasion, en 1812, de combattre à ses côtés à Plattsburgh, et ils s'en étaient fait un ami qu'ils tenaient en haute estime.

Le major Heriot comptait mener rapidement cette expédition. Les terres où il désirait établir cette première colonie avaient été arpentées quelques années auparavant par le sieur Joseph Bouchette. Heriot avait déjà une bonne idée des sites possibles où il pourrait ériger la future plus grande ville anglophone du Bas-Canada. Pour lors, il espérait voir souffler un vent favorable qui pousserait ses vaisseaux jusqu'à l'embouchure de la Saint-François.

Après la mort de son ami d'enfance Jérôme lors d'une bataille, Nicolas était demeuré désemparé jusqu'à ce que Bernardin lui adresse la parole. Tout comme Nicolas, Bernardin en était à ses débuts dans l'armée. Ils avaient bien vite sympathisé. Depuis, comme l'avaient été Nicolas et Jérôme, ils étaient devenus inséparables. Bernardin, bien sûr, n'avait pas la même personnalité que Jérôme. Il avait un caractère bouillant, qu'il parvenait toutefois à contrôler, prenant toujours le temps de peser le pour et le contre avant d'agir.

— Il paraît, dit Nicolas, qu'on n'a jamais vu si mauvais temps. Les vieux sont catégoriques : jamais, au grand jamais, ils n'ont vécu pareil phénomène. Te rends-tu compte ? Il n'y a pas encore de feuilles aux arbres et nous sommes à la fin de mai.

— Les feuilles ont l'habitude de paraître plus tôt en ce coin de pays ?

— Ordinairement, au début de mai, les arbres sont verts.

Ils jetèrent un regard désolé vers la forêt toute proche. Soudain, un détail attira l'attention de Nicolas :

— As-tu vu ce qui se passe à la poupe ?

— Quoi donc ?

— Regarde !

Ils se dirigèrent vers l'arrière de l'embarcation, où deux hommes venaient de fixer un cordage à la tête d'une bitte d'amarrage afin de remorquer un large radeau clôturé servant d'enclos à deux grands chevaux de traits.

— Ce sont des percherons, dit Nicolas.

— À quoi vont servir ces bêtes ? questionna Bernardin.

— Nous en aurons besoin pour traîner les arbres abattus qui serviront à la construction des premiers abris. Il n'y a pas mieux que cette race de chevaux pour réaliser pareil travail.

Nicolas avait à peine terminé sa phrase que son attention fut attirée par le manège d'un vieil homme chargé du soin des chevaux à bord du radeau. Ce qui intriguait le plus Nicolas, ce n'était pas qu'on eût affecté un homme au soin des percherons, mais que cet homme parût à ce point âgé. Il ne pouvait s'imaginer que le vieil homme aux cheveux blancs et aux pas mal assurés serait du voyage. Pourtant, quand le vent se leva, il dut se faire à cette idée, l'homme était assis sur le radeau près de ses bêtes, alors que la goélette prenait le large.

Le vent favorable sur le fleuve leur permit, ce soir-là, de s'arrêter pour la nuit à l'embouchure de la Saint-François. Les deux embarcations restèrent à l'ancre, au large. Les hommes utilisèrent les chaloupes de secours pour gagner le rivage et se constituèrent aussitôt un abri pour la nuit en tendant des bâches au bout de quelques perches posées sur la berge. Ils avaient allumé des feux, dont la fumée chassa les moustiques.

Bernardin se joignit aux hommes réunis pour jouer aux cartes autour de fanaux posés sur des tables pliantes. Nicolas remarqua que le vieil homme n'avait pas quitté son radeau et décida d'aller lui tenir compagnie. Il s'empara d'un quignon de pain, de quelques tranches de jambon et, montant dans une des chaloupes employées pour se rendre sur la rive, il rama jusqu'au radeau. Après y avoir attaché son embarcation, il appela :

— Grand-père, avez-vous besoin de quoi manger ?

Il n'obtint aucune réponse. Il se dit : « Il doit être sourd. » Haussant le ton, il cria :

— J'ai du pain pour vous, si vous avez faim !

Cette fois, il eut une réponse : un fanal avait été allumé. Le vieillard s'amena lentement dans sa direction. Nicolas grimpa sur le radeau au moment où l'autre en atteignait le bord.

— À mon âge, murmura le vieil homme, quelques croûtes suffisent. J'ai beaucoup plus besoin de compagnie que de pain.

— À la bonne heure, acquiesça Nicolas, je suis justement venu pour causer.

Le vieil homme l'invita à le suivre. Ils s'assirent dans le foin destiné aux chevaux. Nicolas commenta:

— Vous avez là de belles bêtes.

— Ces animaux sont ma vie. Les hommes m'ont presque toujours déçu, les chevaux, jamais. Ils m'ont permis de gagner ma croûte jusqu'à ce jour, voilà pourquoi je ne les quitte pas.

— Vous avez dû voir du pays?

— Plus que tu ne le crois. J'ai loué mes chevaux un peu partout. Il n'y a pas beaucoup de villages de ce pays qui ne m'ont pas vu passer.

Le vieil homme se leva et disparut sous une toile qui lui servait d'abri. Il en revint avec une bouteille et une tasse qu'il tendit à Nicolas.

— Nous allons boire à la vie, dit-il.

Le vieil homme lui versa une rasade de whisky que Nicolas n'eut pas le loisir de refuser.

— C'est bien la seule bonne chose que les Anglais nous ont apportée, grogna-t-il.

Nicolas le vit esquisser une grimace qui en disait long sur ses rapports avec les conquérants. Il ne releva pas pour autant le propos.

— J'ai l'honneur de boire en la compagnie d'un jeune homme dont j'ignore jusqu'au nom, reprit-il.

— Faites excuses. Je m'appelle Nicolas Grenon. Et vous?

— Honoré Vien. Mais dis donc, jeune homme, le nom de Grenon fait remonter dans ma vieille cervelle de bien beaux souvenirs.

— Vraiment?

— J'ai connu autrefois un Grenon, Jean-Baptiste, on l'appelait l'Hercule de Charlevoix ou l'Hercule du Nord.

Nicolas s'exclama :

— C'était mon grand-père !

— Vraiment ?

Le vieillard esquissa un sourire avant de poursuivre :

— Le monde est vraiment petit, mon garçon. On le constate tous les jours ou presque. Quelqu'un a toujours connu une personne de nos connaissances. Pour peu que tu veuilles en entendre parler, dis-toi que le vieil homme que je suis pourrait sans doute t'en apprendre beaucoup sur ta famille.

Nicolas s'enthousiasma :

— Je ne demanderais pas mieux que d'en connaître plus sur les miens !

Le vieil homme se tut un moment, comme perdu dans ses pensées. Pour tout bruit, il n'y avait que le clapotis de l'eau sur les flancs du radeau et, de temps à autre, les rires des joueurs de cartes en provenance du rivage. De fortes senteurs d'humus refluaient des bois de la rive. Après avoir respiré profondément, l'homme commença :

— À vrai dire, c'est ta grand-mère Grenon que j'ai le mieux connue.

— Ma grand-mère Grenon ? Je ne sais absolument rien d'elle. Mon père avait, je pense, trois ou quatre ans quand elle est morte. Il ne m'en a jamais parlé, parce qu'à ce que je crois, son père ne lui en a jamais parlé non plus.

— C'est là ce qu'on appelle le mystère des Grenon.

— Le mystère des Grenon ?

— Oui, mon garçon. Dans ta famille, il y a eu des chicanes qui ont mené à la division, et ta grand-mère, sans le vouloir, en a été la cause.

Nicolas releva la tête, désormais tout à fait captivé par les propos du vieillard. Honoré Vien montrait un visage buriné par le temps. Quand il parlait, ses dents serties d'or luisaient à la lueur du fanal. Nicolas se demandait comment il avait pu se doter d'une pareille dentition. Comme s'il avait lu dans ses pensées, l'homme reprit, d'une voix grave :

— J'ai été jadis un maquignon fort à l'aise. J'achetais et je vendais des chevaux. C'est comme ça qu'un beau jour, j'ai abouti dans Charlevoix et j'ai revu ta grand-mère après plus de trente années de séparation.

Le vieil homme cessa de parler pendant un moment. Nicolas brûlait d'en entendre davantage :

— Quand avez-vous connu ma grand-mère ?

— La seigneuresse ! Je m'en souviens comme d'hier, alors que ça remonte presque à mon enfance.

— La seigneuresse ?

— Oui ! La seigneuresse. Tu as bien entendu. Ta grand-mère a été surnommée comme ça parce qu'elle a voulu acheter la seigneurie des Éboulements. Tu ne le savais pas ?

— Je vous l'ai dit, je ne sais rien de ma famille.

Le vieil homme le dévisagea, en se demandant s'il disait la vérité. Il s'exclama :

— Ça, c'est du Grenon tout craché !

Alliant le geste à la parole, son crachat, jaune de tabac, alla choir dans une chaudière d'eau sale posée sur le bord du radeau. Il se rendit compte que son geste avait suscité l'étonnement et l'admiration de Nicolas, et il cracha de nouveau avec autant de succès.

— Ça me rappelle mon grand-père, remarqua Nicolas.

— Quoi donc?

— Cette façon de cracher. Il était aveugle, mais ne manquait jamais de viser juste dans le crachoir.

— Où en étions-nous? questionna le vieillard.

— Vous me parliez de ma grand-mère.

— Ah oui! Ta grand-mère était une saprée bonne femme. Elle avait du front, du nerf et une poigne de fer. Ton père ne t'a vraiment jamais parlé d'elle, pas plus que ton grand-père?

— Jamais! Mon père m'a simplement dit qu'il était, pour ma grand-mère, ce qui lui était arrivé de meilleur. Pour le reste, il ne m'en a jamais touché mot. Quant à mon grand-père, je ne l'ai jamais entendu faire allusion à elle.

Le vieillard semblait hésiter:

— Tu aimerais vraiment que je t'en cause?

— Bien sûr, assura Nicolas, si ça me permet de la connaître mieux!

— Dans ce cas, prépare-toi à en entendre des vertes et des pas mûres.

Il dit cela en hochant la tête, esquissant un sourire plein de sous-entendus qui n'augurait rien de bon.

Mais Nicolas désirait tellement en savoir plus qu'il le pria aussitôt de parler.

— Pas si vite! Laisse-moi le temps de rassembler mes idées, que je voie par quel bout commencer. N'oublie pas que ta grand-mère était une brasseuse d'affaires hors du commun. Ce n'est pas facile de tirer le portrait d'une pareille tigresse. Mais j'y pense, je te parle de ta grand-mère, alors qu'avant tout, il me faut préciser quelque chose. Ton père est-il le cadet de sa famille?

— Il l'était! Mais il est mort récemment.

— Tu m'en vois désolé, mon garçon. Mais si je t'ai posé cette question, c'était pour éclaircir un point. Ainsi, la grand-mère dont je te parle est bien ta grand-mère.

— Pourquoi dites-vous ça?

— Tu l'ignores? s'étonna de nouveau le vieillard. Ton grand-père Jean-Baptiste a été marié deux fois.

— Vraiment?

— Avec la première, il a eu trois enfants.

Nicolas se mit à réfléchir tout haut:

— Trois enfants? Ma tante Marie, et mes oncles Philibert et Ernest. Comme ça, d'après ce que vous me dites, ils étaient seulement la demi-sœur et les demi-frères de mon père.

— C'est en plein ça! Tu ne me feras pas croire que tu l'ignorais.

— Je me demande même si mon père le savait!

— Là, nous nageons en plein dans le mystère des Grenon. J'ai rarement vu une famille où il y avait autant de cachotteries.

Comme si tout cela le consternait, il leva les yeux et resta un long moment à observer les papillons qui venaient se cogner contre la lanterne posée non loin d'eux, sur une botte de foin. Remontant d'un geste machinal son large béret, il fit remarquer :

— Tu n'as évidemment pas connu ta grand-mère, puisqu'elle est morte alors que ton père était encore enfant. À part ton père et ton grand-père, c'est comme si tu n'avais pas eu de famille du côté des Grenon.

— La seule qui nous visitait de temps à autre, c'était ma tante Marie.

— Ton grand-père, avant de devenir aveugle, était forgeron et maréchal-ferrant, et un bon à part ça.

— De qui tenez-vous ça ?

— Je l'ai bien connu à l'époque où il faisait ses tours de force. Mais j'ai fait connaissance avec ta grand-mère bien avant. Je l'ai rencontrée pour la première fois au marché, à Québec. J'avais alors treize ans, et elle à peine seize, mais elle me regardait de haut. L'étal de mon père voisinait celui de ton arrière-grand-père, François Leclerc, "Françoé", comme disaient les gens. Une fois par semaine, il venait de L'Ancienne-Lorette vendre les meubles qu'il fabriquait et prendre ceux qu'on lui demandait de réparer. Il emmenait toujours sa fille, ta future grand-mère. On le respectait pour son habileté, mais c'était sa fille qui faisait le plus parler d'elle. Tout le monde s'accordait à dire qu'elle était la plus belle fille du pays. Ne crains rien : pour le savoir, elle le savait !

Puisque le vieillard semblait vouloir parler long-temps, Nicolas lui offrit d'aller s'asseoir à un endroit où ils seraient plus à l'aise et moins exposés au vent. Il y avait, vers l'arrière du radeau, des bottes de foin empilées les unes sur les autres. Ils s'en servirent à la fois comme d'un banc et d'un paravent, et s'y installèrent, tournés vers la rivière, mais invisibles tant la nuit était opaque. Le vieil homme poursuivit son récit :

— Comme je te le disais, par sa beauté et sa vivacité, à moins de vingt ans, ta grand-mère faisait spontanément tourner les têtes. On remarquait d'abord ses yeux, brun foncé, des tisons ardents, du feu, comme le reste de sa personne, sa crinière noire abondante, sa peau blanche, son élégance, car, en plus, elle était toujours vêtue comme une princesse. Quelle femme, et quel tempérament ! Tous les jeunes hommes de la ville voulaient l'épouser. Ils lui tournaient autour comme des abeilles après une fleur, mettant tout en œuvre pour attirer son attention. Indépendante, elle faisait mine de les ignorer, ce qui avivait d'autant leur désir. Ils profitaient du moment où ton arrière-grand-père allait prendre un verre au cabaret pour s'approcher d'elle. Je me joignais à eux. Trop jeune pour espérer quoi que ce soit, j'observais leurs manœuvres en me demandant chaque fois si l'un d'eux finirait par faire sa conquête. Elle les faisait marcher au doigt et à l'œil et, au besoin, elle les aurait fait ramper dans la boue. C'était entre eux une compétition féroce. Tous voulant l'épater, ils se défiaient les uns les autres par des exploits où ils risquaient parfois leur vie.

Nicolas s'étonna :

— Ils étaient prêts à tout pour ses beaux yeux ?

— Même à mourir.

— Certains sont morts pour elle?

— Absolument.

— Racontez!

— Figure-toi qu'un beau jour, deux d'entre eux se vantent, en sa présence, d'être capables d'aller tourner le coq perché sur la croix de l'église. Elle les écoute, hausse les épaules, leur tourne le dos. Ils insistent. "Allez vous casser le cou si ça vous chante", leur dit-elle. "Peut-on espérer un baiser en retour?" demande le plus hardi. "Faites et vous verrez", réplique-t-elle. Voilà nos deux compères victimes de leur vantardise. Ils se traitent d'abord l'un l'autre de poltron, puis décident, pour leur malheur, d'aller au bout de leurs paroles et, du même coup, au faîte du clocher. Ils lui font promettre d'assister à leur exploit, ce qu'elle daigne accepter. Pendant que l'église se vide après la messe, nos deux casse-cou se faufilent dans le jubé, grimpent par l'intérieur du clocher jusqu'au beffroi, où ils apparaissent entre les cloches. Le pire reste à faire. On les voit discuter un moment. Le plus agile des deux sort le premier, s'agrippe au clocher à bras-le-corps et se met à grimper vers la croix. Parvenu au sommet, il tente, sans succès, de tourner le coq, avant de redescendre, gros-jean comme devant. Sûr de faire mieux, son compagnon se risque à son tour, tente de s'accrocher au clocher, perd pied et se tue en tombant sur le toit. Tout ça pour un baiser à peine promis.

Le récit de cette triste aventure avait bouleversé Nicolas. Comment sa grand-mère pouvait-elle être assez inconsciente pour laisser de jeunes écervelés risquer leur vie pour ses beaux yeux ? La suite ne cessa pas de l'étonner.

— Je te disais que certains sont morts pour obtenir ses faveurs. Écoute ce que je vais te raconter, tu n'en croiras pas tes oreilles.

— Il y en a d'autres qui ont laissé leur vie pour elle ? fit Nicolas, incrédule.

— Hélas oui ! À ma connaissance, deux autres ont péri bien tristement pour obtenir ses faveurs.

Le vieillard retira son béret pour se gratter le dessus de la tête, puis, sortant une pipe de sa poche, il l'alluma aussitôt. Avant de poursuivre, il en tira une bonne bouffée. Voyant Nicolas suspendu à ses lèvres, il enchaîna :

— C'était un matin de printemps, je m'en souviens fort bien, tu sais, quand le beau temps qu'on attend depuis des mois arrive soudainement et fait s'ouvrir les feuilles des arbres en quelques jours, comme nous le souhaitons en ce moment. Nous étions une fois de plus au marché, en pâmoison devant ta future grand-mère qui s'embellissait d'une semaine à l'autre. Un jeune homme, à cette époque, tentait vainement depuis des mois de la séduire. Jean de Saint-Sauveur se targuait d'avoir du sang noble et, de petit baron qu'il était, jouait les grands ducs, repoussant avec indignation quiconque osait s'approcher de ta grand-mère. Il ne se rendait pas compte, le pauvre, de son insignifiance. Ce matin-là, alors qu'il débitait à ta grand-mère son monologue habituel, arrive un jeune homme de Montréal curieux de faire la connaissance de celle dont on lui a tant vanté la beauté. Il a le malheur d'interrompre de Saint-Sauveur. Indigné, ce dernier lui lance son gant à la figure en lui disant sur un ton méprisant : "Sachez, jeune homme, qu'un manant n'interrompt pas le discours d'un prince. Je vous laisse le choix des armes. À midi, je vous attends sur l'Esplanade. Je vous conseille déjà de faire vos adieux à cette terre." Étonné, l'autre, très affable, esquisse un sourire et demande : "Vous êtes sérieux ou bien je rêve ?" "Vous avez fait votre dernier rêve", poursuit de Saint-Sauveur. "En quoi vous ai-je offensé ?" reprend l'autre. "Vous n'êtes qu'un être borné et fat, s'indigne de Saint-Sauveur. Vous avez osé interrompre une sérieuse conversation. Un gentilhomme respectueux n'offense jamais de la sorte une aussi jolie dame." En disant ces mots, il retire son chapeau à plumes et, d'un geste ample, se penche pour saluer ta grand-mère. L'autre reste là, interdit. De Saint-Sauveur le regarde de haut et lui répète : "Ce midi à l'Esplanade, venez montrer que vous n'êtes point un lâche."

— Je suppose, interrompit Nicolas, que le duel a eu lieu.

— Hélas oui !

— Et qui l'a gagné ?

— Ni l'un ni l'autre.

— Il y a bien eu un gagnant ?

— En un sens oui, mais en réalité tous les deux ont perdu.

— Votre réponse m'intrigue, fit Nicolas.

— La suite va te permettre de comprendre. Ce duel, quelle malheureuse affaire! Ta grand-mère n'y pouvait rien. Jean de Saint-Sauveur était un exalté quelque peu dérangé du cerveau. À l'heure convenue, il se retrouve à l'Esplanade. Accompagné de son témoin, le jeune homme de Montréal l'y a précédé. Ils fourbissent tous les deux les armes qu'on leur présente, des pistolets d'arçon. On veut y introduire des balles: aucune ne fait. Qu'à cela ne tienne, on court chercher un armurier. En quelques minutes, il coule sur place le plomb des deux balles, dont l'une effacera "l'atroce affront" subi par de Saint-Sauveur. Les pistolets sont chargés.

— Ces jeunes hommes devaient vraiment être un peu fous, s'étonna Nicolas. Il me semble qu'ils n'avaient pas besoin de risquer leur vie pour faire la conquête de ma grand-mère.

— Tu as bien raison, mon garçon, mais nous avons affaire là à deux exaltés, chacun à sa façon. Les deux malheureux se tournent le dos au milieu du champ et s'éloignent l'un de l'autre de cinquante pas. Avant même de pouvoir se retourner, de Saint-Sauveur baigne dans son sang. L'autre duelliste file en douce vers la Basse-Ville. Les autorités sont aussitôt prévenues par un passant, témoin de l'événement. Le jeune homme demeure introuvable. On le cherche pendant plusieurs jours, pour enfin apprendre qu'il s'est caché à bord d'un vaisseau en partance pour La Rochelle. Découvert dans la cale par un matelot, il est ramené à Québec. Deux jours plus tard, il est jugé et pendu haut

et court, pour meurtre. L'affaire a fait jaser tout
Québec pendant des jours, sans entamer pour autant
l'ardeur des jeunes soupirants de ta grand-mère.

La soirée était fort avancée. Nicolas s'excusa auprès
du vieil homme parti pour causer toute la nuit.

—Je ne demanderais pas mieux que de vous écouter
longtemps encore, mais il se fait tard et j'ai beaucoup
de travail qui m'attend, tôt demain. Nous nous reverrons, en soirée, à la même heure, si ça vous convient.

—Je serai là, je ne quitte pas le radeau. Je suis fort
heureux et très honoré de parler au petit-fils de la
seigneuresse.

Nicolas le dévisagea.

— C'est la deuxième fois que vous la nommez ainsi.
J'ai hâte d'en connaître plus à ce sujet.

—J'y viendrai en son temps. Je vois, jeune homme,
que tu en as encore beaucoup à apprendre sur celle qui
fut ton aïeule. Je m'y emploierai. D'ici là, bonne nuit
et à demain !

Après avoir salué Nicolas, le vieillard leva les yeux
au ciel un moment puis se perdit dans ses pensées.

Chapitre 2

L'intrigante

Le lendemain soir, en raison de forts vents contraires, l'expédition se trouvait toujours en campement au même endroit. Heureux d'avoir trouvé en Nicolas un bon auditoire et surtout de pouvoir raconter une partie de sa vie, le vieil homme l'attendait avec impatience. Nicolas avait deviné qu'il avait été un sérieux prétendant de sa grand-mère. À l'évidence, le simple fait de parler d'elle le comblait d'aise. Une fois qu'ils eurent pris place au fond du radeau, Honoré Vien commenta :

— De repenser à tout cela me rend un peu nostalgique. Une grande partie de ma jeunesse me revient en mémoire tout le temps, je ne cesse de me rappeler comme ta grand-mère était une femme hors de l'ordinaire.

Nicolas observait le vieil homme et voyait briller ses yeux d'admiration à la simple évocation de celle qu'il se plaisait à appeler la seigneuresse. Curieux, il demanda :

— Qui, de tous ses admirateurs, a-t-il obtenu le premier ses faveurs ?

— C'est difficile à dire. Tout ce que je sais, c'est qu'elle n'était certainement pas vierge quand elle a obtenu la main du baron Gontran de Malmaison. Ce dernier ne savait pas dans quel enfer allait le plonger ce mariage : elle ne l'aimait pas, seule sa fortune l'intéressait. Il avait vingt ans de plus qu'elle, souffrait de la goutte et n'aspirait qu'à un repos bien mérité, d'autant plus qu'il venait tout juste de perdre sa première épouse. Ta grand-mère, en quelques années, a englouti sa fortune. Mais n'anticipons pas. Savais-tu qu'elle a trouvé le moyen, malgré tout, pendant les douze années de leur vie commune, de lui faire trois enfants ?

— Non ! J'ignorais même qu'elle avait été mariée avant d'épouser mon grand-père.

— Rien ne nous prouve, cependant, qu'ils fussent bien de lui. Je soupçonne l'aîné d'être mon fils, et je connais fort bien le père de la cadette. Quant à l'avorton du milieu, à bien y penser, il ressemble aujourd'hui tellement au baron qu'il en est peut-être réellement le fils. Ta seigneuresse de grand-mère a toujours soutenu les avoir conçus tous les trois avec lui. Elle a emporté ses secrets dans sa tombe.

— Ce baron de Malmaison, comment avait-il fait fortune ?

— Voilà une longue histoire tissée de multiples détours. C'est dans le trafic des fourrures qu'il a fini par amasser son pécule. Il a d'abord tenté sa chance dans la chasse au loup marin, mais ça ne rapportait pas suffisamment. À force de courbettes, il a fini par obtenir le poste de commis du domaine du roi, à Tadoussac. Toutes les fourrures du Saguenay et de la Côte-Nord passaient par ses mains. Je le soupçonne d'en avoir détourné une bonne quantité pour son profit personnel.

— Il n'a jamais été pris ?

— On l'a sans doute soupçonné, comme il faut le faire de tous ces parvenus jouant dans les jardins des riches, mais sans jamais le coincer. Après quelques années à titre de commis, il a été en mesure de s'acheter un vaisseau sur lequel il expédiait des fourrures en France et en rapportait des marchandises diverses au pays. Il revendait le tout à prix d'or et faisait fortune des deux côtés de l'Atlantique. Ambitieuse comme elle l'était, ta grand-mère avait tout de suite flairé en lui un bon parti. Elle n'a guère eu de misère à tendre ses filets. Invitée à une soirée au fort Saint-Louis, elle a fait tant et si bien que le lendemain, le malheureux la recevait à dîner. Elle avait mis un pied dans l'échelle. Quelques mois plus tard, l'échelle entière et le baron lui appartenaient. Les noces n'ont pas été une mince affaire, tu peux m'en croire. Je n'en ai pas revues d'aussi somptueuses par la suite à Québec. Mais ils ont eu toutes les misères du monde à se marier, car on leur a réservé un charivari du tonnerre.

— Pourquoi un charivari ?

— Parce que Malmaison n'était veuf que depuis deux mois et qu'une très grande différence d'âge existait entre lui et ta grand-mère.

— Le charivari a duré longtemps ?

— Plus d'une semaine, avec tout ce que cela comporte. J'étais de la partie, en compagnie de tous les jeunes hommes amoureux de ta grand-mère.

« La première nuit, nous étions une trentaine à tourner autour de la maison de Malmaison, soufflant dans des cornes, battant du tambour, frappant du chaudron. Crois-moi, c'était un beau tumulte, de quoi tirer un sourd de son sommeil. Dès que le baron a eu le malheur de mettre le nez à sa fenêtre, aussitôt un d'entre nous a entonné le *Libera*. Les quolibets fusaient, nous chantions, sur le ton des litanies, des strophes comme celles-ci : "Des marchands de malheur, délivrez-nous, Seigneur ; du baron Malmaison, délivrez-nous, Seigneur ; du vieil imposteur, délivrez-nous, Seigneur ; rendez-le impuissant, nous vous prions, Seigneur ; enlevez-lui l'appétit, nous vous prions, Seigneur ; conduisez-le en enfer, nous vous prions. Seigneur."

« La deuxième nuit, nous étions plus de cinquante à lui casser les oreilles, avec tout ce qui peut faire du bruit. Cette fois, après avoir fait le tour de la maison une dizaine de fois en hurlant, nous nous sommes arrêtés sous la fenêtre de sa chambre. D'une voix de stentor, le sieur Perreault a débité un sermon, où il était question de fornication, d'impureté, de maladies honteuses. Il a terminé le tout par une citation latine : *Quemadmodum qualifestrum*, qu'on peut traduire par : vous êtes un impudique, mon frère. Il la répéta en la déformant, déridant toute l'assistance : "Cré marchandum qu'a les fesses trum !" »

38

— Les gendarmes n'intervenaient pas?

— La troisième nuit, ils ont tenté de le faire, nous étions plus de cent au charivari. À quatre, ils ont voulu nous barrer le chemin. Nous les avons contournés en leur disant d'aller se faire cuire un œuf. Le cri de ralliement, pour un temps, a été: "Cré marchandum qu'a les fesses trum." Puis, quelqu'un s'est avisé de le changer en: "Malmaisonrum qui est castrum". Quatre d'entre nous portaient un cercueil, les autres suivaient en feignant de pleurer ce pauvre baron mort au devoir. "Il n'a pu tenir le coup", sanglotait l'un; "Quelle imprudence, à son âge", déplorait un autre; "Que ferons-nous sans lui?" se désolait un troisième; "Mieux vaut disparaître avec lui", hurlaient les autres en chœur. C'était à mourir de rire. Le tumulte a duré jusqu'au petit matin. Les jours se sont suivis et se sont ressemblés, avec quelques variantes, dignes des pièces de comédie. Le charivari durerait encore si l'évêque ne s'en était mêlé.

— L'évêque est intervenu? s'étonna Nicolas.

— Eh oui! Là où les autorités civiles s'étaient montrées impuissantes, lui a réussi, en menaçant d'excommunication quiconque participerait au charivari. Deux nuits durant encore, Malmaison fut importuné par des cris et des bruits sporadiques. Des prêtres, mis de faction devant sa maison, pour colliger les noms des têtes fortes osant défier l'évêque, en ont été quittes pour des nuits blanches. Les chahuteurs, en plus petit nombre, se sont présentés masqués. Ils ont fait moins de bruit que les nuits précédentes. Le baron a pu enfin dormir tranquille, mais il n'était pas pour autant au bout de ses peines. Monseigneur l'évêque a interdit à tous les prêtres du diocèse de procéder au mariage avant six mois.

—Le baron devait être drôlement mortifié de ne pas pouvoir se marier tout de suite?

—Lui, il était furieux. Ta grand-mère, que le charivari avait beaucoup amusée, trouva, elle aussi, l'interdiction moins drôle. Elle a mis dans la tête de Malmaison de passer outre à cette défense. Lui, qui rampait devant elle, a promis de trouver un prêtre qui accepterait de les marier. Au bout d'une semaine, comme il n'y avait pas l'ombre d'une soutane autour de la maison, elle est revenue à la charge en menaçant de le quitter. "Nous ne pouvons pas nous marier sans officiant", a protesté le marchand. "Qu'à cela ne tienne, dit ta grand-mère, nous nous marierons à la gaumine." Cette proposition déplaisait royalement au marchand. Il a sorti son argent. Crois-moi, crois-moi pas, l'aumône du baron aux bonnes œuvres a dû être substantielle, parce que l'évêque a procédé au mariage religieux et officiel deux mois plus tard, jour pour jour.

—Comme vous le disiez, reprit Nicolas, les noces ont dû être impressionnantes.

—Quelles noces! Le baron n'a pas regardé pas à la dépense. Dans sa robe de mariée, ta grand-mère n'avait pas l'air d'une seigneuresse ni d'une baronne, mais bien d'une comtesse. Les festivités ont duré toute la semaine, précédées par la signature du contrat de mariage, à laquelle assistaient tous les dignitaires de la ville. Malmaison avantageait ta grand-mère de belle façon : elle héritait, grosso modo, d'à peu près la moitié de sa fortune et avait en main une procuration lui permettant de voir aux affaires de son mari en son absence.

— Ma grand-mère a été riche de même ? Je n'en reviens pas.

— Riche, tu peux le dire. Ils se sont installés dans une vaste demeure de la Haute-Ville de Québec. De son boudoir, elle pouvait apercevoir au loin le fleuve, la pointe de Lévis et l'île d'Orléans, qu'elle aurait bien achetée si elle avait été à vendre. Mais ses préoccupations s'avéraient bien différentes. Elle s'est mise à brasser de grosses affaires avec les négociants de la Place-Royale, ne s'en laissant imposer par personne. Son mari s'absentait des mois durant. Il partait pour la France, en revenait, tentait de lui faire un enfant avant de repartir aussitôt pour l'Acadie ou ailleurs. Pendant ce temps-là, la Charlotte, comme plusieurs l'appelaient, dilapidait sa fortune en organisant des bals fréquentés par tous les bourgeois de la ville.

— Elle a dû se ruiner rapidement !

— Pas elle, mais le baron, parce que c'est l'argent de son mari qu'elle dépensait pendant son absence. Au fond, elle avait un bon sens des affaires. Elle devait le tenir de ses ancêtres Plouard, car quelque part dans ton ascendance, il y a des Plouard, paraît-il, de bons marchands. En quelques années, tout Québec la connaissait. On l'admirait, tout en la plaignant d'avoir si mal choisi son mari. Elle s'en moquait, en disant ouvertement qu'elle l'avait épousé pour sa richesse, qui lui permit de s'entourer de nombreux serviteurs. À peine avait-elle emménagé à la Haute-Ville qu'elle fit connaître son désir d'engager des domestiques. Nous étions plus d'une vingtaine à faire le pied de grue à sa porte, un matin de janvier. Je me rappelle, il faisait un froid à nous geler le cœur. Elle me choisit comme palefrenier. Je logeais dans un appentis, près des écuries. C'est à compter de ce jour-là que les chevaux n'ont jamais quitté ma vie.

Le vieil homme parlait toujours : il en avait manifestement encore long à dire. Les lueurs de la lune tiraient un trait d'argent entre la forêt et l'horizon. Nicolas avait sommeil. Sur la crête des vagues où se balançait le radeau, il lui semblait voir courir les fantômes de ses ancêtres. Il interrompit le vieil homme :

— C'est fort intéressant, mais je n'oublie pas que demain, il me faut aider aux cuisines que je ne quitterai pas de toute la journée, et je dois être debout avec l'aurore. Vous seriez bien aimable de poursuivre votre récit demain, en soirée, au moment où je serai libre.

Toujours aussi courtois, Honoré Vien accepta volontiers la proposition de Nicolas.

— Ça ne m'offusque pas, assura-t-il, rien ne me fait plus plaisir que de plonger ainsi dans mon passé. Je suis bien content, jeune homme, de voir que je t'en apprends sur ta grand-mère et j'en ai encore long à te raconter.

— Je ne demande pas mieux, dit Nicolas. Quand je répéterai ça à ma mère et à mes sœurs, elles ne le croiront pas.

— Tu es sûr qu'elles n'en savent rien ?

— Si ma mère en sait quelque chose, en tous les cas, elle a su bien le cacher. Quant à mes sœurs, bavardes comme elles le sont, elles se seraient fait un plaisir de m'en informer.

Chapitre 3

La libertine

Le lendemain, les navires commencèrent à lentement remonter la rivière Saint-François. Cette expédition se faisait au ralenti, car le major Heriot commandait de fréquents arrêts afin d'explorer les berges pour y découvrir l'endroit le plus propice à la réalisation de son projet.

Fidèle à son rendez-vous du soir, après le souper, au moment où la noirceur prenait possession des restes du jour, Nicolas retrouva comme prévu Honoré Vien. Ce dernier tirait de grosses bouffées de fumée d'une courte pipe brune. Son tabac fort sentait le foin brûlé. Il demanda :

— Es-tu toujours intéressé à mieux connaître ta grand-mère ?

— Quelle question ! répliqua Nicolas. Qui mieux que vous pourrait m'apprendre son histoire ? Vous avez été domestique chez elle, je ne doute pas que vous en sachiez encore bien long à son sujet.

— Plus que tu ne le crois, mais pas toujours des faits et des gestes dont tu pourras te réjouir. Voilà pourquoi j'hésite à t'en faire part.

— Que m'importe ! Personne ne peut prétendre être parfait.

— À la bonne heure ! Où en étions-nous donc ?

— Vous me disiez qu'elle vous avait engagé comme palefrenier.

— Ah oui ! Palefrenier. Ce n'était d'ailleurs qu'un prétexte. Qui se méfie d'un palefrenier sans fortune, n'ayant que son coffre de hardes et une paillasse près des écuries ?

— Personne, évidemment.

— Ta grand-mère l'avait bien compris. En m'embauchant, elle avait une autre idée derrière la tête. Ardente comme elle l'était alors, elle ne pouvait pas se passer de chaleur et d'amour très longtemps. Elle avait besoin d'un amant. C'est ce que j'ai compris quand, profitant du soir de congé des autres domestiques, elle m'a gardé pour le souper. Elle ne m'avait pas dit trois mots, depuis mon engagement, mais quelque chose m'assurait qu'elle avait un faible pour moi.

« Derrière sa maison se dressait un hangar. L'hiver, il servait de glacière. Par ce hangar, on pouvait accéder à une fenêtre de la maison, laquelle donnait sous l'escalier menant à sa chambre. Elle m'a dit : "Quand je voudrai te voir, je te le ferai savoir à ma façon." Elle a convenu d'un signal entre nous. Tous les soirs, dix minutes avant le couvre-feu, je me mettais en observation du côté sud, sous la fenêtre de sa chambre. Cinq minutes avant l'extinction des feux, elle tirait ses rideaux. Si elle les fermait, puis les ouvrait une fois, avant de les refermer, je savais qu'elle souhaitait me voir, le soir même. Si, au contraire, elle les ouvrait et refermait à deux reprises, elle m'attendait le lendemain soir. Si elle les tirait mais ne les ouvrait plus, j'en étais quitte pour passer la nuit dans ma chambre près de l'écurie. »

— Vous avez été son amant ?

— Bien sûr ! Pendant plusieurs années. C'était, en réalité, une femme délaissée, libre, en conséquence, de faire ce qui lui plaisait. Pour s'assurer d'être seule, elle donnait congé aux domestiques. Malgré leur absence, je n'avais pas l'autorisation d'entrer chez elle autrement que par le hangar et la fenêtre déverrouillée à cette fin. J'accourais, je montais les marches deux par deux, sans faire de bruit, j'effleurais doucement la porte de la paume de la main. J'attendais l'ordre d'entrer.

« Elle décidait de tout, je n'avais qu'à m'accorder à ses humeurs. Certaines fois, elle me repoussait vers l'escalier alors que je venais tout juste d'entrer. D'autres fois, elle m'ignorait pendant une heure ou deux avant de décider qu'il ne se passerait rien ce soir-là. La plupart du temps cependant, elle était déjà étendue sur son lit et me faisait signe d'approcher. Je n'avais plus alors qu'à la caresser du bout des doigts, en commençant par la plante des pieds. Elle poussait aussitôt de longs soupirs et je la sentais se détendre peu à peu, en multipliant les grognements de plaisir. Bientôt, sa respiration devenait saccadée, jusqu'au moment où elle m'attrapait par un bras en criant : "Viens !" Je m'étendais sur elle et la prenais sans plus de cérémonie. Ça ne durait guère. Je la sentais frémir sous moi, elle roucoulait de plaisir, puis se retournait, satisfaite, en me repoussant. »

— Ouf ! À ce que j'entends, c'était une femme drôlement libre !

— Comme bien d'autres à cette époque où il était si important de sauver les apparences.

— Elle ne devait pas être très pieuse.

— Elle fréquentait l'église comme nous tous, pour éviter d'être pointée du doigt, mais la religion n'était certes pas sa priorité. Pour en revenir à ce que je disais, dès que je la voyais se retourner, je savais qu'il me fallait disparaître avant que la tigresse en elle ne se réveille et me chasse à coups de griffes. Je me sauvais nu, mes chaussures à la main et mes hardes sous le bras. Au bas de l'escalier, j'ouvrais la fenêtre, en prenant bien soin, une fois dans le hangar, de la refermer sans bruit derrière moi. Ce n'est qu'à ce moment que je pouvais m'habiller, et l'hiver, crois-moi, dans cet endroit glacial, je tremblais de tous mes membres avant de retrouver la bonne chaleur de mes vêtements. Il n'était pas question un seul instant de songer à revenir en arrière.

— Elle avait du caractère ?

— Je comprends donc !

— Vous me faites découvrir que mon caractère et celui de mes sœurs ne nous vient pas seulement du côté des Grenon.

— Tu dois avoir certainement en toi quelque chose d'elle. Écoute bien la suite et tu comprendras un peu mieux son tempérament. Un soir d'hiver, pressé de partir, j'avais oublié mes souliers dans sa chambre. Pour mon malheur, je suis revenu sur mes pas afin d'aller les quérir. Elle me les lança à la tête avec tant de hargne que je n'osai plus aller la voir pendant des semaines. D'ailleurs, l'aurais-je voulu que je n'aurais pu. Elle m'a fait faire le pied de grue tous les soirs, pendant tout ce temps, en tirant ses rideaux sans jamais les ouvrir de nouveau. Puis, un bon soir, sachant que malgré tout j'étais toujours à mon poste, elle me donna le signal tant attendu.

— Désormais, dit Nicolas, je ne dirai pas seulement "têtu comme un Grenon", mais aussi "têtue comme la grand-mère Charlotte"!

— Et tu auras saprément raison, mon garçon. Après m'avoir fait tant attendre, elle m'a donc donné le signal. Tu peux croire que j'étais content de la revoir. Je me rappelle ce soir-là en particulier, parce qu'elle s'est esclaffée au moment où elle m'a appelé vers elle en me disant: "Viens!" S'avisant soudain que je portais ce nom, elle s'est mise à rire à s'en étouffer. À compter de cette soirée mémorable, chaque fois que j'allais la trouver, elle me disait: "Viens, Vien!" Et quand elle me congédiait, elle ne manquait pas de prononcer, comme un rituel amusant: "Va, Vien!" Quelle maîtresse femme! Je me suis uni à plus d'une depuis, mais, crois-moi, aucune d'elle n'allait à la cheville de ta grand-mère en ce domaine. Quand elle voulait faire durer le plaisir, elle savait attendre et me faire patienter, jusqu'à ce qu'un désir plus fort que tout nous emporte au monde du plaisir le plus vif. J'en frissonne encore.

— Que devenait son mari pendant tout ce temps ?

— Il passait ses hivers en France à faire l'achat de marchandises expédiées sur les navires en partance pour Québec, chaque printemps.

— Pendant tout ce temps, ma grand-mère demeurait seule ?

— Elle était occupée par la vente des marchandises reçues de France et elle lui envoyait, en retour, les peaux de castor et d'orignal qu'elle recevait en paiement. Elle réussissait assez bien en affaires, mais dépensait plus qu'elle ne gagnait. Ses bals faisaient le bonheur de tout Québec. J'y assistais de loin : un palefrenier n'a pas ses entrées dans ce beau monde poudré. Les soirs de bal, je me tenais près de l'entrée, jouant le rôle de portier. Le premier domestique annonçait chaque invité, d'une voix puissante, en multipliant les "comtes de…", les "écuyers du…", etc. Pour me venger, je leur inventais des noms : monsieur le comte de Tout à l'heure, madame la marquise de Puispeu, messire l'écuyer de Rebrousse-poil, madame la maîtresse de Tout le monde.

— Vous êtes resté longtemps son palefrenier ?

— Cette vie à l'emporte-pièce a duré quelque chose comme six ou sept années. Entre-temps, elle avait fait trois enfants et avait trouvé le moyen de flamber, à peu de chose près, toute la fortune de son mari. De toute façon, ce dernier n'en aurait pas profité, car il a péri

dans le naufrage du navire qui le ramenait définitivement au pays. Devenue veuve et libre, ta grand-
mère fut aussitôt entourée d'un nombre considérable
de prétendants, sur lesquels elle leva le nez. Il lui restait suffisamment d'argent, c'est à tout le moins ce
qu'elle croyait, pour s'acheter rien de moins qu'une
seigneurie.

Comme les deux soirs précédents, Nicolas dut prier
le vieil homme de remettre la suite au lendemain, car
il tombait de fatigue.

Chapitre 4

La tempête

Quand il avait laissé Honoré Vien, la veille, Nicolas pensait bien pouvoir profiter de la suite de son récit dès le lendemain, mais c'était sans compter une forte tempête qui se leva durant la nuit. Elle sévit pendant deux jours sans qu'il pût même penser monter sur le radeau ancré au milieu de la rivière.

Habitués à bivouaquer, les hommes avaient dressé deux tentes sous lesquelles ils passèrent, bien à l'abri, ces deux jours et ces deux nuits où la nature déchaînée les contraignait à l'inactivité. Nicolas et Bernardin s'informèrent auprès du capitaine Adhémar du déroulement futur de leur expédition.

— Allons-nous remonter encore bien longtemps ce cours d'eau avant de trouver l'endroit idéal ?

— Nous avons à peine parcouru vingt milles et cette tempête nous cloue sur place depuis deux jours. Il nous faut pousser plus loin. Jusqu'à présent, il n'y a guère de site invitant, propre à la réalisation de notre projet.

— Qu'en dit le major Heriot ?

— Je suis justement convoqué sous sa tente, ce matin. Nous devons étudier ensemble les cartes de la région. Je crois qu'il a déjà une bonne idée de l'endroit où nous nous arrêterons.

À peine de retour de sa réunion avec le major, le capitaine Adhémar fut assailli de questions par Nicolas et Bernardin.

— Quoi de neuf?

— Rien de très précis. Il semble que nous allons continuer à remonter encore plus loin le cours de la rivière jusqu'à un endroit où, paraît-il, se trouvent des rapides susceptibles de nous arrêter. Le commandant croit que ce site pourrait s'avérer digne d'intérêt.

Le lendemain, la tempête s'étant enfin apaisée, l'expédition put se poursuivre. Au début de l'après-midi, une série de rapides sur la rivière les empêchèrent de pousser plus avant. Nicolas constata:

— Ce doit être l'endroit dont le capitaine nous a parlé hier.

— Ça semble intéressant, reprit Bernardin. Il y a même, au bord de la rivière, un sentier ouvert sur la forêt.

Ils n'eurent pas à s'interroger longtemps sur les intentions du commandant, car ils reçurent l'ordre de décharger les embarcations. Expédiés à l'avant avec d'autres hommes, Nicolas et Bernardin eurent à abattre quelques arbres le long de la rive afin de créer l'espace nécessaire à l'érection d'un immense hangar devant servir d'abri aux effets et aux marchandises qu'ils convoyaient. Ils travaillèrent sans arrêt jusqu'à la brunante. Le lendemain, ils bûchèrent encore tout au long du jour. Nicolas constata que son vieil ami, Honoré Vien, participait aux travaux avec ses chevaux. Il se demandait quand il aurait la chance de connaître la suite des aventures de sa grand-mère.

Au bout d'une semaine, le hangar était pratiquement terminé et les marchandises y avaient été entreposées. Plus près de la rive, un camp en bois rond servait déjà de toit au commandant et à ses amis. Cartes en main, en compagnie du commissaire général de la colonisation et d'un arpenteur, le major Heriot partait tous les jours explorer les environs. Les trois hommes s'employaient à déterminer les emplacements du futur village et des terres qu'ils avaient la responsabilité de distribuer.

La petite colonie prenait tranquillement forme. Déjà, un ancien soldat du nom de Stean avait décidé d'y demeurer. Il alla rencontrer le major Heriot. Ce dernier n'hésita pas à lui céder une terre le long de la rivière. Avant le retour de l'expédition à William-Henry, Nicolas et Bernardin, avec l'aide des autres soldats, lui érigèrent un camp en bois rond.

Décidés à revenir se fixer à cet endroit, les deux amis allèrent à leur tour rencontrer le commandant qui les reçut courtoisement. Il parlait assez bien français. Nicolas alla droit au but :

— Nous désirons nous faire octroyer une terre le long de la rivière.

— Désolé, mes amis, je ne peux pas satisfaire tout de suite votre demande, je dois d'abord rencontrer le gouverneur, qui va me préciser la façon de répartir les terres entre les officiers et les soldats. Je saurai alors ce que chacun recevra pour aider à son établissement.

— Si vous ne pouvez pas octroyer de terres, pourquoi Stean en a-t-il reçu une ?

— Tout simplement parce qu'il me fallait un homme sur place afin de veiller aux effets et marchandises laissés dans le hangar.

— Quand pourrons-nous en recevoir une ?

— Dès mon retour de Québec, nous procéderons à la distribution des terres.

— Pouvons-nous compter en obtenir une non loin de la rivière ?

— Vous aurez la vôtre bientôt. Mais au fait, comment vous appelez-vous ?

— Nicolas Grenon.

— Et vous ?

— Bernardin Dumouchel.

— Dans quel corps d'armée avez-vous servi ?

— Dans le régiment Meuron. Le capitaine Adhémar a même commandé notre compagnie à Plattsburgh.

— Plattsburgh, répéta le major Heriot, pensif. Ce fut en effet une bonne bataille, mais pas une victoire.

— Pas une défaite non plus. Plusieurs hommes y ont laissé la vie. Nous y avons risqué aussi la nôtre.

La réflexion de Nicolas laissa de glace le major, qui reprit :

— Et c'est le sort d'un soldat que de risquer sa vie pour sa patrie.

Sur ce, il les congédia, en leur faisant remarquer que le travail ne manquait ni pour eux ni pour lui.

De retour à leur tente, Nicolas et Bernardin récupérèrent leurs effets. L'expédition s'apprêtait à retourner à William-Henry. Nicolas remarqua dans un coin de la tente des cartes déployées sur une table. Curieux, il s'approcha. C'était précisément les plans du canton de Grantham. Les terres à distribuer étaient divisées en carrés de dix hectares sur dix. Des noms figuraient déjà sur toutes les terres situées le long de la rivière, et sur à peu près tout l'ensemble du canton. Furieux, Nicolas alla trouver le capitaine Adhémar. Ce dernier, en le voyant arriver, lui demanda aussitôt :

— Veux-tu bien me dire quelle mouche te pique ?

Nicolas éclata :

— Sais-tu ce que je viens de découvrir ?

— Quoi donc ?

— Toutes les terres, ou à peu près, du canton de Grantham sont déjà réservées.

— Comment le sais-tu ?

— Suis-moi, dit Nicolas.

En apercevant les cartes sur la table, le capitaine Adhémar s'offusqua :

— C'est toi qui as fouillé dans mes affaires ?

— Jamais je ne me le serais permis. Quelqu'un de plus curieux que moi l'a fait et ça m'a été fort utile.

— Ça ne t'a servi qu'à te faire du mauvais sang.

— Du mauvais sang ?

Nicolas se mit à frapper de l'index sur la carte que le capitaine Adhémar venait de redéposer sur la table. Les dents serrées, il fulminait :

— Regarde à qui ont été données les meilleures terres du canton ! Heriot prétendait ne pas pouvoir les distribuer avant son retour de Québec. Il s'est accaparé à lui seul à peu près toutes celles qui se trouvent au bord de l'eau.

— Ça s'explique facilement, précisa le capitaine. Il s'est fait octroyer ces terres afin de les réserver pour la construction du village : elles ne sont pas véritablement à lui.

— Rien n'empêche qu'il a distribué les autres, les meilleures, à ses amis.

Du doigt, Nicolas parcourut la carte en énumérant leurs noms :

— John Stean, les deux Sanders, James Miller, Rodolphe Steigher, Thomas Sheppard, John Leggat, Peter Plunkette, Michael Toomey, William Montgomery, tous Anglais, comme lui !

— Comme je te l'ai dit et je te le répète : il n'a pas le choix. Le gouverneur Drummond lui a donné l'ordre de faire de cette colonie un emplacement anglais, afin que tout le canton de Grantham et les cantons des alentours, Simpson, Wickham et Durham, soient colonisés par des hommes d'origine et de langue anglaises.

Tenant mordicus à son idée, Nicolas poursuivit :

— C'est exactement comme si Bernardin et moi, et tous ceux affublés de noms français, n'avions pas risqué notre peau sous les drapeaux anglais. Pourquoi sommes-nous considérés comme des individus de second rang ? Notre vie est-elle moins précieuse qu'une vie anglaise ?

Le capitaine Adhémar se redressa.

—Nicolas, je t'aime bien, mais quand tu laisses tes sentiments prendre le dessus sur ton jugement, je ne te reconnais pas. Tâche de voir la situation telle qu'elle est. Tire profit au maximum de ce que tu pourras obtenir.

Trop furieux pour parvenir à se contenir, Nicolas poursuivit ses récriminations :

—C'est ça, contentons-nous des restes et taisons-nous comme d'habitude. J'ai fait la guerre aux côtés des Anglais, pour les Anglais. À partir d'aujourd'hui, je ferai la guerre pour moi et pour les miens et, si nécessaire, contre les Anglais. Je pars d'ici pour le moment, mais je vais revenir et je tracerai mon chemin bien droit et sans me laisser marcher sur les pieds, comme le ferait tout Grenon digne de ce nom.

Il sortit de la tente sans se retourner. Le capitaine Adhémar le regarda partir en secouant la tête et s'empressa de faire disparaître les cartes compromettantes.

Chapitre 5

La seigneuresse

Au cours de ces journées harassantes, Nicolas n'avait pas eu le loisir de revoir Honoré Vien. Mais l'histoire de sa grand-mère le fascinait tellement qu'il profita d'une belle soirée où tout invitait à la détente, avant leur retour vers William-Henry, pour s'en laisser raconter encore un épisode. Le vieil homme se montra enchanté de pouvoir continuer ce qu'il avait commencé.

Pour ne pas qu'ils soient dérangés, Nicolas proposa au vieil homme de ne pas rester à terre mais de plutôt de rallier le radeau, toujours amarré à un des vaisseaux au milieu du cours d'eau. À leur endroit de prédilection, après avoir allumé sa pipe, Honoré Vien replongea dans ses souvenirs.

— Où en étions-nous avec la Charlotte?

Nicolas avait gardé en mémoire le point précis où en était le vieillard dans son récit:

— Je suis curieux de savoir comment ma grand-mère est devenue une seigneuresse.

— Ta grand-mère rêvait de s'acheter une seigneurie. Mais des seigneuries à vendre, il n'y en avait pas, sauf peut-être, à ce qu'on lui avait dit, celle des Éboulements. Elle n'avait jamais mis les pieds dans Charlevoix. Elle s'y fit conduire en goélette, puis en charrette, par la grande côte des Éboulements, jusqu'au manoir pratiquement en ruines. Inutile de te dire que, passionnée comme elle l'était, elle est tombée follement amoureuse des Éboulements. Il faut dire qu'il y a de quoi s'amouracher d'un coin pareil : la montagne, le fleuve à perte de vue. Elle connaissait quelque chose de semblable à Québec ; elle le retrouvait en plus rustique et plus sauvage aux Éboulements. Elle se voyait déjà dans son manoir, recevant le gratin de la région pour des bals. Elle voulait tout simplement transporter à la campagne ses habitudes de la ville.

— À qui appartenait la seigneurie ? s'enquit Nicolas.

— À Jean-François Tremblay, qui en avait hérité de son père Pierre, sans trop se préoccuper de la faire valoir. Plusieurs terres y étaient à l'abandon. Les gens se plaignaient du moulin à farine, qui ne tournait que la moitié du temps. Ils déploraient l'absence du seigneur et redoutaient que tout tombe en dégandole. Quand ils ont vu arriver cette femme résolue, sachant ce qu'elle voulait et entichée de leur seigneurie, ils en ont été tout réjouis. Ils n'ont pas été longs à s'apercevoir que ta grand-mère était tout un numéro. Ils ne tardèrent pas à l'appeler familièrement la Charlotte, puis la seigneuresse.

— Est-ce qu'elle a fini par acheter la seigneurie ?

—Non pas. Elle aurait eu suffisamment d'argent pour l'acheter d'un coup, mais elle a préféré passer des contrats d'achat de terres devant le notaire. Elle ne voulait pas engager tout ce qui lui restait de sa fortune.

—Où s'est-elle installée?

—Sur une des terres qu'elle venait d'acheter. Elle a trouvé des ouvriers à qui elle a donné ses instructions pour faire construire une manière de manoir. Puis elle est retournée pour voir à ses affaires, à Québec. Comme elle avait besoin de sous, ce qui lui manquait toujours, elle a vendu sa résidence de Québec. Puis elle a pris pour de bon le chemin des Éboulements. C'est alors que commença pour elle une vie encore plus mouvementée. Mais de ça, mon garçon, nous en parlerons demain. Je me sens vieux et las: un bon somme me fera grand bien.

Ce fut tout ce que Nicolas apprit ce soir-là. Bernardin n'était pas sans s'être rendu compte du manège de Nicolas et de ses escapades sur le radeau.

—Tu nous quittes tous les soirs, lui fit-il remarquer. Ce vieillard que tu vas voir semble te passionner.

—À qui le dis-tu! Il me raconte l'histoire de ma grand-mère.

—Vraiment? Et qu'a-t-elle fait de si prodigieux pour que tu passes des heures en compagnie de cet homme?

—Il m'apprend que cette femme était un personnage extraordinaire et une brasseuse d'affaires comme il ne s'en fait guère. Je te raconterai tout ça quand ce vieil homme aura fini de m'en vanter les mérites.

Le lendemain, à la brunante, Nicolas se retrouva sur le radeau. Le regard allumé, Honoré Vien le reçut avec le sourire. Il avait le goût de causer et entonna aussitôt :

—Jeune homme, tu m'excuseras d'avoir coupé court à notre entretien d'hier. Tu comprendras qu'à mon âge, la fatigue joue parfois de mauvais tours. Ce soir, cependant, si tu veux entendre parler de ta chère Charlotte, je suis ton homme.

—Je ne me lasse pas de vous écouter, avoua Nicolas.

—Dans ce cas, tu sais que la mer est un animal à ne pas contrarier. Eh bien ! Dis-toi que ta grand-mère n'était pas différente.

—Quelqu'un a-t-il osé se frotter à elle ?

—Il fallait s'y attendre.

—Qui donc ?

—Le seigneur des Éboulements. Il y avait cinq ans qu'elle achetait des terres dans sa seigneurie. Elle avait versé un montant initial à l'achat, mais aucune redevance au seigneur en place. Ce dernier lui a intenté un procès. Chaque fois qu'elle a été convoquée en cour, elle s'est arrangée pour ne pas être présente. Elle a fait durer le manège jusqu'à l'été, sous prétexte qu'elle recevrait de l'argent avec l'arrivée des premiers navires. Cet argent n'est jamais venu, cette année-là. Elle a prétendu qu'elle le toucherait l'année suivante et, à cet effet, elle a fait la traversée jusqu'en France.

—Elle est allée jusqu'en France ?

—Bien sûr ! Elle tenait à ses terres et en possédait presque autant que le seigneur Tremblay lui-même, mais ne lui versait pas les cens et rentes annuels. En France, elle fut reçue partout. Chacun désirait connaître cette Charlotte qu'on disait seigneuresse de Nouvelle-France et qui, par sa beauté, faisait pâlir les plus belles femmes du royaume de France. Elle ne perdit pas son temps à Paris, à Rouen, à La Rochelle ou ailleurs. Tout ce qu'elle désirait, en réalité, c'était de faire tomber dans ses filets un riche seigneur, qui, par sa fortune, lui permettrait de sauver sa mise sur ses terres de la seigneurie des Éboulements. Elle a fini par attirer l'attention d'un marchand de Dieppe, avec qui elle s'est alliée pour la vente de marchandises. Les marchandises ont été chargées sur deux navires. "Pensez-vous, disait-elle, que je suis du genre à mettre tous mes œufs dans le même panier ?" Elle espérait, une fois tous ces produits vendus et leur prix remboursé, retirer plusieurs milliers de livres, de quoi payer le seigneur et continuer à gruger une à une les terres de sa seigneurie.

—Y est-elle parvenue ?

—Justement, ce chargement causa sa perte. Les marchandises rapportèrent moins que prévu, parce que la moitié des tonneaux de vin achetés par ses soins arrivèrent gâtés. En tout et pour tout, elle n'avait fait que quatre mille livres de profit, alors que ses dettes frisaient les dix mille livres. Le seigneur Tremblay l'a fait de nouveau comparaître en justice. Elle a joué le même jeu que l'année précédente et a même brandi des documents prouvant qu'elle devait toucher les montants d'une rente venant à expiration l'année suivante. Elle affirmait que cette somme lui permettrait de rembourser sa dette en entier, avec les intérêts. Elle s'est si bien démenée que le juge, impressionné par sa détermination autant que par sa fougue et sa beauté, a fait reporter son jugement définitif à l'été suivant.

Plein d'admiration pour son aïeule, Nicolas s'exclama :

— Eh bien ! Elle était tenace et rusée, la grand-mère !

Le vieil homme sourit largement et poursuivit :

— De passage à Québec, j'ai eu la chance d'assister à ce procès. Elle se défendait avec tant d'ardeur et de véhémence qu'elle attirait toutes les sympathies. C'est lors de ce procès qu'un quidam, en jouant sur son nom de famille, l'a surnommée la seigneuresse l'Éclair, surnom sous lequel plusieurs ont pris l'habitude de la désigner. Quoiqu'elle fasse, cette femme hors du commun attirait constamment l'attention. Elle se plaisait d'ailleurs fort bien dans ce rôle.

Curieux, Nicolas demanda :

— A-t-elle fini par pouvoir payer ses terres ?

— Hé non ! Une fois de plus, malgré l'opposition du seigneur Tremblay, inquiet de n'être jamais payé, elle a été autorisée à quitter de nouveau le pays et a repris la mer, papier en main, sous le prétexte d'aller toucher la rente en question, rente qui n'existait plus, et pour cause : elle l'avait engloutie en même temps que la fortune du sieur de Malmaison. Avant de quitter Québec, elle a donné une procuration à un ami qui, pour deux mille livres, a acheté un congé de traite en son nom. Arrivée en France, elle a fini, comme l'année précédente, par convaincre un marchand de Rochefort de lui fournir des marchandises de traite contre des peaux de castors pas encore tués. Elle est revenue de France avec ses marchandises et la promesse d'une fortune à venir. Le seigneur Tremblay ne voyait pas les choses du même œil et il a réclamé de nouveau son dû devant les tribunaux.

— Comment faisait-elle pour étirer ses paiements si longtemps ? Le seigneur devait être furieux !

— Il l'était, mais n'y pouvait rien. Pendant tout ce temps, elle se faisait malicieusement appeler seigneuresse des Éboulements et retenait les cens et rentes des terres qu'elle possédait. Les habitants réclamaient depuis longtemps un meilleur moulin à farine. Elle en a fait ériger un à ses frais sur une de ses terres, en promettant au charpentier de le payer sur les profits de la traite des fourrures. Comme le moulin banal de la seigneurie ne fonctionnait pas, les gens ont pris l'habitude de faire moudre leurs grains à son moulin. Parce qu'elle avait satisfait les habitants, elle a gagné leur sympathie, si bien qu'ils se sont opposés à l'idée que le seigneur fasse réparer son moulin. Malgré tout, les autorités lui ont ordonné, par jugement définitif, de cesser de faire tourner son moulin. Elle a grondé comme le tonnerre, méritant son sobriquet d'Éclair, et a porté l'affaire en appel.

—Fiou! souffla Nicolas. Comme aurait dit mon père, elle n'y allait pas avec le dos de la cuillère.

—Entre-temps, elle a entrepris de nouveau la traversée en France. Sur le navire, cette fois, elle a fait la connaissance d'un marchand passablement fortuné. Elle lui a tourné autour, jouant de tous ses charmes en même temps que de ses griffes. Elle a si bien fait sa chatte qu'elle l'a amadoué. Elle avait le projet de lui soutirer sa fortune pour rembourser ce qu'elle devait au seigneur Tremblay, mais cette fois elle a perdu sur tous les fronts. Ce marchand n'était pas dupe. Elle est revenue au pays gros-jean comme devant.

Après avoir narré les déconvenues de la seigneuresse, Honoré Vien, appuyé à la clôture entourant le radeau, resta un moment à scruter la rivière éclairée par une lune blafarde. Nicolas respecta son silence mais en prenant congé, il lui demanda :

—Qu'est-elle devenue par la suite ?

—Ah, ça, dit-il en réprimant un bâillement, si tu veux bien, nous y reviendrons demain.

Chapitre 6

L'extravagante

Après toutes ces journées de travail, et à la veille de faire voile pour William-Henry au petit matin, Honoré Vien avait quelque peine à reprendre le fil de son récit. Nicolas le trouvait fatigué. Il lui semblait que pour un homme de son âge, commander et soigner deux chevaux devait requérir passablement d'énergie. Nicolas remerciait le ciel que son ami Bernardin adorât jouer aux cartes; cela lui permettait de s'éclipser à point nommé et de continuer à profiter des confidences du vieil homme. Ce soir-là, ce dernier commença par préciser:

—Je dois te dire que ta grand-mère n'a pas tout perdu. Elle avait tout de même engagé beaucoup d'argent, à la fois dans la construction de son manoir et de ses dépendances, ainsi que dans l'érection d'un moulin neuf fort utile aux gens de la seigneurie. Le juge en a tenu compte. Si ta grand-mère avait été moins extravagante, elle aurait pu payer ce qu'elle devait et conserver toutes ses terres. Mais elle en a perdu la moitié parce qu'elle aimait avant tout éblouir, et le peu d'argent qui lui restait, elle ne l'employa pas à payer ses dettes, mais à donner des bals et autres fêtes dont elle seule avait le secret.

— Si je comprends bien, dit Nicolas, elle était passablement excentrique et elle a perpétué son train de vie de Québec aux Éboulements.

— C'est tout à fait ça ! À cette époque, il m'arrivait d'aller la visiter, juste pour le plaisir d'être en sa présence et de la regarder agir. Elle était toujours de bonne humeur, affairée à la réalisation de quelque chose chaque fois plus important que tout. C'était incroyable de voir la force que pouvait dégager cette femme. Outre sa beauté et son intelligence, c'était son énergie qui la faisait aimer des gens. De toute façon, elle ne laissait personne indifférent. Je pense que le meilleur exemple de ce qu'elle était vraiment, je peux te l'illustrer par un événement que j'ai vécu lors d'une de mes visites aux Éboulements. Ça t'intéresse de l'entendre ?

— Si ça m'intéresse ? Je comprends donc ! Jamais je n'aurais pu imaginer avoir eu une pareille grand-mère.

— Dans ce cas, ce qui suit va certainement te plaire. J'avais décidé, un beau jour de fin d'été, de lui rendre visite. J'étais arrivé en goélette à Saint-Joseph-de-la-Rive et je m'étais fait conduire aux Éboulements par un charretier du coin, un homme renfrogné, grognant à chaque cahot sur le passage de son cheval. Comme nous arrivions près du manoir où elle habitait encore, une des roues de la charrette s'est détachée. "Malédiction ! s'est écrié le charretier, ces maudites routes, nous les devons à cette extravagante qui se prend pour un seigneur, alors qu'elle n'est qu'une petite parvenue sortie de Québec !" Sur ces mots, il cracha de dépit. "Nous sommes chanceux dans notre malchance, lui ai-je fait remarquer. Ce malheur nous arrive alors que nous sommes à la porte du manoir." Le charretier a brandi le poing. "Que le diable ait son âme, s'est-il exclamé, en parlant de ta grand-mère, on me paierait que je n'irais pas demander son aide." C'était la première fois que j'entendais quelqu'un déblatérer contre elle. On ne peut pas avoir que des amis, ai-je songé. J'ai alors dit au charretier : "Vous n'iriez pas, mais l'honneur sera sauf, car moi j'y vais. Il s'avère en plus que je la connais."

« Le bonhomme a vivement protesté. Je l'ai quelque peu apaisé en lui payant le prix de mon transport et je me suis dirigé sans plus tarder vers le manoir. Au moment où je parvenais en face des écuries, un va-et-vient inhabituel m'a étonné. Tenus en laisse, une vingtaine de chiens aboyaient d'impatience. Arme au poing, des hommes attendaient le signal de la chasse. J'ai compris alors d'où provenait tout le vacarme entendu depuis quelques minutes dans le lointain : des rabatteurs s'amenaient en frappant le fond de vieux chaudrons. Leurs cris mouraient chaque fois qu'un des cavaliers, muni d'un cor de chasse, sonnait l'hallali. Les sons du cor se répercutaient contre la montagne, puis allaient se perdre au fond des vallées avoisinantes, étouffés par l'épaisseur des taillis. Ils faisaient place aussitôt à la sarabande lointaine des fonds de chaudron. »

— Elle avait organisé une chasse ? demanda Nicolas.

— En plein ça, mais pas n'importe quelle chasse : une chasse à courre. Ils étaient sept, bien comptés, à attendre le départ de la chasse. La domestique à qui je me suis adressé pour me présenter à ta grand-mère se nommait Marielle. J'avais entendu un des hommes l'interpeller par ce prénom. Je l'avais tout de suite remarquée pour sa vivacité et ses yeux pleins d'intelligence. Elle me semblait délurée. En réponse à ma demande, elle m'a déclaré d'un air moqueur : "Cher monsieur, vous devrez attendre que la chasse soit lancée. Il n'est pas question de déranger ces messieurs, ce sont des gens importants, vous savez et, pour l'instant, ils attendent madame !" Son sourire moqueur démentait ses paroles. Elle ne portait certainement pas ces messieurs dans son cœur. J'ai fait en haussant les épaules : "Importants !" Ma réaction désinvolte l'a fait sourire. Elle s'est approchée de moi pour chuchoter à mon oreille : "Ils le sont plus que vous le croyez. Ils sont arrivés ici en grand secret, comme des malfaiteurs, ce qu'ils sont sans doute, en feignant de ne pas se connaître."

« Devant mon air étonné, elle a pouffé de rire, heureuse de l'effet de ses paroles. Pendant que nous parlions, ta grand-mère est apparue, vêtue de ses habits de chasse. "Choisissez vos bêtes", a-t-elle dit à ses invités, en désignant les chevaux rassemblés dans un enclos voisin. "Les femmes d'abord!" a lancé un petit homme sec au regard pétillant. "C'est très gentil à vous, monsieur Vivier, de donner préséance aux dames, a-t-elle approuvé, mais je vous ferai remarquer que je suis la seule dans la place."

« Elle s'est approchée aussitôt des chevaux tenus en bride par un bon nombre de serviteurs. Après avoir examiné les bêtes une à une, elle a désigné un cheval qui piaffait d'impatience. "Vous allez monter Sultan! s'est exclamé le sieur Vivier. C'est un choix fort judicieux pour vous qu'on pourrait certes appeler la Sultane. Méfiez-vous cependant de lui, c'est un hypocrite : il aime désarçonner, juste pour le plaisir." "Ne craignez rien, cher monsieur, je sais comment m'y prendre avec les bêtes." "La preuve! a lancé gaiement un des cavaliers, elle avait épousé Malmaison!"

« Pendant que toute la compagnie s'esclaffait, un des hommes occupé à choisir un cheval, sans doute un ancien ami ou un parent de Malmaison, a répliqué d'un ton courroucé : "Moque-toi toujours, Tousignan, rira bien qui rira le dernier!" "Ce n'était qu'une taquinerie, a repris ce dernier, tu ne sauras donc jamais rire, Martel!"

« La riposte du sieur Martel à la moquerie du nommé Tousignan est tombée dans le vide. Personne ne paraissait se soucier de lui autrement que pour en rire. On épiait toutefois avec attention chaque geste de ta grand-mère. Elle semblait n'avoir rien entendu de ce qui s'était dit. Elle s'est apprêtée à monter en selle. Martel s'est approché pour lui venir en aide. Elle l'a repoussé : "Allons, mon ami, je ne suis plus une enfant !"

« D'un bond, elle s'est retrouvée en selle, tenant les rênes d'une poigne solide. Le cheval s'est cabré : elle l'a maîtrisé, puis l'a apaisé en lui tapotant le cou. Un des cavaliers a fait entendre un sifflement admiratif, les autres ont applaudi. Tête haute, elle les a salués d'un geste.

« "Elle est aussi à l'aise à cheval que dans sa chambre", m'a chuchoté la domestique à l'oreille, en me faisant un clin d'œil. Pendant ce temps, les chiens continuaient d'aboyer, tandis que grandissait le vacarme des rabatteurs. Aussi impatiente de partir en chasse que les bêtes, ta grand-mère s'est adressée vivement à ses invités. "Messieurs, si ça continue, ces incapables vont mettre encore l'éternité à nous débusquer un chevreuil ou un orignal !" "Il faut être patient, a dit le nommé Tousignan. Encore une minute ou deux et nous en verrons surgir un droit devant nous."

« On entendait déjà le bruit des branches cassant sous les pattes d'une bête affolée. Le sol résonnait sourdement. "Tenez-vous prêt ! a recommandé le sieur Martel. Si je me fie au bruit, ils rabattent une grosse bête vers nous." "Elle ne peut pas être aussi bête que le gouverneur", a lancé un des invités, d'un ton goguenard.

« Tous ont pouffé. Le bruit d'une course désordonnée s'est rapproché, surpassant le concert des fonds de chaudron. Les chiens ont bondi au bout de leur laisse. "Lâchez !" a hurlé ta grand-mère, au moment où, à l'orée de la forêt, a surgi un élan mâle, suivi de deux chevreuils effarouchés. "Trois proies d'un coup, a-t-elle jubilé. À votre guise!"

«Surpris, les chiens se sont dispersés aux trousses de chacune des bêtes. Quelques-uns ont pris l'élan en chasse. Ta grand-mère a crié: "Je vous suis!" Elle a poussé à fond de train. Les autres ont préféré s'attaquer à des proies plus faciles: ils ont suivi les chevreuils. Un sonneur de cor a fait entendre des appels effrénés. En quelques secondes, toute la troupe a disparu dans la forêt. Épuisés, les rabatteurs sont sortis des bois, l'un après l'autre: on pouvait lire sur leur visage à la fois la joie d'en avoir fini avec cette corvée et la lassitude de cette longue marche dans les fourrés.

«"La Charlotte sera satisfaite", a soupiré l'un d'eux, en s'épongeant le front du revers de sa manche. "Satisfaite! a commenté son voisin en haussant les épaules. L'as-tu déjà vue comblée?" "T'as raison, Marc, a repris un troisième, rien ne peut la contenter. Ça lui en prend toujours plus, d'une fois à l'autre. Un orignal et deux chevreuils, ce n'est pas encore assez. Il lui en aurait fallu le double, un pour chacun de ses invités." "N'exagérons rien, a bougonné le premier, elle n'est pas si intransigeante, trois bêtes aujourd'hui, elle en sera fort heureuse." "Peut-être bien, a admis Marc, mais elle en voudra cinq demain." "Demain, a repris un homme un peu en retrait, elle aura tellement fêté qu'elle ne sera pas capable de se lever toute seule." "Ne craignez pas, a commenté un autre. Belle comme elle est, je ne suis pas inquiet pour elle. Je vous garantis qu'elle doit être capable de faire lever, vous savez quoi, de n'importe qui!"

«Les hommes se sont esclaffés à cette évocation. Au même moment, le majordome du manoir s'est dirigé vers eux. C'était un homme d'âge mûr: il marchait, tête bien droite, se donnant des airs de grand seigneur. D'une façon hautaine, il leur a lancé une bourse en disant: "Voilà pour vos frais!" "Ne te prends pas pour le grand argentier, a grogné celui qu'on appelait Marc. Nous savons que cet argent n'est pas le tien." "C'est ma maîtresse qui vous le donne, a repris l'autre d'un ton offusqué en ajoutant: pour ce que vous en méritez." "Tiens! Tiens! On se croit supérieur, s'indigna l'un d'eux. On aimerait recevoir une petite leçon d'humilité?"

«Il a fait un clin d'œil à ses copains. D'un geste, il les a invités à s'approcher. Le majordome a été aussitôt entouré par la dizaine d'hommes qui avaient agi comme rabatteurs. "Excuse-toi!" lui a-t-on commandé. "De quoi?" s'est indigné le majordome. "De nous avoir traités comme les derniers des gueux." "Pouah! a-t-il craché. Qu'un seul de vous lève le petit doigt sur moi et jamais plus ma maîtresse ne vous engagera pour ses chasses." "Sois sans inquiétude, a rétorqué le meneur. Personne ne te touchera, mais chacun saura si tu sais danser."

«Il tenait une gaule à la main. Il s'est mis à la manipuler habilement en effleurant les pieds du majordome. Pour éviter les coups, il n'a pu que sauter de gauche à droite, au grand plaisir des rabatteurs. "Tu vois, s'est moqué son bourreau, personne ne t'a touché, mais tu danses aussi bien qu'un vieux bouc."

« Après quelques moments de ce petit jeu, le major-dome cherchait son souffle ; la sueur perlait sur son front, trouvait son chemin au bout de son nez, avant de s'égoutter sur son pourpoint. Un des hommes a intercédé : "Ça va, il doit avoir compris." "Un major-dome a d'ordinaire l'esprit trop obtus pour comprendre si facilement, a repris son tourmenteur. Crois-moi ! Une petite danse de la sorte ne suffit pas, il lui en faut plus pour se souvenir. Déshabille-toi, pour la fessée", a-t-il ordonné en lui faisant siffler sa gaule au-dessus de la tête. "Jamais !" a protesté le majordome. "C'est ce qu'on va voir", a enchaîné l'autre.

« D'un geste habile, du bout de sa gaule, il lui a fait sauter la perruque. "En voilà un morceau de moins ! Attends-tu que je t'enlève le reste de la même façon ?" "Suffit !" s'est élevée une voix courroucée derrière eux.

« Les hommes se sont retournés ensemble : ta grand-mère s'avançait, gracieuse sur son cheval. Les hommes ont esquissé quelques pas de recul. Le major-dome a ramassé sa perruque. S'est ensuivi un long silence, uniquement troublé par le piétinement des sabots du cheval. "Va ! Alexandre, a ordonné ta grand-mère. Quant à vous, que je ne vous y reprenne plus." "Il n'a pas à nous traiter comme des gueux", a protesté Marc. "Conduisez-vous comme des gentilshommes, a repris ta grand-mère, et on vous considérera selon votre rang." "Il n'est que majordome", a rétorqué l'homme tout en muscles. "Vous n'êtes que rabatteurs, a-t-elle dit, retournez là d'où vous venez!"

«Les hommes se sont dispersés en grommelant. Le majordome a remercié sa salvatrice et a fait remarquer: "Vous n'avez guère chassé, madame." "En effet, les invités allaient si vite que je n'ai pu les suivre. Je n'avais pas le cœur à la chasse aujourd'hui, je les ai laissé filer."

«Sans plus et sans me remarquer, après être descendue de cheval, elle est rentrée au manoir. La domestique, Marielle, a profité de ce moment pour interpeller le majordome. "Ce monsieur vient voir madame", a-t-elle dit, en me désignant. "Qui êtes-vous?" m'a demandé le majordome. "Honoré Vien", un ami de la seigneuresse." "Il vous faudra attendre, a-t-il dit, madame va sans doute se refaire une beauté." "Je saurai attendre le temps qu'il faudra."

«Ce fut une de mes dernières visites à ta grand-mère», ajouta nostalgiquement le vieillard.

— Vous l'avez encore revue par la suite? interrogea Nicolas.

— Oui, mais gardons ça pour demain.

Chapitre 7

L'épouse et la mère

Le dernier soir avant d'arriver à William-Henry, le vieil homme accepta, une fois de plus, de continuer à creuser ses souvenirs. Une question brûlait les lèvres de Nicolas :

— Tout ce que vous m'avez conté est extrêmement intéressant. Ça m'a permis de me faire une meilleure idée de celle qui fut la mère de mon père. Mais ça ne me dit pas l'essentiel. Comment a-t-elle fini par épouser mon grand-père ?

— J'y arrive, dit Honoré Vien. Comme ta grand-mère avait fait construire un moulin aux Éboulements et avait également fait ériger un manoir malgré le fait que la seigneurie ne lui appartenait pas, elle a prétendu avoir le droit de percevoir, comme une seigneuresse, sa part de blé sur les moutures des gens de la seigneurie. Pour éviter d'avoir un autre long procès sur les bras, le Conseil supérieur a répondu favorablement à sa requête, mais en partie seulement, sans doute pour l'aider à récupérer un peu de ses pertes.

— Comment ça ?

— Il faut dire que le seigneur Tremblay se faisait vieux et n'habitait pas son manoir. De plus, il ne se préoccupait guère de sa seigneurie. Certes, il la possédait, mais ta grand-mère faisait comme si elle lui appartenait. Les gens l'aimaient. Elle allait à l'église le dimanche uniquement pour occuper, à l'avant de la nef, le banc du seigneur lorsque ce dernier ne s'y trouvait pas. C'était une provocatrice comme il ne s'en fait guère. Si elle ne possédait plus autant de terres et si sa fortune avait fondu, pourtant, avec les petits profits provenant du moulin et le peu d'argent qui lui restait, elle s'est remise à acheter des terres dès qu'un habitant en mettait une en vente. C'est ainsi qu'en peu d'années elle est redevenue propriétaire d'une bonne douzaine de terres de la seigneurie pour lesquelles elle a refusé de nouveau de payer les cens et rentes au seigneur. De plus, un petit profit inattendu lui est venu des fourrures obtenues lors de ses dernières transactions. Cela a été suffisant pour lui redonner un peu d'élan.

— Où vivait-elle pendant tout ce temps ?

— Dans son manoir. Elle avait le sens des affaires, parce qu'elle avait toujours des engagés pour faire valoir ses terres. Elle vendait à bon prix le fruit des récoltes et se débrouillait pour vivre décemment. C'est vers cette époque que ton grand-père a commencé à devenir célèbre pour ses tours de force. Il était veuf et dans la force de l'âge. Il travaillait comme forgeron et maréchal-ferrant.

— Il était veuf ?

— Oui, sa première épouse, fille de cultivateurs, était allée à l'Île-aux-Coudres en plein mois de janvier, sans doute pour une visite à quelqu'un de sa parenté. Elle avait traversé sur le pont de glace se formant en hiver entre l'île et Saint-Joseph-de-la-Rive. Au retour, il semble qu'elle ait été attaquée par un ou des animaux. Un passant l'a trouvée, baignant dans son sang.

— Comment se fait-il que je n'avais jamais entendu parler de ça avant aujourd'hui ? déplora Nicolas.

— Ça, c'est ta famille. Les Grenon sont puissants physiquement, mais ils sont également têtus et leurs rancunes s'avèrent profondes, sinon éternelles.

— Tout cela est bien beau, remarqua Nicolas, mais ça ne m'explique toujours pas comment mon grand-père a pu épouser une femme aussi délurée et brillante que ma grand-mère.

— J'y viens, justement. Quand ta grand-mère a entendu parler des exploits de ton grand-père, elle, qui avait toujours obtenu tout ce qu'elle voulait, s'est mis dans la tête qu'elle ferait la connaissance de cet homme capable de déplacer des rochers, de soulever des pierres et de tenir tête à lui seul à un paquet d'Anglais. Curieuse de nature, elle s'est certainement fait raconter les exploits de ton grand-père. Elle qui avait pratiquement perdu la sécurité de l'argent a sans doute cru trouver un autre genre de sécurité entre les bras de cet homme qu'on appelait l'Hercule de Charlevoix.

— Je suis curieux de savoir comment s'est déroulée leur première rencontre.

— Rien de plus facile. Elle a pris prétexte de ce que la meule du moulin à farine avait besoin de réparations pour faire appel à lui. Lever une telle meule était un jeu d'enfant pour ton grand-père. Il s'est amené un beau jour au moulin. Elle l'y attendait. Ton grand-père était encore bel homme et, en plus, sa puissance faisait l'admiration de tous. Sa force a impressionné ta grand-mère qui n'attendait pas mieux. Je me suis laissé dire qu'une fois la meule réparée, elle l'a invité à souper chez elle. Ton grand-père, veuf depuis plusieurs années, n'a sûrement pas manqué de tomber sous son charme.

Nicolas ne put s'empêcher de l'interrompre :

— Ce qui ne me rentre pas dans la tête, dit-il, c'est qu'elle n'était pas du tout du même milieu que mon grand-père. Qu'est-ce qui pouvait tant l'attirer chez lui ?

— Je te l'ai dit : sa force. Cette femme avait besoin d'affection. Elle croyait sans doute trouver la pleine sécurité dans ses bras puissants. Quoi qu'il en soit, ses fréquentations avec ton grand-père n'ont pas été longues. Il a vite succombé à ses charmes et, quelques mois après leur première rencontre, ils se sont retrouvés à l'église. Je pense que tous les Éboulements ont été à la noce. Elle n'avait pas perdu sa folie des grandeurs ! Ce mariage lui a redonné de la vigueur et le goût de se démener de nouveau. Elle aimait bien les Éboulements, mais elle y vivait sur une terre. Elle a décidé que Baie-Saint-Paul serait désormais plus à sa mesure. Elle a acheté un terrain dans la rue principale et y a fait ériger une grande maison.

— C'est la maison où j'ai vécu, s'empressa de dire Nicolas. J'ai toujours entendu dire que si elle était si grande, c'est que ma grand-mère voulait au moins une douzaine d'enfants.

— Je doute fort que ce soit la vraie raison. Le penchant de ta grand-mère pour le luxe doit expliquer la taille de cette maison. Elle n'était plus d'un âge à avoir autant d'enfants. Quoi qu'il en soit, c'est là qu'elle avait choisi d'aller terminer ses jours. Elle s'était quelque peu assagie. Elle pouvait compter sur le travail de ton grand-père et elle a veillé à ce qu'il ait une belle forge derrière la maison.

— Qu'est-ce qui s'est passé ensuite? A-t-elle aimé vivre à Baie-Saint-Paul?

— Il semble bien qu'elle y était heureuse, mais tu comprends qu'avec son caractère, habituée à faire tous ses caprices, ça n'a pas dû être facile d'entrer dans la vie et la maison d'un veuf, père de trois enfants déjà assez âgés pour répliquer et rouspéter, ce qu'ils n'ont pas manqué de faire. Il paraît qu'ils lui ont rendu la vie tellement impossible qu'à un moment donné, alors qu'elle était enceinte de ton père, elle a acculé ton grand-père au pied du mur: il devait choisir entre ses trois enfants et elle. Ton grand-père a décidé de la choisir avec l'enfant qu'elle portait.

— Que sont devenus mes oncles et ma tante?

— Si j'ai bonne mémoire, ton grand-père les a envoyés dans sa parenté.

— J'ai su qu'elle était morte en couches avec l'enfant qu'elle portait.

— C'est bien ce que j'avais entendu dire. Ni tes oncles ni ta tante n'ont été à ses funérailles.

— Voilà une autre chose que j'ignorais.

— Par testament, ton grand-père héritait de tout ce qui appartenait à ta grand-mère. Il y avait encore plusieurs terres en sa possession aux Éboulements. Il les a toutes vendues, l'une après l'autre, à l'exception de trois, qu'il considérait comme les meilleures. Il les a données à tes oncles et à ta tante en leur précisant que c'était tout ce qu'ils pourraient jamais attendre de sa part en héritage. Le reste, tu le sais aussi bien que moi. Voilà ce que je tenais à te dire en particulier sur la femme extraordinaire qu'a été ta grand-mère : une femme inoubliable comme il s'en rencontre rarement, une femme qui, par son exemple, m'a donné la meilleure leçon de ma vie.

— Vraiment ?

— Comme je te le dis. La dernière fois que je l'ai vue, je lui ai demandé ce qui l'avait rendue si heureuse dans la vie et elle m'a répondu : "Je ne me suis jamais laissé étouffer par les idées des autres, ainsi, ils n'ont pas pu me dicter leur façon de vivre et ma vie m'a toujours appartenu." Tu es jeune, souviens-toi de ça, insista le vieillard.

Ce fut le dernier entretien de Nicolas avec Honoré Vien. Le lendemain, les navires de l'expédition touchaient le quai de William-Henry. Honoré Vien repartit de son côté avec ses chevaux, pendant que Nicolas et Bernardin passaient un dernier soir à Sorel avant de regagner Montréal par le fleuve, comme ils étaient venus.

DEUXIÈME PARTIE

PREMIERS COMBATS

1816-1824

Chapitre 8

Préparatifs

Avant de retourner à Montréal au terme de leur expédition, Nicolas et Bernardin ne voulurent pas quitter William-Henry sans prévenir Jacques Adhémar de leur intention de revenir au printemps se faire octroyer la terre à laquelle ils avaient droit. Ils gagnèrent d'un bon pas l'emplacement où s'élevaient les bâtiments de l'armée. Ils y trouvèrent le capitaine en grande discussion avec deux autres officiers.

— On nous a appris, commença Nicolas, que tu es maintenant un des responsables de la distribution des terres.

— Je vais me mettre en effet à cette tâche durant l'hiver.

— Tu sais où nous aimerions obtenir la nôtre ?

— Le long de la rivière ?

— Oui ! Près de la Saint-François, pour pouvoir y pêcher et profiter de l'eau pour voyager.

— J'ai bien peur que ce soit difficile de vous satisfaire.

— Même dans le canton de Wickham ?

— Les terres le long de la rivière sont celles qui sont les plus convoitées. Je ferai mon possible, mais je ne suis pas seul à décider.

Une vive déception se lisait sur le visage de Nicolas, à qui cette remarque fit perdre patience.

— Dis-nous donc tout de suite que ces terres sont déjà promises, sinon données à des Anglais, comme celles de Drummond !

En bon militaire, son ami ne laissa rien paraître des sentiments qui l'animaient et reprit tranquillement :

— Que veux-tu que je te dise ? Il me semble t'avoir déjà expliqué la situation. Le major Heriot n'a d'autre choix que de distribuer les terres à des soldats venus d'Angleterre, d'Écosse ou d'Irlande. Ça ne semble pas te rentrer dans la tête. Il doit suivre les ordres du gouverneur. Il a pour mission de faire de cette nouvelle colonie un bastion anglophone.

— Ce qui veut dire que, peu importe l'endroit où nous obtiendrons notre terre, nous risquons d'être entourés d'Anglais ?

— C'est ça ou rien du tout. Tu devras te faire à cette idée.

Nicolas ne se comptait pas pour battu. Il donna libre cours à son ressentiment :

— J'ai quelque chose sur le cœur depuis des jours. Explique-moi pourquoi Bernardin et moi, qui avons risqué notre vie et combattu pour les Anglais pendant sept ans, nous n'avons pas droit à plus de considération. Il y a de purs inconnus qui ont reçu d'excellentes terres à Drummond simplement parce qu'ils ont un nom anglais. Que ferais-tu si je m'appelais John Campbell et si je n'avais même pas fait partie de l'armée ?

— Tu ne t'appelles justement pas John Campbell. De plus, je te rappelle que je ne suis pas seul à décider. Je travaille en compagnie de deux autres officiers qui ont autant de pouvoir que moi.

— Si je comprends bien, grogna Nicolas, tu es en minorité et tu as les mains liées. Les deux Anglais avec toi décident et tu n'as qu'à dire « *yes, misters* ».

— Tu me vois désolé, conclut son ami, tu sais comme moi comment ça marche dans l'armée, ce sont toujours, en bout de ligne, les commandants qui décident. Nous faisons des suggestions et j'en ferai pour vos terres comme pour la mienne, mais en fin de compte, nous devrons nous contenter de ce qu'on nous accordera et ce sera à pendre ou à laisser.

— Il n'y a pas moyen de contester ou de remettre en question ? En d'autres mots, tu n'es qu'un figurant.

— Je fais de mon mieux, protesta le capitaine.

Nicolas haussa les épaules. Profondément contrarié, il tourna le dos à la façon de quelqu'un qui en a assez entendu et, malgré son amitié pour le capitaine Adhémar, passa la porte sans le saluer.

Le lendemain, au quai de William-Henry, en compagnie de Bernardin, Nicolas monta dans une goélette en partance pour Montréal.

— Dans trois mois, dit-il, nous serons libres. Terminées les sept années d'esclavage au service de ces messieurs les Anglais.

Bernardin le reprit aussitôt :

— Tu ne trouves pas que le mot « esclavage » est un peu trop fort ? Je parlerais plutôt d'engagement.

— Peut-être as-tu raison, mais toi, tu as choisi de plein gré de devenir soldat, pas moi !

— De plein gré, c'est une façon de parler. J'y ai été contraint par le sort. Je n'ai pas eu le choix.

Nicolas se mit à rire. C'était sa façon à lui de se remémorer les événements qui l'avaient conduit à devenir soldat.

— À propos, fit remarquer Bernardin, comme s'il lisait dans les pensées de son ami, tu ne m'as jamais raconté comment tu avais abouti dans l'armée. Ce serait peut-être l'occasion.

— Ce n'est pas le meilleur coup que j'ai fait dans ma vie. Je n'aime pas m'en vanter. Un bon jour, j'en parlerai, mais pour le moment, tout ce qui me trotte dans la tête, c'est de savoir comment nous allons survivre sans solde jusqu'au printemps.

Son ami le regarda d'un drôle d'air.

— Toi, Nicolas Grenon, tu te demandes comment tu vas vivre jusqu'au printemps ? Allons donc ! Vous avez suffisamment d'argent de côté pour tenir le coup pendant deux ans, toi avec ce que tu as épargné sur ta solde, et Bernadette avec ce qu'elle gagne comme couturière !

L'hiver 1816 parut bien long aux deux compagnons tant ils avaient hâte d'être fixés sur l'endroit où ils allaient désormais vivre. Il leur arrivait souvent d'en parler : cette préoccupation ne quittait jamais leur esprit et émaillait souvent leurs propos. Un bon soir que Bernardin et Marie-Josephte étaient en visite, une fois de plus Nicolas tira une carte de sa sabretache. Il la déplia et la posa sur la table. Il se pencha. De l'index, il décrivit un trajet menant de Sorel jusqu'au canton de Wickham, à quelque cinquante milles plus au sud.

— Regarde, Bernardin, plus j'étudie la carte, plus je pense qu'il faudrait obtenir une terre dans ce coin-là, au bord de la rivière.

— Ne serait-il pas moins ardu d'en avoir une plus proche, même si elle n'est pas au bord de la rivière ?

— Plus proche de quoi ?

— Du nouveau village d'Heriot, celui qu'il a fait appeler Drummond en l'honneur du gouverneur ?

— Allons donc, tu le sais aussi bien que moi, ce village-là va être anglais de partout.

— C'est pour ça que tu ne voudrais pas t'y établir ?

— Même si nous le voulions, nous l'avons vu sur la carte, il n'y a plus une terre de libre là-bas.

— Nous pourrions tenter de nous en acheter une.

— À condition que quelqu'un soit prêt à vendre.

— Notre ami Adhémar finira bien par nous trouver quelque chose d'intéressant.

— Tu oublies qu'Adhémar est le seul Français parmi un paquet d'Anglais à William-Henry.

Irrité, Nicolas s'arrêta net de parler. Il reprit d'un ton courroucé :

— Bernardin, te rends-tu compte ? Chaque fois que je dis ce nom, William-Henry, sapristi ! ça me fait grincer des dents. Ça s'appelait Sorel, autrefois, jusqu'à ce que les Anglais y mettent le nez. Sorel, c'est le nom du capitaine d'armée qui a fondé la place. William-Henry, veux-tu bien me dire quand leur est venue l'idée de donner ce nom à Sorel ? Ils changent les noms comme ça leur tente et nous n'avons rien à dire !

— Que veux-tu, Nicolas, il faudra t'y faire, ce sont eux qui dirigent maintenant, nous n'y pouvons rien.

Nicolas poussa un long soupir.

— C'est le sort des vaincus. Dire que nous avons combattu sept ans pour eux autres...

— Tu oublies trop facilement, lui reprocha Bernadin, que se battre pour eux nous a permis de quitter l'Espagne. Sans cela, nous serions tous les deux six pieds sous terre. Tu le sais aussi bien que moi. Ceux qui sont restés sur les navires de Cadix, là où nous étions prisonniers, ont été expédiés, peu après notre départ à l'île de Cabrera. Je me suis laissé dire que quinze mille des dix-sept mille hommes qui y ont été envoyés sont morts en moins de cinq ans. Nous l'avons échappé belle !

Nicolas ne releva pas la remarque, absorbé qu'il était à échafauder des projets, et dit en martelant la carte du doigt :

— Il va falloir nous rendre à Sorel tôt ce printemps pour obtenir nos terres. Souhaitons que Jacques Adhémar ne nous ait pas oubliés.

— Tu as raison. C'est ce que nous avons à faire : nous rendre tôt à Sorel. Marie-Josephte a bien hâte d'être fixée là-dessus, elle qui attend notre deuxième petit pour le début de l'été. Ça pourrait être risqué de l'amener là-bas dans son état.

— Tout dépendra du moment où nous partirons. Ensuite, j'ai déjà une bonne idée de la façon dont nous nous y rendrons. Il va falloir commencer tout de suite à préparer tout ça.

— Est-ce qu'ils ont enfin décidé de ce qu'ils nous donneront pour nous permettre de vivre en attendant que nos terres produisent ?

— Ils ont promis de fournir les outils nécessaires et des provisions pour une année.

— Ils ne sont pas si mauvais que ça ! Des outils et de quoi manger, c'est toujours ça de pris. Il ne nous reste plus maintenant qu'à espérer le printemps…

Chapitre 9

Le grand départ

Printemps 1816

Ils attendaient ce moment depuis des mois. Suivant la suggestion de Nicolas, ils avaient travaillé une partie de l'hiver à la confection d'une étroite et longue charrette à ridelles, très haute sur roues. Après y avoir empilé quelques meubles, des ustensiles de cuisine, leur linge, des outils et tout ce qu'ils avaient jugé bon d'emporter, ils aidèrent leurs femmes enceintes à grimper sur le siège arrière avant de leur tendre les enfants. Puis ils sautèrent à leur tour sur le banc avant. Nicolas lança un « hue ! » sonore auquel le cheval obéit tout de suite. La charrette se mit en branle. Ils empruntèrent la route qui serpentait le long du fleuve, d'une seigneurie à l'autre jusqu'à Sorel. Chemin faisant, Bernadette fut la première à rompre le silence :

— Nous avons un beau-frère qui travaille bien. Pour un peu, on se croirait presque en diligence.

— Si ça vous va, c'est tant mieux ! s'exclama Bernardin. Mon grand-père était rembourreur. J'ai mis dans la confection des bancs tout ce qu'il m'avait appris.

— La charrette n'est pas mal non plus, fit remarquer Marie-Josephte.

— Il fallait la fabriquer longue et étroite parce que là où nous allons, les routes ressemblent davantage à des sentiers qu'à des boulevards. Nous l'avons bâtie solide et haute, sur de puissantes roues, pour qu'elle puisse passer sans problème au-dessus des souches.

— Ça, c'est l'idée géniale de Nicolas. Quand nous aurons à tailler notre route parmi les arbres, il nous suffira, la plupart du temps, d'en abattre un ou deux sur le trajet suivi. Nous les couperons à ras le sol avec le godendard.

À peine avaient-ils parcouru deux lieues que la chaleur leur tomba dessus, telle une chape de plomb. La bâche les protégeait du soleil, mais elle gardait la chaleur captive et les femmes se plaignaient déjà. Quant aux bébés, ils commençaient à chigner.

— Nous ne sommes qu'au début de mai, remarqua Bernardin. Imaginez le supplice, en plein été !

— Nous pourrions repousser la bâche vers l'arrière, de même nous aurions plus d'air.

Ils s'arrêtèrent près d'un ruisseau débordant d'une eau grise en ce printemps hâtif. Ils en profitèrent pour se désaltérer et abreuver le cheval. Les femmes et les enfants ne semblaient pas trop souffrir des affres du voyage. Tout se passait comme l'avaient imaginé les hommes.

— Il me semble, remarqua soudain Nicolas, que depuis des années, je n'ai pas vécu à la même place plus d'un an. Ça va faire du bien de s'installer une fois pour toutes.

Bernardin approuva aussitôt :

— T'as raison, nous en avons fait du chemin ensemble, depuis neuf ans. Si on nous attribue de bonnes terres, j'ai bien l'impression que nous n'en bougerons pas. Mais voilà, nos terres seront-elles bonnes ou mauvaises ? Ça ne dépend pas de nous. Y a-t-il quelque chose qui dépend de nous ?

Nicolas s'exclama :

— Que nous chantes-tu là ? *Tout* dépend de nous. Il suffit de retrousser nos manches et de ne compter que sur nous.

— Vu de même, acquiesça Bernardin, tu as bien raison. Mais du point de vue des autres, les choses ne se passent pas toujours comme on le voudrait.

Ils remontèrent en voiture. Nicolas donna quelques petits coups de cordeaux sur la croupe du cheval et la voiture s'ébranla.

— Dis-toi, Bernardin, qu'astheure que je suis mon propre maître, il n'y a plus personne qui va me piler sur les pieds. Je n'oublierai pas la leçon de ma grand-mère.

Ils mirent trois jours à parcourir le trajet jusqu'à William-Henry. La route longeait le fleuve, traversant des terres à peine défrichées avant d'atteindre de belles

seigneuries aux terres nettes et rectilignes. Ils traversèrent Varennes et s'arrêtèrent pour la nuit dans une
auberge de Verchères. Ils ne passaient pas inaperçus,
leur étrange voiture attirant les regards et suscitant des
questions. On leur demandait où ils comptaient se
rendre dans un tel équipage. Quand ils répondaient
Drummond, tout le monde les regardait, sourire
en coin.

Tôt le lendemain, après une nuit réparatrice, ils
reprirent la route, confiants d'atteindre William-
Henry avant la nuit. Ils touchèrent Contrecœur à
l'heure de midi. Après une courte halte, le temps de se
désaltérer et de casser la croûte, ils reprirent leur
chemin, heureux de découvrir, au fur et à mesure de
leur progression, que la forêt faisait place à un plus
grand nombre de champs. De beaux bâtiments de
ferme se succédaient à intervalles de plus en plus rap-
prochés. Nicolas fit remarquer :

— Quand la maison se trouve au bord du chemin,
tu peux être certain qu'elle est habitée par une famille
de Canadiens français.

Bernardin s'étonna :

— D'où te vient cette certitude ?

— C'est fort simple ! Les Canadiens français sont
curieux. Ils veulent toujours être informés des dernières
nouvelles. Ils sont avenants et ne manquent pas de
parler aux passants. Voilà pourquoi, tout naturellement,
ils construisent leur maison au bord de la route. Les

Anglais, eux, ne se mêlent pas beaucoup aux autres. Ils préfèrent rester entre eux et bâtissent leurs demeures en retrait des routes.

Ils passaient justement devant une ferme dont le bâtiment principal se trouvait à quelques centaines de pieds du chemin. Avec un sourire en coin, Nicolas dit à Bernardin :

— Tu veux qu'on vérifie ? C'est en plein le temps de le faire. Je te gage que ce sont des Anglais qui habitent là. Arrêtons-nous pour nous dégourdir un peu.

Il immobilisa le cheval. Bernardin demanda :

— Quel prétexte vas-tu trouver pour cogner chez eux ?

— Je demanderai tout simplement à combien de lieues nous sommes de William-Henry.

Nicolas descendit de voiture et, à pied, emprunta le chemin menant à la résidence. Bernardin en profita pour dételer le cheval afin de lui permettre de s'abreuver à un ruisseau tout près de là. Tirées de leur torpeur, les deux femmes, après s'être assurées que leurs enfants dormaient paisiblement, descendirent précautionneusement de voiture afin de se dégourdir les jambes. Quand Nicolas revint, il montrait un sourire triomphant.

— J'avais raison, dit-il, c'est bien une famille anglaise.

— Vraiment ?

— Ils ont mis du temps à répondre. J'ai dû frapper plusieurs fois à la porte, et encore, pour n'entendre que les jappements d'un chien. Avant d'entrouvrir, le maître de maison a demandé qui j'étais et ce que je voulais.

Je me suis nommé et j'ai dit que je venais pour un simple renseignement. Il n'a pas semblé comprendre ce que je disais. Aussi a-t-il entrebâillé la porte, un fusil à la main, en me regardant d'un air inquiet. Il ne m'a pas offert d'entrer. Je suis resté sur le seuil et je lui ai demandé, de nouveau, combien loin nous étions de William-Henry. Il a répondu : « *Ten miles* », en refermant aussitôt la porte. Tout le temps que j'étais là, le chien n'a pas arrêté de gronder et de japper, mais personne ne l'a fait taire. Voilà l'hospitalité anglaise !

Bernardin avait suivi les explications de Nicolas sans broncher. Il demanda aussitôt :

— Où veux-tu en venir ? Si je comprends bien, tu veux nous faire la démonstration que les Canadiens français sont plus accueillants que les Anglais ?

— Je n'ai pas à en faire la preuve, reprit Nicolas, l'air étonné. Tout le monde sait ça ! Je voulais simplement que toi, un Français, tu puisses t'en convaincre.

— Depuis que tu n'es plus soldat, constata Bernardin, tu ne sembles plus porter les Anglais dans ton cœur.

— C'est tout simplement que maintenant je peux me permettre de le dire.

Les femmes retrouvèrent leur place dans la charrette. Bernardin attela le cheval. Ils se remirent en route, assurés d'atteindre leur destination avant la brunante. Ils parcoururent encore plus d'une lieue pour se retrouver au bord d'une large rivière.

— C'est la Richelieu, constata Nicolas. Il doit y avoir, pas très loin, un quai et un bac sur lequel nous pourrons gagner l'autre rive.

La rivière était bordée d'une forêt, tantôt dense, tantôt coupée de champs en culture. Bernardin remarqua :

— Nous voilà à proximité. Les maisons se font plus nombreuses. Je n'aurais pas cru que William-Henry soit aussi peuplé.

— Je me suis laissé dire, l'informa Nicolas, que c'est une ville d'environ cent cinquante maisons et mille cinq cents habitants.

Il descendit de voiture afin de tenir le cheval par la bride et le conduire en direction de ce qui lui semblait être le gué. La descente s'avérait abrupte. Bernardin, lui, retenait à deux mains le frein de la voiture. Nicolas avait vu juste. Sur le rivage, une cabane servait d'abri au batelier dont le radeau était amarré à un large quai donnant facilement accès à l'embarcation.

À leur approche, un homme à longue barbe sortit de la cabane et leur demanda :

— C'est pour traverser ?

Nicolas se moqua :

— Que pourrions-nous vouloir d'autre ?

L'homme haussa les épaules.

— Ça pourrait être pour attendre quelqu'un qui vient de William-Henry.

Nicolas se rendit compte à cet instant qu'un autre bac quittait justement la rive opposée.

— Vous n'êtes pas seul à assurer les traversées ? l'interrogea Bernardin.

— Comme vous voyez ! Il y a de la concurrence. Celui-là mène les gens plus près du fleuve. Le chemin le plus court n'est pas toujours la ligne droite.

Il rit en soulevant lentement son chapeau, l'œil rivé sur l'équipage de ses clients.

— Vous avez là une bien drôle de voiture, dit-il. Où comptez-vous aller avec ?

— Jusqu'au nouveau village de Drummond.

— Vous allez vous faire convoyer par le fleuve et la rivière ?

— Nous n'en avons pas les moyens.

— Comment espérez-vous vous y rendre ?

— Avec la voiture !

Incrédule, l'homme hocha la tête.

— Bonne chance ! Il va falloir ouvrir votre chemin vous-mêmes.

— C'est pour ça que nous avons construit cette voiture.

Le batelier en fit le tour en hochant la tête derechef.

— J'imagine, dit-il, que si elle est si haute et si étroite, c'est pour vous permettre de vous faufiler entre les arbres. Votre idée est bonne, mais bonne chance quand même ! Je ne sais pas si vous le savez, mais il y a des places où les arbres poussent dru en p'tit pépère ! Vous aurez besoin d'avoir de bons bras. Préparez-vous à bûcher. Et les dames, et les bébés, vous comptez les amener avec vous ?

— Pas tout de suite, elles vont nous rejoindre en barque, en partant de Sorel, pardon, de William-Henry.

— Ne vous excusez surtout pas, mon cher monsieur. Pour nous autres, Sorel est Sorel et restera toujours Sorel.

Ils firent monter cheval et charrette au milieu du bac avant de s'y installer à leur tour. Malgré un assez fort courant, la traversée de la rivière se fit sans encombre. Nicolas en défraya les coûts, heureux de pouvoir enfin atteindre sa destination, et ainsi boucler sans heurt la première partie de leur voyage.

Dès que le bac eut atteint la rive est, Nicolas pressa le cheval. La route menait droit à la ville dont ils atteignirent les premières rues quelques minutes plus tard.

— Nommer Sorel William-Henry, grogna Nicolas avec dédain, quelle décision ridicule ! Regarde les noms des rues. Bernardin, tu te souviens, elles ont été toutes baptisées des noms de la famille royale d'Angleterre, sous prétexte que ce fameux William-Henry, avant d'être roi, est passé par ici en 1787. Dans quel pays vivons-nous !

Remontant la rue De la Reine, ils croisèrent la rue Charlotte, la rue George et la rue Augusta, qu'ils suivirent jusqu'à la rue Du Roi avant d'atteindre celle Du Fort, où ils trouvèrent l'auberge qu'ils recherchaient. Nicolas et Bernardin étaient venus à William-Henry quelques mois plus tôt, mais ils n'avaient pas eu vraiment l'occasion de se promener en ville. Tout ce qu'ils en connaissaient, c'était les abords des quais, là où ils avaient pris leur embarcation pour remonter la rivière Saint-François et, au retour, un vaisseau pour regagner Montréal. Cette fois, dès que Bernadette et Marie-Josephte furent installées à l'auberge, ils décidèrent de se rendre tout de suite à la Maison du gouvernement, où ils savaient qu'ils trouveraient Jacques Adhémar, de qui ils espéraient obtenir leur terre le soir même.

La petite ville montrait des maisons faites tout en bois, sauf les deux églises, la protestante et la catholique, érigées en pierre. Ils se dirigèrent vers le sud, où s'élevait la Maison du gouvernement. Ils passèrent près d'une redoute et devant l'hôpital avant de parvenir à un grand bâtiment en bois entouré d'appentis et de jardins. Ils y pénétrèrent, non sans une certaine anxiété, en se demandant ce que leur ami avait pu faire pour eux. Obtiendraient-ils chacun une terre le long de la Saint-François?

Jacques Adhémar parut fort heureux de les voir. Il les accueillit avec son amabilité coutumière, mais sans grand enthousiasme.

— Vous venez sans doute pour vos terres, dit-il. Dans ce cas, j'ai bien peur de ne pas avoir de trop bonnes nouvelles pour vous.

Nicolas réagit immédiatement:

— Ça ne nous étonne pas. Que pouvons-nous attendre de bon des Anglais?

— Qu'ils tiennent leurs promesses, répliqua le capitaine, et ils y sont fidèles puisqu'ils vous octroient chacun une terre dans le canton de Wickham.

— Au bord de la rivière?

— Hélas non! Comme je vous en avais prévenu, ces terres ont été concédées avant les nôtres.

— Avant les nôtres?

— Oui ! Consolez-vous, quoique officier, j'ai également reçu la mienne dans le canton de Wickham, et loin de la rivière.

Cette révélation du capitaine eut l'avantage de leur faire mieux avaler la pilule. Jacques Adhémar déroula la carte du canton. De l'index, il leur indiqua où se trouvaient les emplacements qui leur étaient destinés.

∽

Maintenant fixés à propos de leurs terres, Nicolas et Bernardin devaient rejoindre Drummond. Jacques Adhémar demanda :

— Vous allez vous rendre à Drummond par la rivière ?

— Nous y avons songé, répondit Nicolas, mais nous avons les moyens de payer seulement le transport de nos épouses.

— Comment comptez-vous alors y parvenir ?

— En charrette par les bois !

Le capitaine les regarda en écarquillant les yeux.

— En charrette ? répéta-t-il, comme pour se convaincre de ce qu'il venait d'entendre. Y avez-vous songé ? Il n'y a pas de route entre ici et Drummond !

— Justement ! Nous allons en ouvrir une.

— Êtes-vous sérieux ?

— Bien sûr ! s'exclama Nicolas.

— Nous n'avons pas l'intention d'abandonner la charrette, le cheval et tous nos effets, ajouta Bernardin.

— Vous pourriez entreposer le tout et revenir le chercher plus tard, quand il y aura une route et, en attendant, faire le trajet à cheval, leur suggéra Adhémar.

—Nous aurons besoin de tous nos effets dès que nous aurons un toit, rétorqua Nicolas. Ça nous évitera d'engager une bonne partie de notre temps à fabriquer des meubles. De plus, ce que nous possédons déjà, nous n'aurons pas à l'acheter.

—Je vous aurai prévenus. Vous allez en arracher si vous comptez ouvrir jusque là-bas un chemin assez large pour une charrette.

—C'est pourtant ce que nous allons faire. Nous n'avons pas d'autre choix. Nos épouses sont enceintes et amènent nos premiers-nés. Elles voyageront par la rivière, sur le premier vaisseau qui la remontera jusqu'à Drummond.

—Justement! Il y en a un qui doit livrer des marchandises, dans une semaine environ, et je serai du voyage. Au moins, vous n'aurez pas à vous inquiéter pour vos épouses, je verrai à ce qu'elles soient bien traitées.

Sur ce, ils laissèrent le capitaine Adhémar à ses travaux.

—Bonne chance! dit-il. Nous nous reverrons là-bas au cours de l'été.

—À la revoyure! lança Nicolas.

Ils se dirigèrent aussitôt d'un bon pas vers le fleuve. Par la rue Augusta, ils rejoignirent la place du marché, s'attardant parfois pour admirer une maison toute neuve. Ils passèrent devant l'église qui, avec le temple protestant, constituaient les seuls bâtiments en pierre de la ville, à l'exception du vieux moulin à farine aperçu au bout de la rue. Non loin des quais, ils s'arrêtèrent

devant une maison où était suspendue l'enseigne :
«Bureau des armateurs». Bernardin cogna à la porte.
Ils n'eurent pas de réponse. Il heurta de nouveau, sans
plus de résultat.

— Que faisons-nous ? demanda-t-il.

Nicolas le regarda d'un air décidé :

— On frappe jusqu'à ce que quelqu'un vienne
répondre.

Il joignit le geste à la parole. Se rendant compte
que la porte n'était pas verrouillée, il la poussa et
entra. Une odeur de renfermé le saisit à la gorge.
Bernardin le suivit. Leurs yeux mirent un peu de temps
à s'habituer à la pénombre. Ils crurent d'abord qu'il
n'y avait personne, mais un ronflement attira leurs
regards vers un bureau, tout au fond de la pièce, le
long du mur. Assis sur un tabouret de fortune, un
homme dormait, la tête appuyée sur le meuble. Nicolas
se racla la gorge. Un vieux chat bondit d'une étagère
et fit entendre une série de miaulements. Le dormeur
redressa lentement la tête. Avisant les deux visiteurs,
il grogna :

— Vous pourriez pas frapper avant d'entrer ?

— C'est en plein ce que nous avons fait, trois fois
plutôt qu'une.

— Qu'est-ce que vous voulez ?

— Prenez le temps de vous éclaircir les idées, lui
conseilla Bernardin, d'une voix douce. Nous voulons
savoir de façon précise quand le prochain vaisseau doit
remonter la Saint-François jusqu'à Drummond.

— Pourquoi ?

— Parce que nous espérons voir nos épouses y monter.

L'homme se retira à regret de son coin. Il se diri-gea en boitant vers un comptoir, à l'autre bout de la pièce. Un registre y était ouvert qu'il feuilleta longuement.

— La goélette *Indian Red* s'y rend dans une semaine d'icite.

— Qui en est le capitaine?

— John McMurrey.

— Vous pouvez nous dire où il habite?

— Sur Old Lane, mais il n'est pas là.

— À quel numéro?

— Le 27.

— Est-ce qu'il est marié?

— Bien sûr!

— Allons voir sa femme, en conclut Nicolas.

Satisfaits des renseignements et sans plus se soucier de leur interlocuteur bourru, ils se dirigèrent vers le 27, Old Lane, où ils trouvèrent la femme du capitaine. Elle ne parlait pas français, mais le comprenait assez bien pour répondre à leur requête. Elle promit d'informer son mari que deux femmes seraient du voyage à Drummond.

Ils regagnèrent l'auberge où les attendaient Bernadette et Marie-Josephte. À leur arrivée, ils les trouvèrent en grande conversation avec l'épouse de l'aubergiste. C'était plaisir de voir ces deux femmes, qui semblaient déjà être les plus grandes amies du monde. Entre Bernadette et Marie-Josephte, des liens étroits s'étaient tout de suite créés. Elles s'aimaient beaucoup et, à l'évidence, elles étaient heureuses d'être ensemble, se réjouissant de savoir que, une fois établies dans le canton de Wickham, elles seraient voisines. Quand leurs maris entrèrent, elles allèrent immédiatement aux nouvelles.

— Puis, demanda Marie-Josephte, savons-nous enfin où nous allons habiter ?

Le calme de Nicolas et Bernardin trahissait leur peu d'enthousiasme. Bernadette insista :

— À ce que je vois, vous n'avez pas eu des terres le long de la rivière.

— Tu as raison, reprit Nicolas. Nos terres sont à plus d'un mille de l'eau.

L'influence d'Edmond se fit sentir quand Marie-Josephte dit :

— Un tu tiens vaut mieux que deux tu l'auras !

L'adage arracha un sourire à Nicolas, qui dit :

— Tu es bien la fille de ton père. Ce qui compte, au fond, c'est que nous ayons nos terres. Il nous faut maintenant nous y rendre pour les défricher. À ce qu'il semble, c'est loin d'être fait.

Bernardin enchaîna :

— Nous vous avons réservé une place sur le vaisseau *Indian Red*, qui doit partir dans une semaine.

— Nous allons faire le voyage en bateau ?

— Dans l'état où vous êtes et avec les petits, ça vaut mieux. Nicolas et moi, nous allons nous y rendre par terre comme prévu.

— Peut-être que nous ne serons pas encore arrivés quand vous serez rendues à Drummond, précisa

Nicolas. Il y a là des baraquements prévus pour abriter les nouveaux venus avant leur installation sur leur terre. Vous n'aurez qu'à demander au capitaine Jacques Adhémar. C'est notre ami. D'ailleurs, il fera le voyage de Drummond avec vous. Il vous trouvera une place là-bas. Nous ne devrions pas tarder à vous y rejoindre.

Soucieux de rassurer les deux femmes, Bernardin s'empressa d'ajouter :

—Deux semaines ! C'est ce que ça devrait nous prendre pour arriver. Si jamais nous sommes plus longs, ne vous faites pas de soucis.

En regardant Marie-Josephte avec un sourire entendu, Nicolas ajouta :

—J'en connais un qui aurait dit : «Ça prendra le temps que ça prendra ! »

Comme chaque fois qu'un proverbe fusait, le souvenir d'Edmond les effleurait et causait toujours le même effet : un long fou rire complice.

Chapitre 10

Premiers obstacles

Tôt le lendemain, Nicolas et Bernardin se mirent en route dans la direction de Yamaska. Ils s'étaient laissé dire qu'il s'agissait de la meilleure façon de bien amorcer leur périple. Bernardette et Marie-Josephte firent leurs adieux en multipliant les recommandations aux deux aventuriers.

— Faites attention aux bêtes, ne forcez pas trop, prenez votre temps, nous voulons vous retrouver en un seul morceau.

Les deux hommes se firent rassurants :

— Il n'y a pas d'inquiétude à avoir, on en a vu d'autres, on est toujours prudents, c'est pas un ours ou un lynx qui va nous effrayer.

Après un clin d'œil à Bernardin, Nicolas allait en rajouter, mais son ami lui coupa la parole en lâchant un « Au revoir ! » à la cantonade. Quand ils furent assez éloignés pour que les femmes ne puissent les entendre, Nicolas demanda :

— Pourquoi m'as-tu empêché de parler ?

— Parce que tu allais dire une bêtise.

— Voyons donc, tu me connais !

— Justement, je te connais. Tu allais certainement dire de quoi les inquiéter pour tout le temps que nous serons partis. Avoue-le. Qu'est-ce que tu t'apprêtais à lancer ?

Nicolas esquissa un sourire avant d'avouer :

— J'allais ajouter qu'elles devraient commencer à s'inquiéter seulement si ça nous prenait deux mois à arriver.

Bernardin s'écria :

— Qu'est-ce que j'ai fait au bon Dieu pour avoir un beau-frère pareil ?

Ils éclatèrent de rire comme des gamins heureux. Ils n'eurent pas à se plaindre du choix de leur itiné-raire, car une route en assez bon état reliait Sorel et Yamaska. Ils firent le trajet dans la bonne humeur, heureux de progresser vers ce qu'ils comptaient bien être le dernier endroit où ils allaient vivre.

— Trois années, c'est le temps que nous devrons demeurer dans notre nouvelle habitation avant qu'elle soit vraiment bien à nous.

Bernardin se tourna vivement vers son ami.

— Tu n'as tout de même pas l'intention de partir après ça ?

— Allons donc ! S'il n'en tient qu'à moi, je ne bougerai pas de là du reste de mes jours.

— Tu ne sais encore rien de ce que sera la vie là-bas.

— J'en ai assez de me trimbaler comme ça d'une place à l'autre. Ma mère aurait bien voulu que j'aille vivre à Québec. J'aurais aimé l'accommoder, mais je ne suis vraiment pas fait pour m'occuper d'une auberge. Tu me comprends, j'aime trop ma liberté pour ça.

—J'ai de la misère à te suivre, reprit Bernardin, intrigué.

— Comment ça ?

— Ce n'est pas dans une ferme que tu vas être libre. Nicolas le rabroua :

— Peut-être bien. Mais je serai maître de ce que je ferai. Je ne serai pas à la merci, comme dans une auberge, du premier client venu me dicter ses quatre volontés. Tu peux être sûr, mon Bernardin, qu'as-theure que je suis maître de mes intérêts, je vais drô-lement en profiter.

—As-tu pensé que dans une ferme, ce sont souvent les bêtes qui dictent le rythme de vie ?

—Au moins, au contraire des hommes, elles sont toujours fidèles à elles-mêmes.

Ils arrivèrent à Yamaska au moment où sonnait l'angélus du midi à l'église. C'était un beau village dont les maisons s'étalaient de chaque côté de la rivière. Jusque-là, leur périple avait été un jeu d'en-fant. Ils ne manquèrent pas de s'enquérir auprès des gens de la place quant à la meilleure direction à prendre pour Drummond.

— À Drummond, avec votre charrette ? leur dit un vieil homme, un brin de moquerie dans la voix. Vous n'y serez pas avant le jugement dernier.

— Que voulez-vous dire, grand-père ?

—Entre icite et Drummond, il n'y a que de la forêt, à moins que vous vous rendiez à Saint-François-du-Lac et, de là, par une goélette ou une barge sur la rivière.

—Il n'y a vraiment pas de chemin entre ici et Drummond ?

Le vieil homme les regarda avec des yeux narquois avant d'ajouter :

—À moins que vous vous sentiez capable d'en ouvrir un.

—C'est en plein ce que nous nous proposons de faire, répliqua Nicolas, et pas plus tard que tout de suite.

Ils se rendirent vers le sud, là où le chemin se butait à la forêt. Sans plus se poser de questions, ils sortirent les haches et le godendard et se mirent aussitôt au travail. Le soir venu, ils avaient déboisé un corridor d'à peine quelques centaines de pieds, et tout juste assez large pour livrer passage à la voiture.

—À ce rythme-là, dit Bernardin, nous ne serons pas rendus avant des mois.

Nicolas le dévisagea avec un regard interrogateur.

—C'est vraiment ce que tu penses ? dit-il. Des mois ?

Bernardin hésita avant de répondre :

—Ce que je pense, c'est que nous allons nous morfondre à tracer un chemin sans vraiment savoir si nous y parviendrons. Pendant ce temps-là, l'été va nous rejoindre et nous aurons perdu le plus clair du temps propice à la construction de notre maison.

Les propos de Bernardin semblèrent ébranler quelque peu Nicolas, qui se rengorgea :

— Je voulais arriver à Drummond avec un peu d'argent en poche, c'est pour ça que j'ai proposé de faire le chemin avec la charrette et nos effets dedans. Je ne voulais pas que nous laissions tous nos biens à Montréal pour repartir à zéro. Toutes nos possessions sont là dans la charrette. Je ne suis pas prêt à m'en départir pour quelques sous et arriver à Drummond les mains vides.

— Que suggères-tu de faire ?

— Demain nous irons au devant, voir ce qu'a l'air le terrain. Nous déciderons ensuite.

Le lendemain, le jour à peine levé, malgré une pluie fine prise pour la journée, ils s'enfoncèrent dans la forêt jusqu'à l'endroit où ils avaient cessé de déboiser la veille. Ils marchèrent ensuite droit devant eux une bonne partie du jour, sans entrevoir la moindre éclaircie. En homme pratique, Bernardin marquait les arbres d'un coup de hache tous les cent pieds, à la fois en guise de repère pour le retour et afin d'évaluer le travail d'abattage qui les attendait. À leur retour, en fin d'après-midi, ils ne parlaient pas, conscients que ce qu'ils tentaient de réaliser n'avait pas de sens.

Bernardin finit par briser le lourd silence :

— Mon père disait qu'il faut se fier à la sagesse des vieillards. J'ai l'impression que celui d'avant-hier disait juste. J'ai compté en pieds la distance que nous avons parcourue aujourd'hui sans même parvenir à une éclaircie ou à un semblant de sentier. Tu veux savoir combien il nous faudra de jours pour bûcher notre chemin jusque-là ?

— Combien ? dit Nicolas, avec de l'impatience dans la voix.

— Trente-huit, à condition que nous n'ayons pas de malchance et sans compter que nous n'en serons sans doute qu'au début de nos peines.

— Très bien, gronda Nicolas. J'ai compris. Que suggères-tu ?

— Le vieil homme n'a-t-il pas parlé de Saint-François-du-Lac ?

— Oui, mais à condition de nous rendre de là jusqu'à Drummond par la rivière.

— Et si nous nous fabriquions un radeau capable de transporter notre chargement ?

Nicolas se tourna vivement vers son ami.

— Tu en as déjà fait un ?

— Non pas ! Mais il n'y a rien de sorcier là-dedans : des billots, des gougeons et le tour est joué. La Saint-François n'est pas une rivière difficile, tu l'auras remarqué comme moi.

— C'est toi qui le dis ! Nous n'avons pas les outils pour construire un radeau.

— Nous en emprunterons.

— À qui ?

— À quelqu'un de la place.

— Ça ne nous donnera pas une voile pour faire avancer l'embarcation sur la rivière.

Bernardin se campa devant lui et le toisa :

— Je ne te reconnais plus, Nicolas Grenon. Toi qui sautes ordinairement sur la première idée un peu valable, je te sens réticent. Et pourquoi ? Parce que tu es une tête dure, parce que ton projet de chemin pour charrette étroite ne tient pas debout. Pour ménager ton orgueil, je te ferai remarquer que ton idée est toujours aussi excellente, puisque nous devrons tracer en grande partie notre chemin jusqu'à Saint-François-du-Lac qui n'est pas tout à côté. Notre charrette étroite sera alors fort utile.

— Moi qui voulais vivre sans dette et arriver à Drummond avec des sous en poche...

— Ne t'affole pas, nous n'aurons guère à débourser pour faire notre radeau. En plus, rendu à Drummond, on nous promet de quoi vivre pour un an.

Le lendemain, ils traversèrent la rivière Yamaska sur le pont temporaire qu'on y construisait chaque printemps et qu'on remisait ensuite à l'automne. Après avoir examiné leur carte, ils empruntèrent un sentier censé les mener jusqu'au bord de la Saint-François. À maints endroits, ils eurent à abattre des arbres. Leur progression se fit beaucoup plus lentement qu'ils l'avaient cru. Malgré la fatigue du jour, le soir venu, près du feu leur permettant de cuire leur nourriture habituelle, un morceau de lard salé et quelques haricots secs, ils trouvèrent le moyen d'échanger leurs sentiments sur leur situation.

— Nous sommes, commença Bernardin, comme deux insectes occupés à tracer leur chemin dans le bois d'un vieil arbre.

— Où veux-tu en venir avec tes insectes, le beau-frère ?

— C'est l'immensité des lieux qui m'inspire cette comparaison. Toute notre vie se borne, tu ne trouves pas, à suivre notre chemin du mieux que nous le pouvons en traînant derrière nous le seul bagage qui nous appartient vraiment : ce que la vie nous a appris jusque-là.

Nicolas se moqua :

— Te voilà qui parles comme un philosophe !

Bernardin ne s'offusqua pas :

— Ça ne t'arrive pas, parfois, de te demander qui tu es et ce que tu fais sur la terre du bon Dieu ?

Nicolas partit d'un grand éclat de rire :

— Quand ça m'arrive, je m'arrange pour penser à autre chose ! Crois-tu que je n'ai pas eu le temps de songer à tout ça avant aujourd'hui ? Comme tu dis, nous sommes des espèces d'araignées affairées à dérouler notre fil en nous demandant quand et où il se coupera. Mais pour le moment, le beau-frère, j'ai une seule idée en tête : dormir.

Il s'étendit sous la charrette, pendant que Bernardin continuait à admirer la Voie lactée, qui se déployait dans le ciel tel un large sentier lumineux entre les cimes des arbres, au-dessus du chemin qu'ils avaient ouvert. Il devait y avoir un lac non loin de leur campement, car il entendait nettement le rire fou d'un

huard et, tout autour, la forêt débordante de vie bruis-
sant sous l'effet d'un vent léger et doux. Il s'endormit
avec en tête l'image de deux oiseaux occupés à bâtir
leur nid.

Ils mirent encore deux jours à parvenir aux abords
du village.

Saint-François-du-Lac avait été fondé en 1688
autour de la mission qu'y avaient érigée les jésuites.
Quand Nicolas et Bernardin y parvinrent, surgissant
du bois avec leur charrette étroite, les habitants du village ne mirent pas de temps à se demander d'où
venaient ces deux hurluberlus. Devant l'unique auberge
de la place, ils furent entourés par des gamins intrigués
par leur charrette. L'aubergiste vint au-devant d'eux
avec des points d'interrogation dans les yeux.

— Pouvez-vous me dire d'où vous sortez comme
ça ?

— De Yamaska, à travers les bois.

— Vous avez pu vous frayer un chemin jusqu'ici en
voiture ?

— Nous n'avons eu qu'à élargir un peu le sentier.

— Vous êtes bien les premiers à le faire en voiture.
Il y en a qui viennent ici à cheval, mais jamais avec une
charrette. Vous avez été ingénieux de la bâtir comme
ça. Pour une bonne idée, c'est une bonne idée.

Nicolas se rengorgea tout en jetant un coup d'œil
oblique à Bernardin afin de chercher son approbation.
Son beau-frère avait déjà une autre idée en tête.

— C'est pas tout d'être rendu ici, commenta-t-il, nous devons maintenant monter jusqu'à Drummond.

— Par la rivière ?

— Par la rivière, en radeau.

Incrédule, l'aubergiste ouvrit de grands yeux et fronça les sourcils avant de demander :

— Vous êtes sérieux ?

— Le plus sérieux du monde, poursuivit Bernardin. Nous avons l'intention de construire un radeau qui nous mènera jusque là-bas. Il y a un bon charpentier dans le coin ?

— À mon idée, Hormidas Lafond est le meilleur.

— On peut savoir où il habite ?

— À trois maisons d'icite, mais vous prendrez bien avant un petit quelque chose.

— Ça ne sera pas de refus, dit Nicolas.

Il servit à chacun un verre de whisky, qu'ils enfilèrent d'un trait après avoir trinqué à leur projet. Ils réservèrent leur chambre pour la nuit, puis, sans plus tarder, allèrent cogner à la porte du charpentier. Un petit homme dont l'humeur de chien laissait à désirer vint leur répondre en bougonnant :

— Quossé que c'est encore ?

Nicolas ne tint pas compte de son air morose, il demanda tout de suite d'un ton avenant :

— Nous cherchons un bon charpentier, et on nous a dit que vous êtes le meilleur de la place.

Le compliment sembla amadouer leur homme, car il leur offrit aussitôt d'entrer, ce qu'ils firent sans se faire prier.

— Que diriez-vous, lança Bernardin, de nous aider à construire un grand radeau ?

— Un radeau ? Saint simonac, vous avez là une ben drôle d'idée. Un radeau, pour quossé faire ?

— Remonter la rivière jusqu'à Drummond, avec nos effets et notre cheval.

— Votre cheval ? Êtes-vous malades ?

— Nous avons l'intention de lui fabriquer un enclos à même le radeau, au beau milieu, pas loin du mât où nous hisserons une voile.

Le charpentier les regarda tous les deux avec l'air de se demander s'il n'était pas en présence de deux jeunes gens dérangés du cerveau. Puis, haussant les épaules, il dit :

— Si c'est votre idée, vous y avez sans doute jonglé avant aujourd'hui. Où pensez-vous trouver le bois ?

Nicolas lui dit vivement :

— Nous comptons sur vous pour nous l'apprendre. Le bois à abattre ne manque certainement pas aux alentours. Nous sommes prêts à bûcher tout ce qu'il faut.

— Il faudra faire scier des planches au moulin. Combien grand vous le voulez, votre radeau ? Quinze par quinze, vingt par vingt ?

— Vingt par vingt, pas plus pas moins.

— Venez me voir demain matin, aux aurores. Dans quelques jours, si vous n'êtes pas trop fainéants, votre radeau pourra flotter.

❧

Ils mirent quatre jours à fabriquer leur embarcation. Leur idée de remonter la rivière en radeau semblait tellement farfelue qu'au moulin à scie, on leur
fournit la planche pour presque rien. Le troisième
jour, pendant qu'ils étaient occupés à arrimer la charpente de leur embarcation, une goélette passa en
remontant la rivière.

Alors qu'il levait les yeux, Bernardin l'aperçut au
large.

— C'est l'*Indian Red*! s'écria-t-il.

Nicolas se précipita en sa compagnie sur la grève.
Ils agitèrent vivement les bras pour attirer l'attention des passagers, espérant voir Marie-Josephte et
Bernadette quelque part sur le pont. Ils crièrent vainement leurs noms, le navire poursuivit sa route sans
que personne ne se fût rendu compte de leur manège.

Quand, au bout de six jours, avec leur cheval dans
son enclos, la charrette démontée et tous leurs effets
autour, ils hissèrent la voile pour gagner le milieu de
la rivière, tout le village était réuni pour les voir partir.

— C'est notre arche de Noé! leur cria Nicolas.

— Attention de ne pas vous échouer sur une montagne de sable! leur répondit une voix, ce qui déclencha
un grand éclat de rire sur la grève.

Poussé par le vent, le radeau se dirigeait dangereusement vers l'autre rive. Bernardin rabattit la voile
pendant que Nicolas, agrippé au gouvernail, parvenait
à ramener leur vaisseau, tel un cheval rétif, au milieu

du cours d'eau. Bernardin hissa de nouveau la voile et l'embarcation se mit docilement à gruger son chemin contre le courant. Sous les caprices du vent, ils mirent trois jours à rallier Drummond. Leur arrivée ne passa pas inaperçue. Ils échouèrent leur embarcation de fortune non loin du quai, attirant une foule de curieux. Ils ne furent pas sans entendre la réflexion d'un vieil homme à barbe de grand-père : « Remonter la rivière en radeau, faut le faire. On aura tout vu ! »

Ils amarrèrent solidement l'embarcation, firent descendre le cheval et, en se hâtant, prirent le chemin des baraquements. Leur arrivée y sema tout un émoi. Bernadette et Marie-Josephte leur sautèrent au cou. Les amies qu'elles avaient eu le temps de se faire depuis leur arrivée les entourèrent. L'excitation était si grande que tout le monde parlait en même temps. Ils finirent par trouver un petit coin où s'asseoir, pendant que des femmes s'affairaient à leur préparer de quoi manger. Ils en avaient long à raconter, mais ils désiraient avant tout rencontrer Jacques Adhémar, si bien qu'à peine arrivés, ils étaient déjà repartis.

— Revenez vite ! supplièrent Bernadette et Marie-Josephte.

— Ne vous inquiétez pas, promit Bernadin, nous ne traînerons pas. Ensuite, nous vous raconterons tout, le chemin dans la forêt, le radeau sur la rivière, le soleil, la pluie, le vent, les nuages et les étoiles.

— Allons, le pria Nicolas, amène-toi, le beau-frère, avant de réciter des poèmes, sinon, je te connais, la nuit va venir et tu auras à peine commencé.

Bernardin le regarda en secouant la tête :

— Dire qu'il y en a, et j'en connais un en particulier, qui ne semblent même pas savoir que les étoiles existent.

Nicolas partit d'un grand rire et commenta :

— La poésie, si belle soit-elle, ne va pas bâtir notre maison.

Quand ils se présentèrent, rue Heriot, au magasin général de Jacques Adhémar, ce dernier les reçut à grands éclats de voix.

— Enfin, c'est pas trop tôt ! Je me demandais bien si vous finiriez par arriver un jour. Vos femmes commençaient à s'inquiéter…

— On leur avait dit que ça nous prendrait deux semaines. C'est à peu près ce que ça nous a pris. Il va être grand temps d'ouvrir une route jusqu'au fleuve.

— C'est déjà commencé de ce côté-là, mais pas du côté du canton de Wickham, où il y a tout juste une piste assez large pour laisser passer un cheval. Mais dites donc, c'est vous autres qui êtes arrivés sur un radeau par la rivière ?

— Je vois, dit Nicolas, que les nouvelles courent vite. Qui pensais-tu que ça pouvait être, à part nous autres ?

Ils rirent de la répartie de Nicolas. Le capitaine Adhémar semblait réellement heureux de leur présence.

— J'imagine, dit-il, que vous bouillez d'impatience de voir vos terres. Demain, j'irai vous les montrer.

— En attendant, demanda Nicolas, où pouvons-nous mettre nos effets?

— Ici même, leur proposa le capitaine. Il y a de la place au fond de l'entrepôt. Tout sera à l'abri, le temps que vous vous construirez une première demeure. Puisque vous savez bâtir un radeau, les maisons ne doivent pas avoir de secrets pour vous!

Chapitre 11

Au canton de Wickham

Le lendemain, par un sentier en forêt, ils suivirent à cheval le capitaine Adhémar jusqu'à l'emplacement de leur terre. Bernardin fit le trajet sur un cheval prêté. Nicolas montait celui avec lequel ils étaient venus depuis Montréal. Longtemps ils avaient cherché, sans résultat, à lui donner un nom approprié.

— Nous ne sommes pas pour l'appeler Ti-Brun, Belzébuth ou Caramel, avait dit Bernadette.

— Pourquoi pas Ti-Brun ? avait objecté Marie-Josephte. Son poil est brun, il me semble que ça lui irait bien.

— Il faut lui trouver un nom plus original, avait renchéri Bernadette.

Ce n'est qu'une fois après son arrivée à Drummond, en l'imaginant à bord du radeau, qu'elle proposa de le baptiser Marin.

La forêt dans laquelle ils avançaient s'avérait touffue. Le capitaine Adhémar les conduisit d'abord jusqu'à sa terre. Ils partirent de la borne limite et se dirigèrent droit vers l'est, s'employant à dénicher en pleine forêt les tumulus en pierre indiquant les bornes de chacune des terres. Après en avoir repéré une sur l'emplacement voisin de celui du capitaine Adhémar, ils finirent par débusquer, plus à l'est, une première borne délimitant la terre de Nicolas. Ils continuèrent leurs recherches, toujours vers l'est, et, au bout d'une heure, ils aperçurent dans des fourrés le tumulus marquant les limites de la terre de Nicolas.

— Tu connais maintenant la largeur de ton habitation, dit le capitaine à Nicolas. À la borne du côté est débute aussi celle de ton ami Bernardin. Nous n'en avons plus qu'une seule à retracer et vous serez chez vous tous les deux.

Nicolas éclata de rire.

— Chez nous, ricana-t-il, c'est un bien grand mot. Nous y serons vraiment le jour où nous aurons un toit.

— Quand comptez-vous construire votre camp?

— Pas plus tard que demain, s'il n'en tient qu'à moi, affirma Bernardin. J'ai bien hâte de pouvoir marcher ici en me disant que je suis enfin chez moi.

— Je comprends votre hâte, approuva le capitaine, mais avant tout, vous devriez prendre le temps de vous enquérir de la meilleure façon de faire pour construire un bon camp. Parmi les hommes établis autour de Drummond, on compte des gens qui pourront vous être d'un grand secours.

Les conseils du capitaine Adhémar ne tombèrent pas dans les oreilles de sourds. Dès le lendemain, Nicolas et Bernardin se rendaient à Headville, chez

Joseph Desrosiers, un maître charpentier. Il ne se contenta pas seulement de les conseiller, il promit d'aller sur place le surlendemain leur donner un coup de main. Le jour suivant, les deux amis se retrouvaient de nouveau sur leur propriété et, hache en main, s'attaquaient vaillamment à leurs premiers arbres.

— Bernardin! s'écria Nicolas. Te rends-tu compte que c'est aujourd'hui le premier jour de notre nouvelle vie?

— Sois certain que j'en suis conscient mais, pour une naissance, c'en est une difficile!

Ils bûchèrent toute la journée pour s'apercevoir, au soir venu, qu'ils avaient à peine grugé quelques pieds sur la forêt.

— À ce rythme, constata Nicolas, nous en aurons jusqu'aux premières neiges avant de pouvoir songer à posséder un toit convenable.

Affairé à ébrancher l'érable qu'il venait d'abattre, Bernardin interrompit un moment sa tâche pour prodiguer à Nicolas un peu de sa sagesse:

— Pourquoi nous alarmer? Nous sommes bien logés dans notre baraque et on nous a promis de la nourriture pour l'année à venir.

Quand, le lendemain à l'aurore, ils revinrent sur leur terre, ils eurent la surprise de leur vie. Alors qu'ils se mettaient à l'ouvrage, ils entendirent des rires venant du sentier tracé depuis la terre du capitaine Adhémar. Joseph Desrosiers tenait sa promesse, mais il n'était pas seul. Une dizaine d'hommes à cheval l'accompagnaient, de même que le capitaine Adhémar ainsi qu'un bon nombre de femmes dont certaines amenaient de jeunes enfants. Ils avaient tous en main, qui une hache, qui un godendard, qui un marteau ou une égoïne. Joseph Desrosiers, sourire aux lèvres, heureux de son effet, demanda aussitôt à Nicolas :

— Où le veux-tu, ton camp ?

N'en croyant pas ses oreilles, Nicolas se mit à bredouiller sans pouvoir décider de l'emplacement.

— À ta place, dit le capitaine Adhémar, je construirais mon camp à la limite est de ta terre, près de celui de ton beau-frère.

Revenu de sa surprise, Nicolas reconnut parmi les hommes venus leur prêter main-forte trois anciens compagnons d'armes. Il n'eut guère le temps de renouer connaissance car, sans plus attendre, les hommes se dirigèrent vers ce qui semblait être l'endroit le plus propice. Ils s'attaquèrent tout de suite à la forêt pour dégager l'aire où s'élèverait le camp. C'était un plaisir de les voir travailler avec méthode, les uns abattant les arbres et les ébranchant, les autres les traînant avec l'aide des chevaux. En quelques heures, au milieu de la place, les souches avaient disparu. Tout était prêt pour l'érection du camp. Les femmes servirent le dîner, partagé joyeusement au moment où le soleil atteignait son zénith. À peine s'étaient-ils rassasiés qu'ils se remirent à l'ouvrage. Ils équarrirent le bois nécessaire à l'abri. Avant le soir, Nicolas avait un toit au-dessus de sa tête.

— Après-demain, promit Joseph Desrosiers, nous en ferons autant pour ton beau-frère. Il n'est pas dit qu'un seul nouveau n'aura pas droit à sa corvée.

Nicolas ne savait pas quoi dire pour les remercier.

— C'est de bon cœur, le rassura le capitaine Adhémar. Aujourd'hui, c'est ton tour. Après-demain, ce sera celui de Bernardin. Vous en ferez sûrement autant quand d'autres viendront s'établir parmi nous.

Tout l'été, les deux hommes travaillèrent ensemble à défricher le plus de terre possible autour de leur première habitation. À l'automne, en remplacement de leur camp, ils s'attaquèrent à la construction de leur maison.

— En mai, assura Nicolas, nous aurons tout ce qu'il faut pour habiter ici. Nos premiers labours nous permettront de cultiver le blé et l'avoine nécessaires à notre survie et à celle de nos animaux. Entre les souches, nous planterons des pommes de terre, et je te garantis que l'hiver prochain ne nous fera pas peur.

Chapitre 12

À propos de l'auberge

Pendant ce temps, à Québec, Émilie continuait de tenir auberge. Dorothée l'avait convaincue de vendre. Une pancarte indiquait bien leur intention de s'en départir, mais aucun acheteur ne se montrait intéressé. Romuald, pour sa part, fulminait contre les dirigeants de la ville en raison de la suspension des permis de cabaret. Tous les propriétaires d'auberge devant renouveler leur permis cette année-là se voyaient contraints d'attendre le bon vouloir de ces messieurs. Émilie redoutait le jour où, privée du droit de servir de la boisson, elle verrait son auberge se vider progressivement.

— Il doit bien y avoir quelque chose à faire pour changer ça, se plaignit Romuald. J'ai beau me creuser les méninges, je ne trouve pas. Il va falloir vendre de la boisson clandestinement.

— Ça finirait par se savoir, lui dit Émilie, et la première chose qui va nous arriver sera d'être en prison.

Je me demande bien ce qu'Edmond aurait dit de tout ça...

— Edmond, il aurait fait comme il a fait à Baie-Saint-Paul quand le curé voulait l'excommunier. Il aurait mis tout en vente et serait parti. Aurais-tu idée toi aussi de déguerpir?

— Pas tant qu'on pourra s'en tirer avec l'auberge. Même si elle est déjà en vente, personne n'ose l'acheter. Ils demandent tout de suite quand nous perdrons notre licence. Ça se comprend : une auberge sans licence de cabaret, ça n'a pas grand bon sens.

Émilie se tut un long moment : elle était songeuse.

— Heureusement, reprit-elle, notre permis est encore bon jusqu'au carême. Après ça, nos revenus vont chuter. Nous ne pourrons plus compter que sur nos pensionnaires d'un soir ou de semaine pour survivre. Edmond disait toujours : « Ce qui fait le pain et le beurre d'une auberge, c'est la boisson que nous pouvons y servir. » Il avait bien raison.

— Les temps sont durs, Émilie, mais il faut espérer de bons résultats de la pétition en circulation. Espérons qu'elle finira par mettre un peu de plomb dans la tête des dirigeants de la ville.

Émilie reprit, sans trop de conviction :

— J'aimerais bien connaître la personne derrière cette idée de suspendre les permis de cabaret.

Romuald, qui n'avait pas la langue dans sa poche, répondit tout de go :

— Je ne veux pas te faire de peine, Émilie, mais cette idée-là sent la soutane.

—À ton avis, ce serait l'évêque?

—Non seulement je le pense, mais je le crois. Pour en revenir à ce que nous disions, si, par hasard, tu parviens à vendre, que comptes-tu faire?

—Je ne le sais pas encore, mais je crois bien aller rejoindre Nicolas et Marie-Josephte quand ils seront installés sur leurs terres.

—Dorothée est au courant?

—Bien sûr! Je suis même certaine qu'elle n'hésitera pas à suivre.

—Y a au moins une bonne nouvelle dans tous ces malheurs, reprit Romuald. Nous avons encore notre licence de cabaret pour un petit bout...

Le temps coulait rapidement, les mois filaient sans nouvelles de Nicolas et Marie-Josephte. Émilie avait bien reçu, au cours de l'hiver, une lettre de Nicolas dans laquelle il expliquait leur intention de s'établir dans le canton de Wickham. Elle l'avait fait lire tant de fois par Dorothée qu'elle la connaissait pratiquement par cœur. Ce qui lui faisait le plus plaisir était de savoir qu'elle serait de nouveau doublement grand-mère au cours de l'été: Marie-Josephte attendait un enfant et Bernadette également. Nicolas précisait: *Vous serez ainsi quatre fois grand-mère au moment où nous serons sur nos terres.*

Ayant appris que l'auberge était en vente, il espérait pour eux que tout se ferait très rapidement et il lui demandait ce qu'elle comptait faire ensuite. Il invitait tout le monde à se rendre au canton de Wickham au cours de l'été. Puis, sans doute trop absorbés dans leurs préparatifs de déménagement et dans leurs travaux d'installation, ses enfants n'avaient pas trouvé le temps d'écrire de nouveau.

Quand Dorothée fit encore allusion à la lettre de Nicolas, elle dit :

— M'man, si jamais on vend l'auberge, on fait nos bagages et on part pour Drummond.

— Tiens, approuva Émilie, j'avais justement la même idée.

— Et moi, qu'est-ce que vous faites de moi ? se désola Romuald.

— Vous, mon oncle, vous ferez comme vous voudrez. Il y aura certainement de quoi à faire par là comme par ici, si vous voulez venir avec nous autres.

Romuald poussa un soupir :

— Tu as bien raison ! Je pense que le travail ne doit pas manquer par là, mais ce qui m'embête, c'est de savoir ce que je pourrais y faire.

— Voyons, mon oncle ! Habile comme vous êtes, vous trouverez bien quelque chose.

— Mais quoi, jériboire ? Quoi ? À mon âge, recommencer encore ! Je pense que j'en aurai pas la force.

— Tiens ! Tiens ! se moqua Dorothée, l'oncle Romu veut se faire plaindre ! Allons, mon oncle, écoutez le conseil de votre nièce. Vous n'aurez qu'à vous asseoir à l'entrée de Drummond et à demander l'aumône aux visiteurs en songeant à vos vieux péchés.

Voyant que Dorothée voulait s'amuser à ses dépens, il entra dans son jeu :

— J'ai tellement de vieux péchés sur la conscience que j'en aurai bien pour plusieurs années à les compter, à moins qu'une nièce que je connais ne m'aide à le faire.

Pendant des semaines, pas un seul acheteur ne s'était présenté. Puis, quelques jours à peine avant l'expiration de leur permis de cabaret, vers onze heures du matin, un homme, tout de noir vêtu, coiffé d'un chapeau de castor et portant redingote, se pointa, accompagné d'un nain.

Toujours à l'affût de ce qui se passait autour de l'auberge, Romuald les avait vus venir.

— Bout de ciarge ! s'exclama-t-il à l'intention d'Émilie et de Dorothée. Venez voir qui nous arrive.

Dorothée se précipita :

— Pas Nico, par hasard ?

— Ben non ! Mais regarde-moi c'te visite !

Charlemagne, habitué à voir défiler de nombreux clients, n'avait pas l'habitude d'aboyer. Mais à l'arrivée de ces curieux visiteurs, il se mit à gronder et à japper avec fureur, si bien que Dorothée dut le mener dehors pour l'attacher.

Les inconnus prirent la peine de frapper à la porte, ce que ne faisaient jamais les habitués de l'auberge. Romuald leur ouvrit.

— Bonjour, messieurs ! Bienvenue à l'*Auberge Grenon*.

D'une voix haut perchée, le nain débita :

—Veuillez accueillir son excellence messire Philibert Dudomaine, ici présent, et votre humble serviteur, Noé Rancourt dit Raccourci, son comptable.

Romuald dégagea la porte et leur signifia d'entrer.

— Prenez place, les chaises ne manquent pas.

Discrètement, Dorothée vint jeter un coup d'œil puis se retira du côté de la cuisine. Les visiteurs s'assirent. Romuald leur offrit un verre :

— Vous prendrez bien un petit remontant, pendant que nous pouvons encore en servir...

Ils refusèrent, levant le nez avec l'air de gens à qui l'alcool faisait horreur. Comme il le faisait toujours, Romuald alla droit au but :

— Qu'est-ce qui nous vaut alors votre visite ?

Une fois de plus, c'est le nain qui prit la parole :

— Messire Philibert voudrait se porter acquéreur de votre auberge.

Romuald, que cette façon de faire commençait à intriguer, s'adressa directement à cet original, visiblement désireux de se faire passer pour plus que ce qu'il était.

— Monsieur Philibert, vous voudrez sans doute visiter les lieux avant de faire une offre.

— Pourquoi donc, cher ami ? Un homme aussi expérimenté que moi sait d'un seul coup d'œil reconnaître la valeur de ce qu'il convoite. Dans le cas présent, il est évident que cette auberge ne vaut pas même la moitié du prix demandé dans *La Gazette*.

Cette réponse fit bondir Romuald. D'une voix indignée, il rétorqua :

—Si c'est ainsi que vous le voyez, je vous prierai, messieurs, de retourner droit d'où vous venez. Nous ne céderons pas notre auberge pour une bouchée de pain à des gens qui ne sont pas en mesure de s'en payer une.

Le visiteur ne se montra pas offusqué par la rebuffade.

—Ne le prenez pas de si haut, mon cher, nous savons que cette auberge va bientôt perdre son droit de cabaret. Dès lors, elle ne vaudra pas plus que les maisons avoisinantes.

—Qui vous dit, monsieur, que ce permis ne lui sera pas redonné quelque temps plus tard?

—Les auberges, à mon avis, ne devraient pas avoir de permis de boisson, le fléau de notre société.

Romuald en avait assez entendu:

—Permis ou pas, notre auberge n'est pas pour vous. Je vous prie donc, messieurs, à moins que vous désiriez prendre une consommation ou encore dîner sous notre toit, de bien vouloir céder la place aux gens s'amenant justement pour faire honneur à la nourriture que nous leur servons.

Les visiteurs se levèrent et se dirigèrent vers la porte, non sans que le sieur Philibert n'ajoute:

—Notre offre tient toujours. Libre à vous de la reconsidérer. Au cas où vous regretteriez d'avoir levé le nez dessus, vous pourrez toujours me joindre à cette adresse.

Il tendit une carte de visite et partit comme il était venu, son tuyau de poêle de castor droit sur la tête.

Romuald écumait. Il n'eut guère le loisir de faire part de ses états d'âme à Émilie et Dorothée. Déjà, les habitués du dîner s'installaient aux tables. Ce n'est qu'en fin de journée qu'il trouva le temps d'en causer à son aise :

— Ces deux hurluberlus voulaient acheter l'auberge à moitié prix.

— Vous avez bien fait, mon oncle, dit Dorothée, de les envoyer promener.

— N'empêche, bout de ciarge, qu'ils étaient au courant à propos du permis de cabaret qui ne sera pas renouvelé.

Émilie intervint :

— Tu penses, Romuald, que c'est pour ça qu'ils n'ont pas offert plus ?

— Non seulement je le pense, mais j'en suis certain. Comptez sur moi pour savoir de quoi tout ça retourne.

Son enquête lui apprit que ce Philibert Dudomaine avait des amis haut placés à la Ville. On lui avait mentionné que le renouvellement du permis de cabaret pour l'*Auberge Grenon* serait suspendu. C'était le meilleur temps pour acheter à rabais. Qui sait, parfois un permis n'est pas suspendu très longtemps quand de l'argent circule sous la table.

Au cours des jours suivants, Philibert Dudomaine et son nain revinrent plusieurs fois à la charge avec autant d'insolence qu'à leur première tentative. Devant le refus catégorique de Romuald, ils finirent par se faire plus rares.

La plupart des auberges n'ayant plus de permis de boisson, seuls les taverniers pouvaient continuer à en vendre. Ils virent tout à coup leur clientèle augmenter. Ce fut alors que Romuald, fin renard, découvrit le pot aux roses. La majorité des propriétaires de tavernes avaient de grands amis au Conseil de Ville. Il refila l'information à un journaliste de *La Gazette*, qui ne manqua pas de le souligner à la une du journal : *Nos élus municipaux de connivence avec les taverniers*. Le journaliste laissait même entendre qu'ils avaient voté la suspension des permis de cabaret en retour de compensations financières de la part des taverniers.

Malgré les protestations, la suspension des permis fut maintenue, si bien qu'un fléau encore plus grave alarma les autorités. On se mit à vendre sans permis diverses boissons un peu partout dans la ville. Le rhum et le whisky se mirent à couler en abondance sans que l'on pût déterminer leur provenance. Le débat fit rage. Des pétitions circulèrent réclamant la levée des suspensions de permis de cabaret. Malgré tout, les autorités ne cédaient pas.

Au bout de quelques semaines, comme un oiseau de malheur, Philibert Dudomaine réapparut à l'*Auberge Grenon*. Charlemagne leur fit la même réception qu'à l'accoutumée. Le sieur Dudomaine désirait toujours acheter et acceptait de hausser de vingt livres son offre précédente. Il se buta à un Romuald de plus en plus déterminé :

—Cher monsieur, pour qui nous prenez-vous ? Nous ne sommes pas assez idiots pour vendre au

moment où les permis de boisson vont être de nouveau accordés. Ce que vous nous offrez ne vaut pas un
pet de sœur et vous le savez fort bien, allez donc vous
faire voir ailleurs !

— Qui vous permet de me parler sur ce ton et de
cette façon grossière ? Savez-vous à qui vous avez
affaire ?

— Oui, justement, je le sais ! À un imposteur !

Rouge de colère, le visiteur hurla :

— Quels sont les idiots qui vous ont laissé croire
pareille sottise ?

— Des gens aussi bien placés que vos amis du
Conseil. Pensiez-vous que nous allions nous laisser
manger la laine sur le dos ? Si vous désirez toujours
acheter l'auberge, vous devrez hausser votre offre.
D'ailleurs, j'ai un autre acheteur et il a passablement
plus de bon sens que vous.

Philibert Dudomaine en avait assez entendu. Il
quitta l'auberge en claquant la porte. Émilie, de sa
cuisine, avait entendu les éclats de voix des deux
hommes. Aussitôt le visiteur parti, elle rejoignit
Romuald et lui demanda :

— Veux-tu bien me dire qui est ce mystérieux
acheteur ?

Romuald éclata de rire :

— Il n'y a pas plus d'acheteur en vue que de lion
dans la cour. J'ai simplement voulu semer le doute
dans son honorable cervelle. Nous ne vendrons pas
l'auberge tant que nous n'en obtiendrons pas notre
prix. Si nous la laissions aller pour moins que ça, j'en

connais un qui se retournerait certainement dans sa tombe.

Le lendemain matin, quand Romuald sortit pour nourrir Charlemagne, il trouva la bête morte empoisonnée.

— Si jamais ces deux-là se représentent à l'auberge, marmonna-t-il entre ses dents serrées, je leur fais sauter la cervelle.

Chapitre 13

Le coup de foudre

Malgré le fait qu'on ne servait plus de boisson à l'auberge, les clients continuaient de venir y déguster les bons plats d'Émilie. Le travail ne manquait pas, ni pour elle ni pour Dorothée, occupée au service des tables, non plus que pour Romuald, toujours en quête d'améliorations.

Sa venue à l'auberge avait, au tout début, suscité diverses questions dans l'esprit des clients. Quelle place tenait-il vraiment dans la vie d'Émilie ? Il avait beau coucher dans une des chambres réservées aux clients, savait-on s'il y passait vraiment la nuit ?

Émilie craignait beaucoup les qu'en-dira-t-on. La présence de Dorothée faisait cependant taire les langues trop bien pendues. Une veuve ayant pris amant ne garderait certainement pas sa fille comme chaperon. Petit à petit, la conduite de Romuald fit se dissiper les soupçons. S'il caressait des projets où Émilie avait une place, il ne le laissait pas paraître. Il se désolait toutefois pour Dorothée qu'il considérait presque comme sa fille. Il ne manquait d'ailleurs jamais une occasion de le lui rappeler.

— Ma petite fille, belle comme tu es, tu devrais avoir depuis longtemps un prétendant dans tes jupes. Attends-tu que ton vieil oncle t'en déniche un ? Je sais que tu as eu autrefois un gros lot, pour ne pas dire un gorlot, avec ton Désiré, mais les hommes ne sont pas tous des politiciens laissant pourrir leurs promesses comme de vieilles pommes véreuses.

— Mon oncle, ne vous mêlez pas de mes amours ! Vous avez assez à voir à l'auberge sans vous mettre en chasse. Quelle sorte de moineau me ramèneriez-vous ?

— C'est ça ! Fais ta tête dure de Grenon ! Ne fais surtout pas confiance à ton oncle si bien intentionné. Pauvre petite fille, tu n'auras jamais de cavalier si tu ne te décides pas à partir toi-même à la chasse. Je te le dis, avec des yeux comme les tiens, tu pourrais conquérir en deux clins d'œil le roi d'Arabie et tous les rois des royaumes voisins. Ils n'attendent qu'une lionne comme toi pour partager leur lit et leur fortune.

Les propos de Romuald mettaient toujours Dorothée en joie. Elle entrait dans son jeu.

— Pourquoi une lionne, mon oncle ? Pourquoi pas une biche ?

— Une biche avec le caractère d'une tigresse. Pauvre roi, une nuit dans son lit et tu le boufferais comme une galette de sarrasin.

Leurs propos sur ce sujet finissaient toujours de la sorte, dans un accès de dérision. Pourtant, un bon soir, à la brunante, se présenta à l'auberge un jeune homme qui mit Dorothée dans l'embarras dès qu'elle le vit. Son oncle ne manqua pas de le remarquer. Il se réjouit aussitôt: «Le coup de foudre tant espéré», se dit-il. Mine de rien, il fit appel à toute son habileté pour en apprendre le plus possible sur celui qu'il imaginait déjà aux pieds de Dorothée.

— Serait-ce trop vous demander, jeune homme, de me dire d'où vous venez et ce qui nous vaut votre visite?

— D'où je viens ne vous dira sans doute rien.

— Faites-moi-le savoir d'abord, j'aviserai ensuite.

— Vous connaissez Sorel?

— De nom seulement.

— J'y suis né. Mon père, Joseph Lahaie, Dieu ait son âme, y tenait autrefois auberge.

— Vous êtes donc un Lahaie? Portez-vous le prénom de votre père?

— Non pas! Celui de Ludovic, selon le désir de ma mère.

— Ludovic Lahaie, qu'est-ce qui vous amène à Québec?

— Le décès de ma tante, religieuse à l'Hôpital Général.

— Vous me voyez peiné pour vous, mais ainsi est faite la vie qui nous crache en pleine figure au moment où on s'y attend le moins. Vous étiez proche de votre tante?

— Non pas! Je l'ai à peine connue. Ma mère, dont c'est la sœur, ne pouvait venir en raison d'un malencontreux tour de rein qui la cloue au lit. Elle m'a délégué pour représenter la famille.

— Bienvenue dans notre auberge. Qui sait ? Peut-être y trouverez-vous consolation à vos peines. Vous prendriez bien un brandy ou un rhum, de quoi noyer vos soucis, mais, pour notre malheur et le vôtre, nous ne pouvons plus en servir entre ces murs.

Le jeune homme esquissa un sourire.

— Je reconnais dans vos propos, dit-il, certaines ressemblances avec ceux que prodiguait jadis si généreusement mon défunt père à sa clientèle. D'ailleurs, dans cette auberge, tout m'est familier. Vous ne pouvez pas savoir à quel point j'y retrouve, et de façon troublante, l'atmosphère de mon passé. Je passerai volontiers la nuit entre vos murs, si toutefois il y a une chambre de libre.

— Ma nièce Dorothée vous y conduira.

Ce fut d'un pas léger qu'il se dirigea vers la cuisine. Dorothée avait eu le temps d'informer sa mère de la présence de ce client hors de l'ordinaire.

— Il se nomme Ludovic Lahaie, ma fille. Il attend qu'une certaine Dorothée le conduise à sa chambre.

Les propos de Romuald firent, d'un coup, se teinter de rouge le visage de sa nièce.

— Ma chère Émilie, je crois que ta fille vient d'attraper la rougeole, se moqua Romuald.

Si Dorothée avait eu des fusils à la place des yeux, l'oncle Romuald aurait vécu son dernier jour. Après avoir mené le visiteur à sa chambre, Dorothée revint, épanouie et souriante, prévenir sa mère que «monsieur Ludovic descendrait pour souper dans une demi-heure ». Aussitôt, elle courut mettre un couvert à ce qu'on considérait, en raison de sa position dans la salle, être la meilleure table de l'auberge. L'oncle Romuald ne portait plus à terre :

— Je l'ai vu, dit-il à Émilie.

— Tu as vu qui ?

— Cupidon, le petit bout de ciarge, avec son arc et sa flèche. J'te l'dis, Émilie, je l'ai vu. Et je te prédis que cette fois sera la bonne.

— Grand fou ! s'exclama Émilie. Si nous ne t'avions pas, il faudrait t'inventer.

Les prédictions de Romuald s'avérèrent fondées, puisque le séjour de Ludovic Lahaie à l'*Auberge Grenon* se prolongea trois soirs plutôt qu'un seul. Quand, au matin de la quatrième journée, il repartit pour ses affaires à Sorel, il avait en main une carte sur laquelle figurait l'adresse de l'auberge et, tout en bas, un prénom, celui de Dorothée.

Chapitre 14

Émilie à Drummond

Ne dérogeant pas de ses habitudes acquises depuis son arrivée à Québec, vers dix heures Romuald remontait la rue Saint-Ours pour aller chercher le courrier au bureau de poste. La majorité du temps, il revenait bredouille. Il ne changeait pourtant pas sa routine. Dorothée ne manquait pas de le taquiner :

— Mon oncle, vous n'avez pas besoin d'aller à la poste tous les jours. Nous ne recevons pas une lettre par mois.

— Ma petite fille, apprends qu'une lettre ne parle pas tant qu'on l'a pas ouverte. Aussi, elle ne nous prévient pas quand elle arrive.

Ce matin-là, en entrant à l'auberge, il brandissait une missive et ne tarda pas à laisser entendre à Émilie qu'elle serait contente. Une lettre de Nicolas s'avérait toujours une joie pour sa mère. Elle cachait bien sa hantise d'y découvrir de mauvaises nouvelles. Mais le contenu de la lettre reçue s'avéra fort intéressant. Bernadette avait accouché d'un garçon, cependant que

Marie-Josephte se montrait déjà fière des progrès de sa fille d'un mois. Nicolas insistait :

C'est maintenant le temps que vous veniez faire la connaissance de vos petits-enfants. Nous avons bien fait les choses. L'automne commence à peine. Vous nous trouverez réunis dans les baraquements qui nous servent d'abri en attendant de pouvoir aménager dans nos maisons en construction où nous pourrons habiter dès le printemps venu. Si vous venez, ne manquez pas de nous faire savoir votre arrivée, nous irons vous chercher au quai.

— Nicolas et Marie-Josephte m'espèrent, dit Émilie. Mais je ne peux pas quitter l'auberge comme ça. Qui s'occuperait de préparer les repas ?

Dorothée intervint vivement :

— Vous pensez pas, m'man, depuis le temps que je vous aide, que je pourrais vous remplacer quelques jours ?

— Tu n'y arriveras pas toute seule.

— La Rosalie à Jean-Marie Gagné saura bien m'aider. Profitez donc de cette chance tout de suite. Vous êtes grand-mère et, j'en suis certaine, il y a quatre petits-enfants que vous avez bien hâte de connaître.

Romuald qui, pour une fois, s'était gardé d'ajouter son grain de sel, bouillait de le faire. Il ne se retint pas plus longtemps :

— Émilie, écoute ce que ta fille te dit. C'est pas rien d'être grand-mère. Profite de l'occasion pour aller faire un tour. Y a les enfants, bien sûr, mais y a aussi

Nicolas et Marie-Josephte qui vont se faire une fête de te voir.

— Mais comment me rendre là-bas?

— En vaisseau sur le fleuve, jusqu'à Sorel, et ensuite sur la rivière Saint-François.

— Ça va coûter une fortune.

— Allons, m'man, ça coûtera ce que ça coûtera. Faites-vous à l'idée d'être là dans deux semaines, pas plus. Vous ne vous priverez pas de ce plaisir-là. À soir, nous écrirons à Nicolas.

Une dizaine de jours plus tard, Émilie montait à bord d'une goélette en partance pour Sorel. Nicolas avait été averti de la date du départ, les vents décideraient de celle de son arrivée. Aussi prit-il la précaution d'être présent tous les jours au quai de Drummond, à l'arrivée de chaque embarcation. On ne manquait pas de le prévenir dès qu'un navire remontait la rivière. C'est ainsi qu'un beau midi, il vit descendre d'une barque la petite femme énergique qu'était sa mère. Elle se réfugia dans ses bras. Il lui fit l'honneur de parcourir lentement la rue Heriot, l'unique artère de Drummond, afin de lui donner tout le temps nécessaire pour bien voir les lieux. Elle fut impressionnée de découvrir autant de maisons à un endroit où, comme le lui précisait Nicolas, n'existait qu'une forêt deux ans auparavant. Les baraquements où ils résidaient s'élevaient non loin de la rivière, au bout de la rue. Marie-Josephte, Bernadette et Bernardin firent

une fête de son arrivée. Les premières effusions passées, elle s'écria :

— Où sont-ils, ces petits-enfants de mon cœur ?

Les deux femmes la conduisirent dans un coin, là
où tous les quatre dormaient dans leur petit berceau
comme des bienheureux. Elle resta là longtemps à les
regarder sans rien dire, de peur de les réveiller. Puis,
levant la tête en direction de Marie-Josephte et de
Bernadette, elle chuchota :

— Vous avez fait là les plus beaux enfants du monde.
Il faudra que je m'arrange pour qu'ils connaissent leur
grand-mère.

Elle profita des deux jours passés à Drummond pour
se familiariser avec l'endroit. Nicolas et Bernardin
l'amenèrent jusqu'à leurs terres du canton de Wickham.
Ils avaient bien travaillé, ainsi que le prouvait une large
brèche ouverte dans la forêt. Leurs maisons, voisines
d'à peine cent pieds, commençaient à prendre forme.
L'endroit était toutefois très isolé. On ne pouvait y
accéder que par une route cahoteuse tout juste assez
large pour permettre le passage d'une voiture.

— Il y a quelques mois, dit fièrement Nicolas, ici,
ce n'était que de la forêt.

Bernardin s'empressa d'expliquer :

— Les arbres que nous avons abattus ont servi en
grande partie à la charpente des maisons.

Émilie les regardait, pleine d'admiration.

— Vous espérez vraiment habiter ici au printemps ?

— Si vous revenez, m'man, expliqua Nicolas, vous
ne vous reconnaîtrez plus.

— Où sont vos plus proches voisins?

— Le plus près reste à un demi-mille. C'est un nommé Saintonge. Les autres, ceux qui vivent au bord de la rivière, sont des Anglais. Le capitaine Adhémar a sa terre, pas très loin d'ici, vers l'ouest, mais il la fait défricher par Guy Saint-Jean. Vous devriez voir quel géant il est. À part ça, nous n'avons pas encore eu le temps de connaître les autres. Il faut dire que les chemins sont encore malaisés. Mais donnez-nous encore une autre année, on va voir ce qu'on va voir! Ça sera pas long qu'il va y avoir un village dans le coin.

Pendant que Nicolas parlait, Émilie respirait le bon air de la campagne.

— Ça faisait une bonne secousse, dit-elle, que je n'avais pas senti l'odeur des résineux. Ça me rappelle un peu Charlevoix, mais sans le fleuve et les montagnes. Qu'importe! La campagne reste toujours la campagne, partout où elle se trouve.

Elle fermait les yeux, heureuse de se sentir ainsi, en pleine nature, à l'autre bout de son monde.

— À un moment donné, ajouta-t-elle, à force d'être en ville, c'est ben pour dire, on finit par oublier tout ça.

Elle passa les deux jours suivants à catiner ses petits-enfants et à faire meilleure connaissance avec sa bru. Elle était heureuse du choix qu'avait fait Nicolas. Bernadette, une belle jeune femme aux cheveux blonds, montrait un visage lumineux dès qu'elle se mettait à causer. Elle parlait avec animation, avec aux lèvres un sourire quasi permanent. Elle trouvait souvent le mot ou l'expression qui faisait rire. De plus, on ne pouvait souhaiter des belles-sœurs plus unies qu'elle et Marie-Josephte.

Curieuse de tout voir de ce village tout neuf, Émilie se promena dans l'unique rue de Drummond en compagnie de sa fille, pendant que Bernadette s'occupait des petits à la maison. De retour chez Nicolas, pendant que les deux mères allaitaient leurs enfants, elle fit des miracles avec le peu de nourriture à sa disposition et prépara ses meilleurs plats afin de gâter les hommes au retour de leurs travaux. Elle se fit une fête de les recevoir comme elle l'aurait fait à l'auberge. Servir la rendait heureuse.

Le dernier soir qu'elle passa à Drummond, Nicolas lui proposa :

— M'man, vous n'en avez pas assez de l'auberge ? Une fois qu'elle sera vendue, vous devriez venir vivre avec nous autres. De même, vous allez connaître vos petits-enfants. Nous allons en mettre d'autres en route, tout comme Bernardin et Marie-Josephte.

— C'est trop vite pour en parler. Attendons d'abord que vous ayez votre maison. Ensuite, l'auberge n'est pas vendue et je ne laisserai pas Dorothée toute seule.

— Elle finira bien par se marier !

— Peut-être, d'autant plus qu'il y a quelqu'un dans sa vie. Mais vous savez, après ce qui lui est arrivé avec son Désiré, elle se tient pas mal sur ses gardes.

Marie-Josephte intervint :

— Dites-moé pas, m'man, que Dorothée a un cavalier ?

— Un jeune homme est venu à l'auberge, il n'y a pas longtemps. Il devait rester une journée, il en a mis trois avant de repartir. Vous devriez voir Dorothée, depuis ce temps-là, elle ne porte plus à terre ! Des lettres circulent presque tous les jours entre Québec et Sorel. Ça ne te rappelle pas quelque chose, par hasard ?

Marie-Josephte, rougissante, se tourna vers Bernardin, qui lui sourit.

— La poste, dit-il, c'est la plus belle invention du monde.

Marie-Josephte s'était levée. Elle alla fouiller dans le grand coffre leur servant d'armoire et en revint avec une pile de lettres.

— Je les ai toutes conservées, dit-elle. Je pourrais vous en lire des bouts.

Bernardin protesta :

— Ça, ma chérie, ça reste entre nous.

— Pourquoi donc ? C'est trop beau pour que les autres l'entendent ?

Bernardin rougit à son tour puis, sans insister, se dirigea lui aussi vers son coffre. Quand il en revint avec ses lettres, Marie-Josephte ne chantait plus le même refrain.

Chapitre 15

L'engagement de Nicolas

Les nouveaux citoyens de Drummond profitèrent de la visite d'Émilie pour évoquer une foule de souvenirs. Nicolas parla d'abord de sa rencontre avec Honoré Vien et il raconta tout ce qu'il avait appris au sujet de la grand-mère Grenon.

— Vous en aviez sans doute entendu parler ? demanda-t-il à sa mère.

— Votre grand-père ne parlait jamais de cet épisode de sa vie.

— Est-ce que p'pa savait ça ?

— J'en doute. Votre grand-père en faisait un mystère et personne n'osait en parler à Baie-Saint-Paul.

— Vous, vous le saviez ? insista Nicolas.

— Je l'avais appris par ma famille, mais jamais je n'en ai dit un mot à votre père. Ce ne me revenait pas de le faire.

Cet échange touchant ce sujet délicat avait effacé les sourires sur les visages. Bernadette avait hâte de faire dériver la conversation, aussi la fit-elle bifurquer sur un autre point sensible :

— Madame Émilie, vous connaissez bien votre fils. Expliquez-moi comment il se fait qu'il ne veut jamais parler du temps où il était soldat ?

Marie-Josephte sauta sur l'occasion pour émettre le même son de cloche :

— Bernardin fait pareil. Pas moyen de lui arracher un mot là-dessus.

— C'est pas assez beau pour qu'on en parle, expliqua Nicolas, les yeux levés au ciel.

Sa sœur ne renonça pas pour autant :

— Je serais bien curieuse de savoir, au moins, comment tu es devenu soldat. M'man, vous n'aimeriez pas l'apprendre ?

— Bien sûr ! Il me semble que ça ferait un mystère en moins dans ma vie, et des mystères, dans notre famille, nous en avons eus bien manque assez ! Mais ça dépend si Nicolas veut en parler.

Bernardin intervint à son tour. Il se tourna vers Marie-Josephte :

— Une bonne chose est tout de même sortie de tout ça. Si Nicolas n'était pas entré dans l'armée, je n'aurais jamais connu l'amour de ma vie.

Marie-Josephte lui sauta au cou. Bernadette, qui tenait à son idée, lança :

— Allons, mon mari, dégèle ! Raconte-nous quelle folie t'est passée par la tête quand tu as décidé de te faire soldat.

— Si je le raconte, ne viens pas me dire ensuite que je te fais honte. C'est curieux, tout de même, maintenant que mes années de guerre sont derrière moi, j'ai quasiment le goût d'en parler.

Bernadette le regarda droit dans les yeux.

— Enfin ! dit-elle. C'est pas trop tôt !

Ils se regroupèrent dans la cuisine, autour de la table. Nicolas balaya son auditoire d'un long regard avant d'entamer son récit :

— Nous étions, à Dieppe, Jérôme et moi. Comme vous savez, nous avions aidé le capitaine Durand, en manque d'hommes d'équipage, à ramener son navire en France. Nous avions l'intention, dès notre arrivée à Dieppe, de monter sur un autre vaisseau en partance pour les îles d'Amérique ou encore pour Québec et revenir aussitôt chez nous. Mais, pour notre malheur, il n'y avait pas un seul navire pour l'Amérique.

— Si je comprends bien, acquiesça Bernadette, vous étiez coincés.

— Nous n'avions que l'argent de nos gages et il fondait comme neige au soleil. Il nous a fallu songer à gagner notre vie. Pour nous familiariser avec Dieppe, nous avons décidé d'en parcourir les rues en espérant y dénicher un travail quelconque. Personne ne voulait nous engager. Comme nous arrivions sur une placette, un tambour faisait voler ses baguettes sur sa caisse et débitait un message de sa voix nasillarde. Son boniment nous a étonnés : "Tous les jeunes hommes nés entre le 1er janvier et le 31 décembre 1785 sont priés de se présenter à la mairie avant midi par ordre de l'empereur des Français, Napoléon Bonaparte." Jérôme m'a demandé : "Est-ce que cet avis peut nous concerner, nous qui sommes nés entre ces deux dates ?"

«Je lui ai répondu la vérité : que je n'en savais strictement rien. Sur les entrefaites, nous avons croisé quelques jeunes hommes qui se dirigeaient justement vers la mairie. "Pourquoi demande-t-on aux jeunes hommes nés en 1785 de se rendre à la mairie ?" leur ai-je demandé. L'un d'eux nous a dit : "Vous êtes étrangers, sinon vous sauriez que nous nous rendons au tirage décidant si nous allons devenir soldats." Je me suis montré fort étonné : "Ils font un tirage pour ça ?" "Hé oui !" "Si votre nom n'est pas pigé, vous n'êtes pas obligés d'y aller ?" "C'est en plein ça, tu as tout compris !"

«Ces explications nous ont satisfaits. Il nous fallait continuer à chercher du travail. La traversée de l'Atlantique sur *L'Aigle d'or* nous avait convaincus que nous ne serions jamais matelots. Pour lors, nous n'avions qu'une question en tête : comment allions-nous survivre si nous restions sans travail à Dieppe tout l'hiver ? C'est alors que Jérôme m'a dit : "Tant qu'à passer encore au moins trois mois ici, pourquoi ne pas en profiter pour voir du pays ? Nous ne reviendrons probablement jamais et une chance pareille se présente rarement deux fois." "C'est bien beau de voir du pays, ai-je dit, mais il faut pouvoir gagner notre croûte." "Nous trouverons bien du travail ici et là. Les sous que nous allons gagner vont nous permettre d'aller voir plus loin."

« L'idée de Jérôme ne me déplaisait pas. Nous avions passablement marché. Nous nous sommes arrêtés à une auberge qui avait pour nom *Le Chien vorace*. Nous étions attablés là depuis une bonne demi-heure quand deux jeunes hommes sont arrivés et ont pris place à la table voisine. Le premier, un rouquin à l'air déluré, gesticulait en parlant, tandis que le second, un petit blondinet, semblait vouloir disparaître entre les lattes du plancher.

« "Nous pouvons causer?" a demandé le rouquin. "Bien sûr! s'est exclamé Jérôme. La table est grande, y a en masse de place pour quatre." "À ton accent, a repris le rouquin, tu n'es pas d'ici." "Nous sommes du Canada. Nous avons aidé à ramener le vaisseau *L'Aigle d'or*." "Bienvenue chez nous, a dit le rouquin. Je suis Godefroy Boutil. Mon ami se nomme Gustave Belon. Et vous êtes?" "Nicolas Grenon, ai-je dit, et Jérôme Dufour." "Des noms pareils, c'est précieux, s'est exclamé le rouquin. Prends-les bien en note, a-t-il dit à son copain. Il faut arroser ça!"

« Il a commandé aussitôt une bouteille de vin rouge en disant que c'était sa tournée. Quand les verres ont été pleins, il nous a invités à trinquer à la France et au Canada. Nous n'avions pas l'habitude du vin. Après un premier verre, nous en avons enfilé un deuxième, puis un troisième, pendant que le rouquin nous demandait: "Comment comptez-vous retourner chez vous?"

"Sur un navire qui va s'y rendre, a dit Jérôme d'un ton moqueur, certainement pas à la nage."

« Sa remarque, le vin aidant, nous a mis en joie. Tout à son idée, le rouquin a continué : "Comptez-vous faire un voyage bientôt ?" "Pas avant trois mois, et ce sera pour retourner chez nous." "Comment espérez-vous gagner votre vie en attendant ?" "Nous travaillerons ici et là." "C'est une bien bonne idée, mais peut-être que mon ami et moi, nous pourrions vous faire gagner un bon magot assez rapidement."

« Je me suis montré aussitôt intéressé : "Un magot, qu'est-ce que c'est ?" Ils ont éclaté de rire. "Ils ne savent pas ce qu'est un magot, s'est moqué le rouquin. Ah ! Ces étrangers !" Il en a profité pour commander une autre bouteille de vin. Il a rempli les verres pour trinquer à notre amitié. Comme la tête commençait à me tourner drôlement, j'ai voulu refuser, mais Jérôme tendait déjà son verre, et sans trop que je m'en rende compte, le mien était tout à coup plein jusqu'au bord. Le rouquin s'est levé et a crié : "Cul sec ! C'est le verre de l'amitié." "Je ne sais pas ce que veut dire cul sec !" Le rouquin a expliqué : "Faites comme nous !" Il a vidé son verre d'un seul coup. Je l'ai imité et Jérôme également.

« Quelques minutes plus tard, j'avais peine à suivre la conversation. "Gagner le magot, les amis, a entonné le rouquin — j'aurais plutôt idée de dire le requin —, ça veut dire gagner beaucoup d'argent d'un coup." "C'est intéressant, ai-je bredouillé. N'est-ce pas, Jérôme ?" "Quoi donc ?" "Le magot." "Ah ! Le magot."

«Jérôme s'est mis à rire comme si je venais de lui dire une drôlerie. Pendant ce temps, le rouquin a rempli de nouveau nos verres. Il a ensuite levé le sien pour trinquer, si j'ai bonne mémoire, à l'amitié, à l'avenir, au beau temps, au voyage. Les verres se remplissaient dès qu'on en voyait le fond. Nous avions un plaisir fou. La suite, je m'en souviens à peine. Il m'en revient des bribes. Je répétais tout le temps : "C'est un pensez-y bien !" Chaque fois Jérôme disait : "C'est un pensez-y bien, tout pansu, qui est déjà bien pensé, il ne regarde pas à la dépense." Nous nous esclaffions. Je crois n'avoir jamais tant ri de ma vie. Puis Jérôme a dit : "Nicolas, veux-tu zigner z'il vous plaît !"»

— Il disait vraiment "zigner"? questionna Bernadette, étonnée.

— Il était saoul tout comme moi et disait : "Zigne donc !" Et j'ai signé. Le lendemain, quand j'ai repris mes esprits, je me trouvais étendu sur une paillasse, dans l'une des chambres de l'auberge où nous avions bu. J'avais la tête grosse comme une moraine. Jérôme dormait encore. J'ai mis du temps à me rappeler ce qui s'était passé la veille. Une fois levé, j'ai couru aux cabinets. Quand je suis revenu dans la chambre, j'ai vu sur la table de nuit une pile de francs et à côté le mot suivant, écrit en belle et due forme, sur un papier parcheminé. Je l'ai tant lu et relu que je le sais encore par cœur : *Par devant nous notaire, soussigné, ce 21 brumaire de l'An XIII de la République, Nicolas Grenon et Jérôme Dufour, pour la somme de 300 francs chacun, que leur ont remis Godefroy Boutil et Gustave Belon, se sont engagés à servir à leur place dans la Grande Armée de Napoléon. Ils devront se présenter, dans les dix jours, au dépôt de Landau, afin d'y commencer leur service.* Au bas de ces lignes, figuraient nos signatures, celles du rouquin et de son compagnon, ainsi que celles de deux témoins et du notaire qui avait rédigé l'acte d'engagement.

«J'ai mis du temps à mesurer la gravité de notre geste. En me voyant si songeur, Jérôme m'a parlé doucement. Il savait que j'avais besoin d'entendre une voix amie pour retomber sur mes pieds. "Qu'est-ce qui nous arrive, Nicolas?" "Qu'est-ce qui nous arrive? Nous avons signé un document que nous n'aurions pas dû signer: voilà ce qui nous arrive." "Ça veut dire quoi?" "Ça veut dire qu'on est dans de beaux draps." "Pas tant que ça, on a de l'argent." "Qui ne nous sert à rien, parce que si tu lis bien ce qui est écrit sur le billet, il faut que nous soyons à Landau, dans le camp d'entraînement de la Grande Armée de Napoléon, d'ici dix jours au plus tard." "Qu'est-ce que tu dis là?" "Si mon père était icite, il s'exclamerait que nous nous sommes fait passer tout un sapin!" "Nous devrions sauter sur l'occasion pour voyager et nous sacrer de ce papier. Toi qui veux voir du pays, tu seras exaucé. En plus, tu ne seras pas tout seul, je serai là."

«Son idée n'était pas mauvaise, mais il n'en mesurait certainement pas les conséquences. "As-tu pensé à ce que tu dis? Si, dans dix jours, nous ne sommes pas au camp de Landau, les deux escrocs vont nous déclarer. Nous allons avoir tous les gendarmes de France à nos trousses. C'est la prison assurée, et pour long-temps. Nous avons le choix entre l'armée ou la prison." "Dans ce cas-là, moi je choisis l'armée." "Tu peux parler pour toi, qui aimes la guerre." "Toi aussi, tu aimes la bagarre." "Mais pas pour tuer." "On n'y peut rien. Si on se fait soldat, c'est pour éviter d'être tué en tirant le premier." "Nous venons de perdre notre liberté pour longtemps, si jamais nous sortons vivants de tout ça. Ça nous apprendra, batinsse, à boire plus qu'on est capables."

«Jérôme ne lâchait pas. Il tâchait de voir les beaux côtés de la situation : "On va être là juste pour un temps : personne n'est obligé de rester dans l'armée toute sa vie. C'est pas si pire que ça. On va toucher régulièrement un salaire. Plus de soucis de nourriture ni de logement, la belle vie et des femmes tant qu'on voudra. Tandis que matelot, les seules femmes qu'on peut approcher sont les putains des ports. Pense à toutes les nouvelles choses que nous allons connaître. Pense seulement aux pays que nous allons voir, aux montagnes, aux fleuves, aux rivières, à la mer!" "Tu oublies les blessures, et la mort!" "Il faudra bien mourir un jour, autant que ce soit vite, d'un coup de sabre ou d'une balle. Mais songe aux batailles qui seront les nôtres, pense aux médailles, aux conquêtes, aux victoires!"

«Jérôme était comme ça. Il n'y avait rien pour l'inquiéter. Le lendemain, baluchon sur l'épaule, nous sommes partis accomplir la volonté de l'empereur. Ce n'était pas de gaieté de cœur. C'était surtout afin d'éviter les sanctions auxquelles étaient sujets les proscrits réfractaires. Nous nous étions informés auprès de l'aubergiste. Il nous avait bien mis en garde : "Si vous manquez à votre parole, vous allez vous retrouver à la place de Briançon, logés dans une caserne particulière, ne recevant que des demi-fournitures, sans deniers de poche, à faire des corvées dans les arsenaux, à réparer des fortifications ou à lécher les bottes des officiers." »

Tout en parlant, Nicolas serrait les poings tant ce souvenir l'émouvait. Il poursuivit d'une voix courroucée :

— Je ne suis pas né, vous le savez, pour torcher qui que ce soit, fût-il empereur. Je me disais que je ferais quelques mois dans l'armée. Ce que j'ignorais alors, c'est que ce moment de folie d'une seule soirée allait avaler dix ans de ma vie.

Quand il eut terminé son récit, Bernadette s'approcha et l'embrassa.

— Tiens, dit-elle, mon beau soldat ! Il ne nous reste plus qu'à reprendre le temps perdu.

Le lendemain, ils accompagnèrent Émilie au quai, où elle s'embarquait pour retourner à Québec. Au bout de la rue, des ouvriers s'affairaient à construire une maison. Deux femmes causaient paisiblement devant la boulangerie. Le soleil, discret jusque-là, perça soudain les nuages. Un rayon balaya la surface de l'eau et courut allumer la voile de la goélette amarrée au milieu de la rivière. Émilie s'arrêta et respira profondément, comme si cela l'aidait à graver cet instant dans sa mémoire.

— Souvenez-vous de ma proposition, lui rappela Nicolas. Il y aura toujours une place pour vous à la maison. N'est-ce pas Bernadette ?

— Nous vous attendrons, madame Émilie.

— Je vais y penser, assura-t-elle. Écrivez-nous !

Elle les embrassa tous, serra les petits dans ses bras, puis sans se retourner, pour qu'ils ne voient pas ses larmes, elle monta dans la barque en partance pour Sorel.

Chapitre 16

Des projets dans l'air

À son retour de Drummond, Émilie raconta avec beaucoup de plaisir les moindres détails de son voyage. Elle mentionna à Dorothée et Romuald dans quelles circonstances Nicolas et Jérôme avaient été contraints de devenir soldats. Dorothée s'attrista :

— Est-ce qu'il a raconté comment Jérôme est mort ?

— Il n'en a pas parlé.

— Il faudra un jour le lui faire cracher. Pauvre Jérôme, il me semble le voir encore !

À la fois curieux et inquiet de l'avenir, Romuald demanda :

— D'après ce que je vois, Émilie, tu as bien aimé ton séjour là-bas. Aurais-tu toujours idée d'aller y vivre ?

— Nicolas et Bernadette me l'ont offert. Mais je ne suis pas toute seule : il y a toi et Dorothée.

— Ne vous occupez pas de moi, la pria Dorothée avec vigueur. Je ne suis plus une enfant ! Pour le moment je suis seule, mais peut-être bien que ça ne durera pas longtemps.

— Ludovic?

— Il m'a écrit. Il veut venir à Québec. Vous savez que son père était aubergiste. Il dit qu'il pourrait certainement donner un coup de main à l'auberge. Et puisqu'elle est à vendre et qu'il a un peu de sous, il aurait même idée de l'acheter.

— Ça, c'est du sérieux! s'exclama Romuald, sur un ton moqueur. Si je comprends bien, il lui est venu deux idées en même temps: acheter l'auberge et mettre le grappin sur la fille qui l'habite. Je crois bien que ça ne tardera pas que je vais me retrouver tout seul dans mon coin comme une crotte de chien.

Il avait l'air si piteux qu'Émilie s'en émut:

— Dis pas des affaires de même, lui reprocha-t-elle. Personne ici ne souhaite te voir tout seul. Le temps, parfois, arrange bien les choses.

Intriguée, Dorothée dévisagea longuement sa mère sans oser lui demander le fond de sa pensée.

Il y avait à peine une semaine qu'Émilie était de retour quand Ludovic arriva à l'auberge avec armes et bagages. Dorothée en fut ravie. Le jeune homme prit pension et, sans faire grand bruit, s'introduisit dans le quotidien de chacun. Il passait ses journées à observer ce qui l'entourait, à la manière de quelqu'un qui soupèse une marchandise avant de se décider à l'acheter. Au début, Romuald rouspétait pour la forme:

— Il nous regarde comme si nous étions des animaux de cirque.

Émilie le reprenait :

— S'il a vraiment l'intention d'acheter l'auberge, il a bien raison d'observer comment ça marche. Entre lui et Dorothée, tout semble aller très bien. Il ne lui a pas sauté dessus. Ils se fréquentent, mais correctement. C'est un garçon bien élevé.

— Un garçon bien élevé, d'accord, mais dont on ne sait rien. Parfois, certaines choses paraissent belles quand on les découvre. Il suffit ensuite de gratter juste un petit peu pour s'apercevoir que ça ne vaut pas un pet.

— Tu exagères comme toujours, le reprit Émilie. Ça finira par sortir, tu verras. Quand ça va être mûr entre lui et Dorothée, il va nous dire ses intentions. Là-dessus, je ne suis pas inquiète. Ce dont je me soucie davantage, par exemple, c'est ce que nous allons devenir, tous les deux, si jamais la vente se fait.

— Ce que nous allons devenir ? Des petits vieux qui mangent leurs graines tout seul à l'hospice, bout de ciarge !

Émilie n'avait jamais vu Romuald si pessimiste. Elle dit, d'une voix chargée d'émotion :

— Y a une chose qu'on pourrait faire.

— Quoi donc ?

— Nous marier !

S'il n'avait pas été assis, Romuald se serait retrouvé étendu au plancher tant cette proposition le prit de court. Émilie enchaîna :

—Je t'aime bien, Romuald, et toi aussi. C'est pas le grand amour, comme avec mon Edmond, mais ça fera quand même. Tu n'es pas trop détestable et, à notre âge, nous avons encore un petit bout de chemin à faire. Pourquoi pas le faire ensemble?

Depuis longtemps, Romuald refoulait ses sentiments à l'égard d'Émilie et, pour une fois, il resta sans parole. Dorothée et Ludovic les trouvèrent ainsi, elle émue, lui muet, quand ils pénétrèrent dans la cuisine.

—C'est décidé, m'man, Ludovic va acheter l'auberge.

Le regardant droit dans les yeux, Émilie lui demanda:

—Tu en as vraiment les moyens?

Devant son air ahuri, le jeune homme sourit:

—Si j'en ai les moyens? C'est certain!

—Mais mon garçon, que savons-nous de toi, à part que tu es le fils d'un aubergiste de Sorel? Ça serait peut-être temps que tu éclaires un peu notre lanterne...

—Voilà en plein ce que je me propose de faire, et pas plus tard que ce soir, quand l'auberge entrera en repos pour la nuit.

Sur ce, souriant comme un prince, il les quitta, non sans avoir pris le temps de saluer au passage Romuald, qui, dans son coin, encore tout secoué par la proposition d'Émilie, n'avait pas trouvé le moyen de placer un mot.

Malgré le fait qu'elle s'y attendait depuis un moment, Émilie ne savait trop que penser de la proposition de Ludovic. Elle se préoccupait beaucoup plus des relations de sa fille avec ce beau jeune homme tombé des nues.

—Je suppose, dit-elle d'une voix douce à Dorothée, n'osant pas la brusquer, qu'il y a un mariage dans l'air?

—M'man, vous le savez, je n'ai pas l'intention de me faire jouer un mauvais tour une deuxième fois. J'aime bien Ludovic, je prends mon temps pour le connaître comme il faut. Nous parlons beaucoup, mais je reste sur mes gardes. Il m'appelle son oie sauvage, c'est pas pour rien. Je ne le laisse pas m'approcher. Je sais que ça le fatigue, mais il comprendra quand il saura ce qui m'est arrivé avec Désiré. Je verrai bien, à ce moment-là, ses vraies intentions. Après ça, je déciderai.

✑

À la brunante, alors que l'auberge entière ressemblait à un gros chat sur le point de s'endormir, comme il l'avait promis, Ludovic se présenta à la cuisine où les trois autres l'attendaient, assis autour de la table, à la lueur d'une unique bougie. Ce jeune homme ne manquait pas d'assurance et, comme l'avait remarqué Émilie, il aimait aller droit au but.

—Je sais, dit-il, que mon idée d'acheter votre auberge peut vous étonner, puisque vous ignorez à peu près tout de moi. J'ai toujours aimé que les choses soient claires avec ceux que je fréquente. Je vous parlerai sans détour.

— C'est en plein ce qui nous va! approuva Romuald. Nous ne sommes pas des gens compliqués et nous n'aimons pas ceux qui le sont. La meilleure route est celle qui va droit. Vas-y, mon gars, on ne demande pas mieux que tu nous dises dret-là qui tu es.

Ludovic plissa les yeux, puis sourit :

— Vous me plaisez, Romuald, parce que vous dites franchement ce que vous pensez. Vous n'avez pas à vous tracasser à mon sujet, l'honnêteté est ce que mon père m'a laissé de plus précieux. Autant vous le dire tout de suite : si j'ai des sous, c'est que j'ai touché ma part d'héritage après que, dans des circonstances tragiques, mon père fut tué sous mes yeux et ceux de mon frère Augustin.

Sensible à la peine des autres, Émilie intervint :

— Tu nous vois bien tristes pour toi, mon garçon. J'ai perdu un fils dans un accident, je sais un peu ce que tu as dû subir.

— C'est aimable à vous de compatir, madame Émilie, mais tout ça est maintenant du passé. Depuis, le temps et la vie se sont chargés d'amoindrir le choc et la peine.

Plus Ludovic parlait, plus Émilie et Romuald découvraient un homme à la parole facile, certainement pas sorti de n'importe où.

— Comme je vous le disais, j'ai eu la chance de vivre dans une famille où l'honnêteté, la franchise et la bonne humeur prenaient beaucoup de place. Il n'a jamais été question, chez nous, de recourir à la ruse pour obtenir quoi que ce soit. Vous savez que votre fille me plaît. N'ayez crainte, je ne suis pas du genre à me servir d'elle pour vous décider à me céder votre bien. C'est vraiment parce que j'ai l'intention de devenir aubergiste, comme mon père le fut, que, puisque l'auberge est à vendre, je me propose de l'acheter. Tant mieux, ensuite, si les sentiments que je nourris à l'égard de Dorothée nous amènent à envisager de faire notre vie ensemble.

À l'écouter s'exprimer en ces termes, Émilie sentait ses craintes s'envoler. Le jeune homme ajouta :

— Mon père avait des biens venus d'abord de son auberge, mais davantage du second métier qu'il a pratiqué. Il disait toujours : « La seule façon que nous avons de nous enrichir, nous les Canadiens français, c'est de travailler à notre compte et jamais pour celui des autres. Nul n'y parviendra mieux qu'en devenant marchand et, encore mieux, marchand de fourrures. » Ainsi, après avoir vendu son auberge de Sorel et s'être acheté la petite maison où nous avons passé le plus clair de notre jeunesse, il a employé son argent à se procurer des marchandises, vendues en premier lieu aux hommes en partance à la traite des fourrures. Quand il en a eu les moyens, il a acheté un permis de traite et a fait un voyage dans l'Ouest avec deux de ses amis. De la sorte, peu à peu, il est parvenu à accroître sa fortune. En quelques années, mon père est devenu riche. Nous n'avons jamais manqué de rien, mon frère, ma sœur et moi. Nos parents nous ont fait instruire dans les meilleures écoles. Puis est survenu le malheur auquel j'ai fait allusion.

Il cessa de parler un moment, comme pour se remémorer cet événement sans doute relégué le plus loin possible dans son esprit :

— Mon père avait décidé, ce printemps-là, de faire un voyage dans l'Ouest en compagnie de mon frère et moi. Nous étions devenus assez costauds pour avironner pendant des jours, jusqu'à Michillimakinac, dans un canot chargé de marchandises jusqu'au bord. Il tenait à former notre caractère en nous faisant vivre les mêmes épreuves que celles qu'il traversait depuis plusieurs années. « La nature, disait-il, est le plus grand maître que nous puissions avoir. Elle est exigeante et ne pardonne aucune faute. » Il n'aurait su dire plus vrai.

Intrigué par le récit de Ludovic, Romuald demanda :

— Tu avais quel âge, quand tu as fait ce voyage ?

Ludovic réfléchit pendant un moment, puis précisa :

— C'est arrivé il y a dix ans et j'avais alors vingt ans. C'est en revenant de là-bas que le malheur nous a frappés. Comme nous avions un portage à faire, nous avions d'abord transporté sur notre dos les ballots de fourrures à l'autre bout du portage. Nous étions retournés chercher le canot. Mon père nous précédait sur le sentier, le long des fameux rapides que nous évitions de descendre dans notre embarcation. Nous portions, mon frère et moi, le canot sur nos épaules. Nous avons soudain entendu un cri. Le temps de déposer notre charge à terre et de nous précipiter du côté de la rivière, nous avons aperçu notre père emporté par les rapides. Avait-il eu un vertige ? Avait-il fait un faux pas ? Nous ne le saurons jamais. Tout ce dont nous sommes sûrs, c'est que la rivière l'a avalé sous nos yeux. Pendant quatre jours, nous avons cherché vainement son corps. La mort dans l'âme, nous avons dû nous résoudre à revenir.

— Pauvre enfant! s'exclama Émilie, les yeux plein d'eau.

Sans se laisser décontenancer, le jeune homme poursuivit:

— La vie est faite ainsi, madame Émilie, vous le savez bien. Parfois douce, parfois cruelle, mais jamais indifférente. Quand ma mère s'est remariée, il y a de cela trois ans, nous avons eu notre part d'héritage. Voilà pourquoi j'ai les moyens de m'offrir votre auberge. Elle restera peut-être dans votre famille si Dorothée le veut bien.

Sa promise avait bu toutes les paroles du jeune homme, le couvant d'un regard qui ne trompait pas.

Chapitre 17

La vie déboule

Ce printemps 1817 se déroula pour les Grenon sous le signe de l'effervescence. Au canton de Wickham, Nicolas et Bernardin emménagèrent dans leurs maisons. Marie-Josephte et Bernadette étaient de nouveau enceintes. Du côté de Québec, les choses évoluaient rapidement.

Quand Émilie reçut une lettre de Nicolas et une autre de Marie-Josephte leur donnant les dernières nouvelles, elle dit à Romuald :

— Là-bas, l'air est plein de naissances, ici, plein de mariages.

— Ça veut dire qu'on est loin d'être morts, exulta Romuald. Mais comment crois-tu qu'ils vont prendre ça, quand nous allons les inviter à deux noces ?

— Ils seront bien obligés d'admettre que nous non plus, nous ne perdons pas notre temps.

Un soir, Ludovic était venu demander à Émilie la main de sa fille. Dorothée et lui avaient passé beaucoup de temps à causer avant d'observer un long moment de silence, yeux dans les yeux, mains dans les mains, mais toujours en présence d'un chaperon prénommé Romuald.

Émilie avait appris à mieux connaître son futur gendre. Les clients avaient recommencé à affluer quand, sous la pression des citoyens, les autorités de la Ville avaient été contraintes d'émettre des permis de cabaret. L'*Auberge Grenon* avait pu obtenir le sien. Les habitués, qui s'étaient ennuyé des bons plats d'Émilie, revenaient progressivement. Les affaires allant pour le mieux, Émilie hésitait à se départir de ce qui lui apportait son gagne-pain. Toutefois, la perspective de pouvoir toucher 350 livres tout en continuant à vivre sous le même toit que sa fille et son futur gendre l'avait décidé à vendre l'auberge.

— Contre votre nourriture et votre logement, vous donnerez un bon coup de main à votre fille à la cuisine. Nous comptons vous garder longtemps avec nous, promit Ludovic.

— M'man, vous pourrez enfin profiter de jours de congé avec Romuald. Il y a tellement de belles choses à faire et à voir en ville. Puis n'oubliez pas que dans un an, si tout va bien, vous serez de nouveau grand-mère !

Émilie reprit vivement :

— Attendez au moins d'être mariés avant de parler de faire des petits !

D'une voix quelque peu offusquée, Dorothée s'écria :

— Allons, m'man, pour qui nous prenez-vous ?

—N'y vois pas de mal, ma fille, je disais ça de même, s'exclama-t-elle, avant d'ajouter d'un air espiègle : on ne sait jamais, Romuald et moi, on pourrait peut-être te donner un petit frère ou une petite sœur...

—À votre âge !

L'expression étonnée de Dorothée, jointe à sa réaction, fit éclater de rire sa mère.

—Tu ne te vois pas ! dit-elle. Si un peintre était là, il en tirerait un portrait pas piqué des vers.

Comme elle le faisait chaque fois qu'elle vivait une émotion forte, Émilie serra Dorothée dans ses bras.

—J'ai bien hâte d'être mariée, m'man !

—Et moi aussi, ma fille. Mais, pour le moment, sais-tu ce que nous allons faire ?

—Quoi donc ?

—Nous allons décider la date de nos mariages. Ensuite, tu vas écrire à ton frère et à ta sœur pour les inviter aux noces.

Ils avaient choisi de se marier au beau milieu de l'été, avec l'espoir que toute la famille se réunisse pour la circonstance. Le curé de Notre-Dame-des-Anges s'était montré fort accommodant. Émilie et Dorothée se réjouissaient déjà de savoir qu'Alicia pourrait suivre la cérémonie derrière la grille de son cloître.

Une fois la date fixée, Dorothée se mit à ses écritures. Émilie lui avait confié la tâche de prévenir sa famille aux Éboulements. Il lui fallait également informer Nicolas et Marie-Josephte. De plus, Ludovic comptait sur elle pour faire parvenir des invitations à Sorel.

Une semaine après l'envoi des missives, Romuald se rendit à la poste avec espoir d'y trouver une première réponse. Marie-Josephte donna bientôt signe de vie par une lettre qui leur apporta une vive déception. Au fur et à mesure que Dorothée la lisait, les visages s'allongeaient dans la cuisine de l'auberge.

Nous avons été fort heureux d'apprendre ces grandes nouvelles. Nous ne nous attendions surtout pas à deux mariages. Je sais que ce que je vais vous dire va vous peiner. Nous y avons pensé bien longtemps, mais malheureusement, nous ne pourrons pas aller aux noces. Le voyage de Drummond à Québec est très malaisé. Comme Bernadette et moi avons chacune nos deux enfants qui nous occupent beaucoup, un tel voyage serait trop fatigant pour nous et trop risqué pour nos petits. En plus, Nicolas et Bernardin ne peuvent pas partir pour une semaine ou plus. Ils doivent profiter du beau temps pour avancer le plus possible le défrichement des terres et il y a le cheval à nourrir, de même qu'une vache que nous venons d'acheter. Enfin, les temps sont si durs que nous ne pouvons pas nous payer le voyage sur l'eau. Il faudrait que nous y allions par terre et les chemins sont trop difficiles pour que nous nous y risquions.

Nous penserons bien fort à vous et, quand tout sera fait, nous espérons que vous pourrez, ce serait plus facile pour vous, trouver le moyen de venir nous voir avant l'hiver.

Quand Dorothée eut fini sa lecture, Émilie suggéra :

— Nous allons leur payer le voyage sur l'eau.

— Bout de ciarge ! Ça, c'est l'idée du siècle ! s'écria Romuald. S'il le faut, je vais aller les chercher par les oreilles, jériboire ! Il n'est pas dit que nous allons nous marier sur la paille, et sans personne autour de nous, comme le petit Jésus naissant.

Ludovic venait d'entrer, il demanda aussitôt :

— Qu'est-ce que le petit Jésus vient faire à l'auberge ?

Ils s'empressèrent de lui résumer le contenu de la lettre. Comme toujours, il resta imperturbable puis, sans hésiter, il dit :

— Si la visite ne peut venir à nous, allons à la visite !

Émilie et Dorothée le regardèrent sans comprendre.

— Parle pas en parabole, lui reprocha Romuald. Qu'est-ce que tu veux dire ?

— Allons nous marier à Drummond !

Sa proposition les prit tous de court. Émilie souleva une première objection :

— Et qui va s'occuper de l'auberge ?

— Nous allons fermer le temps qu'il faut.

— Mais… commença Dorothée.

— Y a pas de mais, chérie, je sais que votre plus grand désir, à toi et à ta mère, c'est de voir les vôtres à nos noces. Nous allons leur donner toutes les chances d'y être. En plus, Sorel est beaucoup plus proche de Drummond que de Québec. Ma famille ne demandera pas mieux que d'y aller.

Le soir même, Dorothée se remettait à ses écritures. Le mariage se ferait à Drummond à une date ultérieure, le temps de régler les arrangements avec un prêtre. De nouveau, Ludovic trouva la solution :

— J'ai un cousin qui est curé du côté de Montréal. Nous allons lui écrire, il saura certainement nous accommoder.

Deux semaines plus tard, toute la parenté fut informée qu'au dernier samedi de juillet, un premier mariage double serait célébré au canton de Wickham, dans la maison de Nicolas Grenon.

Chapitre 18

Mariages

L'embarcation avait à peine jeté l'ancre qu'ils étaient prêts tous les quatre à sauter dans la chaloupe qui les mènerait sur la terre ferme. Sur le quai, Nicolas qui les attendait les reçut à bras ouverts dès qu'ils accostèrent. Ludovic et Nicolas firent connaissance.

— Qui a eu l'idée de venir jusqu'à Drummond pour vos mariages ? s'enquit Nicolas.

— C'est Ludovic ! dit fièrement Dorothée. C'était la seule façon de vous avoir avec nous autres pour les noces.

Nicolas hésita un moment, puis il déclara :

— On a tous été touchés de cette attention, mais j'aime mieux vous prévenir, le mariage ne pourra se faire dans ma maison.

— Pourquoi donc ?

— Attendez, m'man, de voir comment nous vivons.

La réflexion de Nicolas eut l'effet d'un orage en plein milieu d'une journée ensoleillée. Comme pour se racheter, Nicolas reprit tout de suite :

— Nous allons nous mettre en route. Le chemin jusque chez nous n'est pas ce qu'il y a de plus beau. Par contre, j'en connais là-bas qui ont bien hâte de vous voir.

— Y en a icite aussi ! s'écria Romuald d'une voix enjouée. Nous attendons ce moment-là depuis bien longtemps.

Émilie remarqua vite plusieurs changements depuis son premier voyage. Dans la rue Heriot, un édifice en pierre était en construction. Elle s'informa aussitôt :

— Qu'est-ce que ce bâtiment ?

— L'église anglicane, répondit nonchalamment Nicolas.

— Et l'église catholique ? interrogea-t-elle.

— Ça, m'man, ça va venir, mais plus tard. Il n'y a même pas de curé. Un missionnaire passe de temps en temps pour baptiser, confesser et dire la messe, mais c'est bien tout ce qu'on peut espérer pour le moment.

— Et le petit dernier et la petite dernière ont été baptisés ?

— Bien sûr ! Mais plusieurs semaines après leur naissance.

Émilie se scandalisa :

— C'est-y Dieu possible !

— On fait avec ce qu'on a, m'man. Icite tout est à construire, les routes, les maisons, les villages, les églises. La vie !

Tout en parlant, ils avaient quitté la rue principale et, aussitôt, le chemin devint plus cahoteux. Ils se retrouvaient maintenant en pleine forêt avec, de chaque côté de la route étroite, des tas de branches et de fardoches. Ils s'enfonçaient lentement sous le couvert des bois comme dans un gouffre vert infesté de moustiques, où le soleil avait peine à pénétrer.

—Est-ce de même tout le long? questionna Dorothée.

—Jusque chez nous, ma p'tite sœur, il ne faut pas espérer mieux. Ton frère et ta sœur restent loin de tout, à présent. Voilà le prix à payer quand on est les premiers à ouvrir un nouveau pays.

Au bout d'une trentaine de minutes, ils débouchèrent sur une éclaircie formée par le passage d'une route à peine esquissée. Nicolas dirigea le cheval vers sa gauche. Ils firent encore quelques centaines de pieds dans cette direction, puis la forêt s'ouvrit sur ce qui constituait le début d'une importante zone défrichée. Alors, derrière un rideau d'arbres, les futurs mariés découvrirent deux maisons à peine éloignées de cent pieds l'une de l'autre, séparées par un ruisseau presque à sec. Nicolas arrêta le cheval:

—Voici notre royaume, à Bernardin et à moi, dit-il, la voix chargée d'émotion.

Il terminait à peine sa phrase que Marie-Josephte et Bernadette, avec chacune un enfant dans les bras, avançaient vers eux, toutes souriantes.

Nicolas s'exclama:

—Je vous l'avais dit! C'est pas le désir de vous voir qui manquait.

Ils coururent dans les bras les uns des autres. Ludovic fut introduit auprès d'eux comme s'il avait toujours fait partie de la famille. Tout émue, Émilie pleurait en tenant contre elle Augustine, la fille de Marie-Josephte. Dorothée, pour sa part, avait hérité d'Élise, la petite de Nicolas.

De son côté, Émilie s'inquiétait :

— Avec les deux autres au berceau et enceintes de nouveau, comment allez-vous faire pour vous en sortir ?

Sa question sembla dessiller tous les yeux. La maison de Nicolas était si dénuée de tout qu'ils furent soudain saisis par la réalité. Les visiteurs débarquaient chez des gens vivant de peine et de misère, ayant tout juste de quoi survivre.

Consternée, Émilie s'écria :

— Voulez-vous bien me dire ce qui vous arrive ?

D'une voix où vibrait la révolte, Nicolas expliqua :

— Les Anglais nous ont réservé le pire coup de cochon qu'on puisse faire à quelqu'un.

— Quoi donc ?

— Quand ils nous ont concédé notre terre, ils nous avaient promis de nous fournir outils et nourriture pour un an. Il y a deux mois, alors que nous allions chercher nos vivres pour le mois à venir, il n'y avait plus rien pour personne. Nous sommes parmi les seuls à avoir tenu le coup jusqu'à présent. Nous n'avons plus de voisins. La plupart ont abandonné leur terre pour aller vivre ailleurs.

Les paroles de Nicolas semèrent la consternation.

— Pourquoi, lui reprocha Émilie, avoir attendu que l'on vienne pour nous le dire ? Nous aurions pu vous aider.

— Nous avons notre fierté, gronda Bernardin. Encore un mois et nous serons tirés d'affaire.

— Encore un mois ?

— Nous pourrons faire nos récoltes. Nous garderons ce dont nous avons besoin et nous vendrons le reste.

— Il n'est pas dit, intervint Ludovic, que votre futur beau-frère va vous laisser crever de faim et de soif.

Il sortit de la maison et se dirigea droit vers la charrette où les bagages étaient encore empilés. Il en revint avec un gros pain, un jambon et deux bouteilles de whisky.

— C'était prévu pour les noces mais foi de Ludovic, les noces vont commencer tout de suite. Il est fini le temps des privations.

Ils se régalèrent, pendant que Ludovic échafaudait déjà le scénario du lendemain :

— Ne le prenez pas mal, dit-il à Nicolas et à Bernardin, mais nous allons coucher à Drummond ce soir.

— Où ça ?

— À l'auberge !

— Justement, reprit Nicolas d'une voix neutre, il n'y a pas encore d'auberge à Drummond.

— Nous trouverons bien une place où nous loger. Nous verrons demain, avec mon cousin, où nous pourrons célébrer le mariage.

Nicolas ne tenait pas particulièrement à ce que les invités de Ludovic voient dans quel dénuement il se trouvait, aussi n'insista-t-il pas.

— Je pense, dit-il, que vous trouverez quelques lits de libres aux hangars du roi, près de la rivière. Ils tiennent lieu d'auberge pour le moment.

Ludovic, que rien ne semblait décontenancer, promit de les faire prévenir, le lendemain, où et quand aurait lieu le mariage.

⁓

Ce fut, dans ce village naissant, une noce bien modeste. Comme les mariés ne s'établissaient pas dans la place, les gens de l'endroit furent peu nombreux à s'intéresser vraiment à l'événement. Les célébrations d'un soir se déroulèrent en famille autour d'un bon repas, dans la maison d'Eudore Fontaine, du côté de Grantham. Il y eut bien un violoneux pour tirer quelques notes de son instrument et les nouveaux mariés dansèrent, mais le cœur n'y était pas vraiment. On évita de parler du présent pour se tourner vers l'avenir. Ce fut le cœur serré que, le lendemain, les nouveaux mariés regagnèrent Québec. Avant de quitter Drummond, Émilie laissa trente livres à Nicolas. Il refusa d'abord tout net de les prendre.

— Nous ne sommes pas au point de demander la charité.

— Ce n'est pas de la charité, c'est un prêt. Si j'étais dans la même situation que toi, tu en ferais autant pour ta mère.

Elle insista longuement et répéta qu'il ne s'agissait là que d'un prêt à courte échéance. Elle lui mit l'argent dans la main et y maintint la sienne jusqu'à ce qu'il l'acceptât. Il ne s'y résigna qu'au moment où Bernardin intervint :

— Si tu ne le prends pas, Nicolas, moi je vais le faire.

Les nouveaux mariés montèrent ensuite dans le petit navire à voile amarré au bout du quai. Nicolas, Bernadette, Bernardin et Marie-Josephte restèrent sur place jusqu'au départ. Quand la goélette prit le large sur la rivière, les mains s'agitèrent de part et d'autre, mais les sourires s'étiraient sans conviction sur les visages.

Chapitre 19

Une nouvelle auberge

Cet épisode des noces à Drummond marqua les esprits de toute la famille, à un point tel qu'un beau matin de janvier 1818, Ludovic surprit tout le monde en déclarant :

— Que diriez-vous si nous allions ouvrir une auberge à Drummond ?

Sa question les laissa bouche bée. Romuald, qui s'apprêtait à sortir chercher du bois pour le poêle, revint sur ses pas. Dorothée resta figée sur place, une pile de draps dans les bras. Émilie cessa net de remuer la soupe du dîner.

Fier de son coup, un sourire narquois aux lèvres, Ludovic les regarda l'un après l'autre avant de poursuivre :

— Est-ce que je viens de dire une bêtise ?

— Non, mon garçon, articula Romuald d'une voix émue, mais bout de ciarge, tu m'as pratiquement coupé le souffle !

— Tu es sérieux ? s'inquiéta Dorothée.

— Est-ce que j'ai bien compris ? s'enquit Émilie.

— Vous avez tous bien entendu, reprit-il d'un ton enjoué. Quand nous sommes allés à Drummond, nous n'avons pas trouvé d'auberge où coucher, alors je me suis dit que ce serait en plein le temps d'en ouvrir une.

— Mais il faudrait d'abord vendre ici.

— J'ai bien acheté cette auberge quand elle était à vendre, quelqu'un d'autre le fera aussi. Avec l'argent que je tirerai de la vente, l'un dans l'autre, je ferai construire mon auberge à Drummond.

De la manière toute simple dont Ludovic présentait les choses, il suffisait de vider un récipient afin d'en remplir un autre. Durant la nuit — «qui porte conseil», aurait dit Edmond — l'idée grandit et fit son chemin dans la tête de chacun. Ce qui n'était pas pensable la veille allait désormais de soi le lendemain.

— Il faut en parler à Nicolas, décréta Émilie, d'une voix déterminée. Il est sur place, il saura bien nous conseiller sur l'endroit où on devrait acheter le terrain.

Ludovic se montra tout de suite ouvert à cette idée :

— Dorothée pourra lui écrire dès aujourd'hui.

Le soir venu, autour de la table de cuisine, ils échangèrent longuement sur ce projet d'auberge et sur ce qui les attendait à Drummond. Émilie, sans trop le manifester, se réjouissait de cette décision. Rien ne pouvait lui faire plus plaisir que la pensée de retrouver tous les siens réunis. Ce soir-là, l'âme en paix, comme pour se permettre de goûter le bonheur qui l'envahissait, elle imita Edmond et sortit prendre une grande goulée d'air en admirant le ciel. Elle eut l'impression que la nuit refermait sur elle son corsage d'étoiles et elle crut même voir se dessiner dans ses bras la trace dorée de son passage.

ॐ

L'idée de Ludovic fut très bien accueillie par Nicolas : Drummond avait impérieusement besoin d'une auberge. Nicolas promit de se mettre en quête d'un terrain au printemps venu. Il ne manqua pas d'ailleurs de tenir sa promesse dès les premiers beaux jours d'avril. La difficulté ne consistait pas à trouver l'emplacement idéal, mais bien à pouvoir acheter le lot sur lequel il se trouvait. Tous les lots appartenaient à des Anglais, qui ne les cédaient qu'à des compatriotes. Frederic-George Heriot avait fait passer le message : Drummond devait être une ville anglaise.

Nicolas se demandait bien de quelle façon il pourrait mettre la main sur un des terrains en vente dans la ville naissante. Il demanda conseil à son ami Bernardin qui, toujours aussi sage et réfléchi, lui dit :

— Commence par le commencement. Va d'abord voir sur le plan les terrains disponibles.

— Viens avec moi. Il y a plus d'idées dans deux têtes que dans une.

Ils se rendirent à la maison servant d'hôtel de ville, rue Heriot. Dans le hall était affiché le plan de ce qui, on l'espérait, deviendrait en quelques années la ville de Drummond. Nicolas se pencha et posa l'index dessus.

— Tu vois ce que je vois ?

— Il me semble bien être devant le même plan que toi. Explique alors !

— Regarde ce terrain, près de la rivière, non loin de la maison des passeurs... Il ferait parfaitement l'affaire.

— Il faudrait d'abord s'assurer qu'il est à vendre. C'est loin d'être fait.

— Mais, s'indigna Nicolas, tous ces lots sans exception appartiennent à des Anglais. Regarde : Armstrong, Berthold, Gunn, Hayfield, Jones, Plummer, Whatkins ! Pas une seule rue ne porte un nom français. Qui sont ces Loring, Brock, Lindsay, Cockburn qui ont donné leur nom aux futures rues ? De purs étrangers !

Il se retourna vivement quand, dans son dos, retentit une voix grave :

— Ce sont mes amis !

Ils n'avaient pas entendu s'approcher cet homme, le major Heriot lui-même, venu s'enquérir du but de leur visite. C'était un individu mince, au port altier, qui parlait français avec un accent prononcé. Il avait eu l'occasion de l'apprendre en commandant le régiment des voltigeurs, avec à ses côtés des officiers francophones comme Jacques Adhémar. Sans doute offusqué par les propos de Nicolas, il demanda d'un ton sec :

— Est-ce que je peux faire quelque chose pour vous ?

Sans perdre contenance, Nicolas dévisagea le major avant de déclarer :

— Nous nous attardions tout simplement à admirer les derniers développements de Drummond.

Le major n'était pas dupe. Il réfléchit tout haut :

— Ces terrains semblaient vous intéresser. Sachez qu'ils ne sont pas à vendre à des Canadiens français.

— Puisque c'est comme ça... murmura Nicolas.

Il n'aimait vraiment pas l'homme dont il venait de croiser le regard. Il lui adressa un salut pour la forme et passa la porte, Bernardin sur ses talons.

— Je te ferai remarquer, dit Bernardin, que nous ne sommes pas plus avancés.

Nicolas s'arrêta, les poings serrés, suivant du regard une volée d'outardes au-dessus de la rivière. Il parut contrarié un long moment, puis, tout à coup, un sourire se dessina sur ses lèvres.

— Je sais ce que nous allons faire, dit-il.

— Quoi donc ?

— Qui vivra verra.

Bernardin peinait à suivre les raisonnements de son beau-frère. Comme celui-ci semblait vouloir se remettre en route, il le retint par la manche et lui dit d'une voix impatiente :

— Tu vas cesser tes mystères et m'expliquer ce que tu comptes faire.

— Rien de plus simple ! dit Nicolas, triomphant. Nous allons faire acheter le terrain par quelqu'un d'autre.

— Lequel ?

— Celui que je t'ai montré, non loin de la rivière. On ne pourrait pas trouver un meilleur emplacement pour une auberge. Tant qu'à y être, nous pourrions même acheter aussi le terrain voisin.

— Est-ce qu'ils sont seulement à vendre ?

— Tout est à vendre, d'autant plus que ces lots appartiennent, j'en mettrais ma main au feu, à des Anglais ne songeant même pas à les exploiter.

Bernardin le scruta avec une expression de doute dans le regard.

— J'ai toujours su, dit-il, que tu étais quelqu'un de déterminé, mais cette fois, je crois que tu t'attaques à plus puissant que toi.

Nicolas haussa les épaules, brûlant déjà de passer à l'action. Son idée était faite. Il déclara :

— Nous allons de ce pas rencontrer quelqu'un qui saura bien nous conseiller.

Ils remontèrent la rue Heriot et, tout au bout, empruntèrent un chemin à peine tracé le long de la rivière. Non loin de là, ils aperçurent, dépassant au-dessus des arbres, le toit d'une vaste demeure coincée entre la falaise et la rivière. C'était la maison d'Henri Menut, dont le père avait été cuisinier des gouverneurs Murray et Carleton.

Bernardin venait de comprendre où Nicolas voulait en venir.

— Il ne voudra jamais nous aider.

— Il va le faire, j'en suis certain. N'oublie pas que son père a travaillé pour les Anglais, qui plus est, les gouverneurs anglais. Ils l'ont toujours traité comme un serviteur. Bien qu'il soit officiellement en bons termes avec eux, j'ai entendu dire qu'Henri ne les porte pas tous dans son cœur. Ce sera notre meilleur allié. Il a des contacts parmi les Anglais. Il parviendra certainement à savoir à qui appartient le terrain que nous convoitons.

Ils étaient arrivés devant la maison des Menut. Un chien aboya à leur approche. Ils s'arrêtèrent un moment, le temps d'admirer la demeure et les jardins l'entourant. C'était un beau domaine, fort bien entretenu par de multiples engagés. De grands saules bordaient la rivière qui, non loin de là, dévalait un cran de rochers pour aller se perdre vis-à-vis de la maison du passeur. Nicolas siffla d'admiration.

— Ça, on peut dire que c'est un beau site ! Imagine, si nous avions pu obtenir une terre pareille le long de la rivière. Il est vrai que ce terrain appartient aux Menut depuis plusieurs années. Ils l'ont obtenu bien avant la fondation de Drummond.

Il terminait à peine sa phrase qu'un homme de haute stature parut sur le seuil.

— Bonjour, monsieur Menut, fit Nicolas. Pardonnez notre intrusion sur votre magnifique propriété, sans vous avoir prévenu de notre visite. Nous aimerions solliciter votre aide pour une démarche nous tenant fort à cœur.

Leur interlocuteur les regarda tour à tour comme s'il tentait de deviner qui ils étaient, ou encore, de se souvenir où il les avait vus.

— Nous n'avons pas le plaisir de vous connaître personnellement, intervint vivement Bernardin, mais nous avons eu l'occasion à quelques reprises de vous croiser ici ou là. Je suis Bernardin Dumouchel et voici Nicolas Grenon. Ils s'approchèrent et lui tendirent la main.

—Voyons donc ce que je peux faire pour vous, messieurs. Le fait que vous placiez votre confiance en moi m'honore, mais rien ne dit que je pourrai vous être d'un grand secours.

Et sans plus de préambules, Nicolas lui fit part des raisons de leur démarche.

—Vous n'êtes pas sans vous rendre compte que ce que vous me demandez là est fort délicat. Le major Heriot a des ordres. Si jamais vous obtenez ce terrain, vous créerez une première brèche dans ce qui compte le plus à ses yeux. Vous risquez fort de vous le mettre à dos.

Nicolas leva la main comme pour apaiser ses craintes. Après un moment d'hésitation, il dit d'une voix calme :

—Nous ne faisons pas cette démarche pour nous, mais bien pour notre beau-frère de Québec. Celui-ci n'est pas le dernier venu : il possède une auberge non loin de l'Hôpital Général.

—Vraiment! s'exclama Henri Menut. Comme le monde est petit! Saviez-vous que mon défunt père a eu une auberge près de cet hôpital? Lors de l'invasion américaine de Québec en 1775, le général américain Benedict Arnold y a établi son quartier général pendant tout le siège de la ville. Mon père a vainement demandé au gouvernement anglais une compensation pour les pertes subies pendant cette occupation. On ne lui a jamais donné un sou. C'est un affront que, comme mon père, je ne pardonne pas à nos dirigeants.

Les paroles d'Henri Menut confortaient Nicolas dans son projet. Il insista :

— Ne serait-ce pas une bonne façon pour vous de venger un peu votre père ?

— Vue sous cet angle, cette idée n'est pas mauvaise. Toutefois, je préférerais ne pas voir mon nom mêlé à cette tractation. Le major ne doit savoir, sous aucun prétexte, que je suis derrière cette transaction.

Nicolas hocha la tête en signe d'approbation.

— Loin de nous l'idée de vous compromettre d'une façon ou d'une autre. Pourriez-vous d'abord nous obtenir le nom du propriétaire et, ensuite, nous suggérer le nom d'un marchand anglais de vos connaissances qui n'hésiterait pas, moyennant une somme compensatoire, à acheter ce terrain au nom de mon beau-frère ?

— Revenez me voir, mes amis, dans une dizaine de jours. Je pourrai sans doute alors vous faire part des résultats de mes démarches.

Nicolas et Bernardin le quittèrent en se frottant les mains. Nicolas surtout était très fier de son stratagème.

— Ça me fait penser, dit-il, au temps où nous étions dans l'armée et où nous ouvrions une brèche au flanc de nos ennemis.

Bernardin ne dit rien sur le moment, puis, alors qu'ils atteignaient la rue Heriot, il fit la réflexion suivante :

— Nous ne sommes plus à l'armée, Nico, et pourtant nous avons quand même à combattre tous les jours. Vraiment, la vie est drôlement faite...

Chapitre 20

Les démarches de Nicolas

Deux semaines plus tard, Nicolas et Bernardin se retrouvaient de nouveau chez Henri Menut, qui les accueillit, le sourire aux lèvres.

— Je vous avoue, dit-il, avoir eu un peu de peine à convaincre un de mes amis anglais de servir de prête-nom. Mais il était en dette à mon égard et comme il n'a aucun lien avec Drummond ni avec le major Heriot, il a accepté de me rendre et de vous rendre du même coup ce petit service. Il suffira à votre beau-frère, quand il sera prêt à acheter, de communiquer à Drummond avec le notaire Dompierre. Ce dernier fera savoir au notaire Glackmayer, de Québec, de quel lot il s'agit et ce notaire préparera le contrat de vente.

Nicolas demanda aussitôt :

— Vous connaissez le propriétaire de ces terrains ?

— Si je le connais ? Assurément, puisqu'il s'agit du major Heriot lui-même. Mais il ne faudra négocier que pour un seul terrain.

Nicolas en resta pantois, ce qui provoqua le rire d'Henri Menut.

— Vous ne vous attendiez visiblement pas à celle-là, mon ami, mais c'est ainsi. Le major possède à peu près tous les lots qui longent la rivière. Ils lui ont été donnés pour l'érection du village, celui-là y compris. Il le vendra certainement avec plaisir à mon ami James Withfield. Ce dernier le refilera à votre beau-frère. Par contre, s'il s'agissait d'en acheter deux, le major poserait sans doute trop de questions.

— Ouch ! fit Nicolas. Je n'ai pas hâte de voir la réaction du major quand il se rendra compte de la supercherie.

Avec beaucoup de contentement, tel un enfant heureux du tour qu'il venait de jouer, Henri Menut ajouta :

— Il faudra bien qu'il vive avec, car, à mon avis, ce sera là pour lui le début de la fin de son établissement anglais, la première brèche dans son fameux projet. Déjà, Drummond est cerné de toutes parts par des Canadiens français, plusieurs terres des environs leur appartiennent. Les vendeurs anglais ne regardent pas à la couleur de l'argent. La ville elle-même, dans vingt ou trente ans, devrait être en majorité française. Votre beau-frère sera le premier à y pénétrer, un peu comme autrefois Ulysse et les Grecs dans leur cheval, à Troie.

Entre-temps, à Québec, l'idée de déménager à Drummond avait fait doucement son chemin. Ludovic avait remis l'auberge en vente. Un acheteur s'était aussitôt montré intéressé. Voyant la tournure des événements, Romuald se mit en frais de vider la forge.

— Si Edmond était encore là, dit-il à Émilie, il ne serait pas fier de voir ce que je m'apprête à faire.

Elle le regarda en haussant les épaules.

— Mon pauvre mari, tu n'as pas à te faire de peine pour ça. Edmond aurait dit : « Il faut ce qu'il faut ! »

Le même après-midi, Romuald quittait l'auberge avec une charrette pleine de tous les meubles et outils qui se trouvaient dans la forge. Il y avait des enclumes, des marteaux, des tenailles, le grand soufflet de forge, des pièces de métal, de vieux fers à cheval, les chaises et la table où les amis d'Edmond jouaient aux cartes ou aux dames. Ainsi chargé, il emprunta le chemin de L'Ancienne-Lorette. Il avait au préalable relevé dans *La Gazette* le nom d'un marchand d'outils de forge. S'il en vend, s'était dit Romuald, il doit aussi en acheter. Sa déduction était bonne car, parvenu à l'adresse indiquée, il fut reçu par un petit homme vif qui ne cessait de bouger tout en parlant. À le voir tant agité, Romuald se demanda s'il n'avait pas la grattelle. Il lui dit :

— J'ai ici de quoi meubler une forge entière avec tous les outils nécessaires : une vraie aubaine.

Le marchand commença immédiatement sa complainte :

— Mon cher monsieur, les temps sont durs. Ce n'est pas facile de vendre des outils et des objets qui ont déjà servi. Je ne pourrai sans doute pas vous en offrir beaucoup, vous savez.

Romuald, qui en avait vu d'autres, lui coupa aussitôt le sifflet en disant :

— Ménagez votre salive. Venez plutôt voir de quoi il retourne, et faites votre prix. Je dois offrir le tout à d'autres marchands. Je vendrai au plus offrant.

Le bonhomme fit nerveusement le compte de ce que Romuald apportait. Son offre fut si ridicule que Romuald mit le cheval en marche et repartit sans saluer. «Même pas trente livres, grommelait-il, même pas trente livres pour tout un attirail de forge. Ces marchands mériteraient qu'on les brûle tous sur la place publique.»

D'un marchand à l'autre, à force de négociations serrées, il finit par obtenir cinquante livres pour tout ce qui avait été si cher au cœur d'Edmond. Il revint à l'auberge en grognant. Il ne cessait de répéter : «Bout de ciarge, une fois mort, tout ce qui nous a tant servi ne vaut pas plus que le petit tas de cendres qu'on est devenu.»

Entre-temps, l'auberge avait trouvé preneur. Ludovic s'en était tenu à son prix. «Je l'ai payée trois cent cinquante livres, je ne la laisserai pas partir pour moins.» Dorothée l'admirait pour sa détermination. Dans la vente comme dans l'achat de l'auberge, il avait obtenu ce qu'il désirait. L'acheteur, pressé, n'accordait qu'un mois avant de prendre possession des lieux. Ludovic avait si bien négocié qu'il était en mesure d'apporter certaines fournitures — des draps, des serviettes, des ustensiles — fort utiles dès l'ouverture de sa nouvelle auberge. Quant aux meubles utilisés par la famille, ils les feraient convoyer jusqu'à Drummond.

Durant les semaines qui suivirent, ils s'affairèrent à tout préparer pour le grand départ.

⁍

Émilie n'avait pas revu ses parents depuis des années. Elle décida de se rendre à Baie-Saint-Paul avant de quitter Québec pour Drummond.

—M'man, lui dit Dorothée, vous faites bien d'aller voir vos parents. Je me demande bien quand même pourquoi ils ne se sont jamais déplacés à Québec pendant qu'on y était.

—Ma pauvre fille, te rappelles-tu comment ton père leur a annoncé notre départ pour Québec? Il faut croire qu'ils ne l'ont pas pris. Peut-être seraient-ils venus à nos noces, si nous nous étions mariés à Québec? N'oublie pas que nous avons changé d'idée à la dernière minute. Cela n'a sans doute pas dû arranger les choses.

—Ils auraient pu donner des nouvelles de temps à autre.

—Je leur ai écrit au début, mais comme je n'obtenais pas de réponse, je me suis dit que valait mieux laisser aller les choses comme ça. Au fond, notre vraie famille n'est pas celle d'où nous venons, mais celle que nous créons.

Tendant l'oreille à la conversation Romuald ne put s'empêcher d'ajouter son grain de sel. Il dit à l'intention de Dorothée :

—Ta mère est sage ! On est toujours mieux près de ceux qu'on aime le plus.

❧

Sans annoncer sa visite, Émilie partit quelques jours plus tard aux Éboulements. Elle se disait : « Ils ne pourront tout de même pas me mettre à la porte. » Son arrivée causa beaucoup d'émoi, d'autant plus que son père était à l'agonie.

Sa mère se montra heureuse de la revoir.

— Ma fille, qu'est-ce qui nous vaut ta visite ?

— Nous déménageons à Drummond dans deux semaines. Ludovic, le mari de Dorothée, a décidé d'y ouvrir une auberge. Nous avons vendu celle de Québec. Je ne voulais pas m'éloigner encore plus sans venir vous voir. Maintenant que l'auberge est vendue, j'ai pu enfin m'échapper.

— T'as bien fait de venir, ma fille. Peut-être ton cœur te disait-il que ton père n'en avait plus pour longtemps…

Il était hospitalisé à Baie-Saint-Paul. Émilie s'y rendit le lendemain avec sa mère. Le vieillard n'était plus conscient depuis quelques jours. Il retrouva pourtant suffisamment de lucidité pour reconnaître sa fille. Il serra ses mains dans les siennes comme pour un adieu. Le soir même, il expirait. Ils se mirent tous d'accord pour dire qu'il avait attendu de revoir Émilie avant de quitter cette terre. Les funérailles suivirent, deux jours plus tard, et furent l'occasion pour Émilie de revoir tous les siens.

❧

De retour à Québec, une semaine à peine après en être partie, Émilie prépara son départ pour Drummond, le cœur en paix. C'était une période d'adieux. Avec Dorothée, elle passa par l'Hôpital Général saluer Alicia. Cette dernière s'était retirée du monde. Que sa mère, ses sœurs et son frère vivent à des lieues ou à deux pas de son monastère ne la préoccupait pas. Elle leur dit qu'ils étaient toujours avec elle dans ses prières.

À la suite de cette visite, Émilie et Dorothée s'attardèrent au cimetière pour une dernière prière sur les tombes de Jean-Baptiste et d'Edmond. Pour leur dernier soir à Québec, c'est chez les Gagné qu'ils se retrouvèrent tous. Les jumelles vinrent avec maris et enfants. La soirée fut baignée de souvenirs heureux, de rires et aussi de regrets de n'avoir pu, quoique voisins, se voir plus souvent. Tous promirent, mais sans trop de conviction, de se rendre visite à l'occasion.

Béatrice Gagné trouva les mots d'adieux appropriés :

— Faut pas se désoler : ce qui nous a été donné ne pourra jamais plus nous être enlevé.

Chapitre 21

L'établissement à Drummond

Aussitôt qu'il avait appris la vente de l'auberge de Québec et l'arrivée prochaine de Ludovic, Dorothée, Émilie et Romuald, Nicolas contacta le notaire Dompierre. Ce dernier se mit aussitôt en relation avec le notaire Glackmayer, de Québec. Deux semaines plus tard, le terrain de Drummond appartenait à Ludovic. Aussitôt, Nicolas, selon les directives de son beau-frère, mit tout en œuvre pour préparer le bois nécessaire à la construction de l'auberge, sur le bord du chemin Saint-George.

Toujours aussi efficace et résolu, Nicolas avait engagé des charpentiers réputés, Hormidas Lachance et son fils Auguste. Ils se mirent tout de suite au travail. Quand Ludovic arriva de Québec, il fut tout heureux de découvrir, sur son terrain, la charpente de sa future auberge dont les ouvriers travaillaient déjà à monter les murs.

En attendant que leur maison soit prête, Ludovic et Dorothée profitèrent de l'hospitalité de Bernardin et de Marie-Josephte, cependant qu'Émilie et Romuald trouvaient refuge chez Nicolas et Bernadette.

C'était là qu'ils se retrouvaient le soir pour causer, parlant de tout et de rien, heureux d'être ensemble. Bernadette et Marie-Josephte venaient d'accoucher de leur troisième enfant, et voilà qu'elles étaient de nouveau enceintes. Émilie demanda à Marie-Josephte et Bernadette le nom qu'elles prévoyaient donner à l'enfant qu'elles portaient.

— Je ne sais pas si vous vous en êtes rendu compte, madame Émilie, mais nous avons résolu, Nicolas et moi, d'appeler tous nos enfants par des noms commençant par un E.

— En quel honneur?

Tout son visage s'illumina et Bernadette partit d'un grand rire:

— En votre honneur, madame Émilie, et en celui d'Edmond, votre premier mari.

— Qu'est-ce que tu dis là?

— Oui, puisque votre mari s'appelait Edmond et vous Émilie, nous avons décidé de continuer la tradition dans notre famille. Nous avons déjà Élise, Éloi et Édouard. Si le prochain enfant est un garçon, il s'appellera Éphrem et si c'est une fille Ernestine.

Tout émue, Émilie embrassa sa bru et son fils.

— Jamais, dit-elle, en mettant la main sur son cœur, je n'aurais cru recevoir un plus bel honneur. Je pense que c'est mieux encore que quand une cloche a porté le nom de Sainte-Émilie parce que j'en étais la marraine.

Ce n'était pas tout d'avoir un toit, il fallait également meubler l'auberge. C'est alors que les problèmes commencèrent. Dès le lendemain de son arrivée, Ludovic alla négocier, chez les marchands de Drummond, l'achat des meubles et des ustensiles nécessaires. Nicolas le conduisit d'abord chez son ami Jacques Adhémar, à son magasin de la rue Heriot. Le marchand les reçut à bras ouverts.

— C'est un plaisir pour moi de vous revoir, jeune homme, dit-il à Ludovic. Je n'ai pas oublié votre mariage chez nous. Vous êtes en visite chez mon ami Nicolas ?

— Je suis à Drummond pour m'y établir.

— Vraiment ! Quelle bonne nouvelle ! Sur une terre de Wickham, je présume ?

— Non pas ! Vous avez sans doute remarqué une maison en construction dans le chemin Saint-George ? Ce sera mon auberge.

Le capitaine ouvrit de grands yeux :

— Tu construis une auberge à cet endroit ? Tu m'en vois fort étonné. Comment es-tu parvenu à acheter ce terrain ?

Nicolas avait prévu la question et s'empressa de répondre pour Ludovic :

— Quelqu'un de Québec le lui a vendu.

Le capitaine Adhémar se montra stupéfait :

— Je croyais que ces terrains appartenaient tous à mon ami Heriot.

Nicolas alla droit au but:

—Ils sont tous à lui, en effet, mais, il suffit qu'un de ses compatriotes se montre intéressé d'en acheter un pour que la transaction se fasse.

—Si je comprends bien, s'indigna le capitaine, vous vous êtes servi d'un prête-nom pour acheter le terrain en question?

—C'est exactement ce que nous avons fait.

Comme pour se donner le temps de digérer ce qu'il venait d'entendre, le capitaine se tut un long moment, puis dit d'une voix triste:

—Je suis peiné pour mon ami qui tente, par tous les moyens dont il dispose, d'attirer ses compatriotes à Drummond. Il ne sera pas heureux d'apprendre cette supercherie.

—Heureux ou pas, reprit Nicolas, quand Ludovic est venu à Drummond pour son mariage, il s'est rendu compte qu'il n'y avait pas d'auberge. Il a vendu la sienne à Québec pour en construire une ici. Les voyageurs de langue française ne s'en plaindront pas.

—Sans doute, mais j'en connais qui ne vous feront pas de quartier. Ils ne vous pardonneront pas d'envahir leur territoire.

Nicolas s'interposa:

—Parlant d'envahissement, n'est-ce pas ce que tu fais toi-même avec ton magasin dans la rue Heriot?

—Si j'ai pu m'établir là, c'est avec l'accord de mon ami le major. Il m'a fait une faveur en me cédant ce terrain en tant qu'ancien officier des voltigeurs.

Nicolas s'écria:

— Voyons donc, une faveur ! Toi qui as risqué ta vie pour les Anglais à la bataille de Sackett's Harbour, tu le méritais bien.

— Rien n'empêche que mon ami Heriot a dérogé à sa ligne de conduite pour me favoriser.

— C'est donnant-donnant, reprit vivement Nicolas. Tu leur as rendu service, ils te rendent service à leur tour. Ce qui nous amène chez toi, cependant, n'a rien à voir avec les humeurs de ton ami. Ludovic a besoin de meubler son auberge. Tu as certainement dans ton magasin des meubles et des ustensiles de tous les genres qui feraient son bonheur ?

Le capitaine troqua aussitôt son képi d'officier pour son chapeau de marchand et les fit passer dans son magasin. Ludovic s'intéressa d'abord aux tables et aux chaises. Il avait besoin de quatre tables, le marchand n'en avait que deux. Il ne trouva pas non plus suffisamment de chaises pour tous ses besoins. Il réserva les tables et les chaises qu'Adhémar fit mettre de côté à son intention. Il eut plus de succès avec les ustensiles, dénichant une bonne coutellerie, une douzaine d'assiettes creuses et autant de verres à patte, quelques terrines, trois lèchefrites, une marmite et un chaudron en fer, de même que treize livres de chandelles, sans compter un baril, une tinette et trois seaux.

Il avait aussi besoin de lits, mais le marchand n'en avait aucun à vendre.

— Je devrai donc m'adresser à vos concurrents, se désola Ludovic.

— C'est la loi du marché, convint le capitaine, c'est aussi une des lois de la vie. Ce dont nous ne disposons pas, d'autres l'ont. Je te souhaite bonne chance dans tes démarches. Tu vas vite te rendre compte que leurs prix seront fort gras comparés aux miens.

— Pourquoi donc?

— Si tu veux obtenir de bons prix auprès de mes concurrents anglais, tu devras trouver un de leurs compatriotes prêt à faire les achats en ton nom. C'est ainsi que ça va chez nous. On ne se fait pas de faveurs entre Canadiens français et Canadiens anglais. Je doute fort que tu trouves un seul Anglais de Drummond prêt à te rendre un tel service.

Dans les jours qui suivirent, Ludovic fit le tour des trois magasins tenus par des Anglais. Leurs prix étaient si élevés qu'il n'acheta rien. Il se désolait de ne pouvoir meubler convenablement son auberge quand lui vint une excellente idée.

— Me prêterais-tu, pour trois jours, ton cheval et ta voiture? demanda-t-il à Nicolas.

— Pourquoi donc?

— Il y a maintenant un chemin carrossable entre Drummond et Sorel. As-tu oublié que j'ai de la famille là-bas? J'en reviendrai la charrette remplie de tout ce que je n'ai pu acheter ici et, s'il n'y a pas assez de place pour tout, je ferai expédier le surplus par la rivière.

Le lendemain, au lever du soleil, en compagnie de Dorothée, il partait pour Sorel. Pendant ce temps, les ouvriers engagés à la construction de son auberge n'avaient pas chômé. Les murs en étaient dressés, le toit posé et ils s'affairaient à la finition intérieure.

Quand, avec une charrette débordant de tout ce qui lui manquait, Ludovic revint de son expédition, il fut en mesure de tout décharger dans ce qui désormais serait sa maison et son gagne-pain. Un des premiers gestes qu'il fit, dès son retour, fut de fouiller dans les effets apportés de Québec et laissés en dépôt chez le marchand Adhémar. Le soir même, au-dessus de sa porte, était fixée une enseigne où on pouvait lire : *Auberge Grenon.*

— Tu l'avais apportée ! s'écria Dorothée en lui sautant au cou. Tu aurais pu mettre : *Auberge Lahaie.*

— J'aurais pu, mais pourquoi changer ce qui porte chance ?

Chapitre 22

Chose promise, chose due

En moins de trois semaines, l'auberge de Ludovic avait poussé à la vitesse d'un champignon sur le bord du chemin Saint-George. Déjà, la veille, un premier voyageur s'y était arrêté pour la nuit. Absent de Drummond depuis près d'un mois, le major Heriot, revenu de Kingston, ne manqua pas d'être intrigué par ce nouvel édifice. Il se souvenait fort bien d'avoir vendu le terrain quelque temps auparavant à un nommé Withfield, mais il fut tout étonné de lire sur la façade de l'édifice : *Auberge Grenon*.

Il s'empressa d'aller frapper à la porte. Ludovic vint lui ouvrir.

— *Do you speak english or french ?* demanda-t-il d'entrée de jeu.

— Nous parlons français, précisa Ludovic.

— Je suis le major Heriot, se présenta-t-il, le fondateur de cette ville. Je n'ai pas le plaisir de vous connaître.

— Ludovic Lahaie, aubergiste, voilà mon nom et mon métier. Entrez ! Entrez ! Nous ne pensions jamais avoir si tôt l'honneur de votre visite. Daignez vous asseoir. Puis-je vous offrir un verre ?

Le major déclina l'offre. Il dit d'une voix aimable :

— Il n'y a pas grand-chose dans cette ville qui m'échappe, mais cette fois, il me semble bien que c'est le cas. Vous me dites porter le nom de Lahaie. Alors, pourquoi lit-on sur la façade *Auberge Grenon* ?

— C'est le nom de mon épouse.

— Vous lui faites ce plaisir, c'est tout en votre honneur. Mais je présume que vous travaillez pour un nommé Withfield, de Québec ?

— Non pas ! Je suis le propriétaire de cette auberge et je l'exploite en mon nom.

Malgré l'affabilité de son langage et la correction de sa démarche, le major ne put cacher sa déception. Son ton, jusque-là aimable, changea brusquement. Il demanda sèchement :

— Ce monsieur Withfield à qui j'ai vendu le terrain était sans doute un de vos amis ?

Ludovic hésita avant de répondre et choisit ses mots avec soin :

— Disons que c'était l'ami d'un ami à qui il devait des sous.

Le visage du major s'allongea et trahit sa contrariété. Cependant, en bon militaire, maître de ses moyens, il ne le laissa pas trop paraître.

— Savez-vous, jeune homme, que cet homme vous a rendu un fier service, tout en me causant un préjudice ?

— Oui, on peut dire qu'il m'a rendu service, mais pas seulement à moi, mais à tous les voyageurs en séjour à Drummond et dont la langue est le français. Il m'a permis de leur offrir le gîte et le couvert, notamment à ceux qui empruntent le Passage pour se rendre de l'autre côté de la rivière.

Le major se montra beau joueur :

— Votre auberge, dit-il, je le présume, sera ouverte à tous les passants, peu importe leur nationalité.

Ludovic répondit fièrement :

— Mon auberge est ouverte à tous ceux qui voudront me faire l'honneur de s'y arrêter.

— Parlez-vous anglais ?

— Hélas non !

— Il vous sera difficile d'accueillir ceux de mes compatriotes qui voudront faire escale chez vous.

Ludovic sourit avant de répondre :

— Sans vouloir vous offenser, monsieur le major, je vous dirai que parfois les gestes en disent autant que les paroles. Mais je ne me fais pas d'illusion. Je ne crois pas qu'ils s'arrêteront de toute façon à une auberge au nom français.

— Pourquoi donc ?

— Justement parce qu'ils sont Anglais ! Eux et nous, vous le savez bien, c'est le feu et l'eau.

Le major se rebiffa. Il rougit, puis se calma aussi vite avant de dire :

— Moi aussi, je suis Anglais. J'ai combattu aux côtés d'officiers de langue française. Le capitaine

Jacques Adhémar est un de mes amis. Je me suis toujours bien entendu avec eux.

— C'est une bonne leçon pour tous. Vous êtes l'exception qui confirme la règle, osa Ludovic.

Le major se raidit sur sa chaise :

— Cette ville, vous l'aurez remarqué, jeune homme, est avant tout anglaise. Ne soyez pas étonné qu'à l'occasion nous vous le rappelions.

Sur ce, il se leva, salua à la façon militaire et passa la porte en claquant des talons. À Dorothée qui venait s'enquérir de l'identité du visiteur, Ludovic répondit :

— Ouf ! J'ai l'impression que nous ne l'aurons pas facile ! Ce visiteur était nul autre que le major Heriot et notre présence ici ne semble guère lui plaire.

Dorothée, que rien ne troublait, dit en riant :

— Que ça lui plaise ou non, major ou pas, l'*Auberge Grenon* est bien là pour rester.

Une seule raison avait poussé Émilie à venir s'établir à Drummond : celle de voir tous ses enfants et petits-enfants autour d'elle. Dès que l'auberge eut ouvert ses portes, elle s'empressa d'instituer une tradition familiale qu'elle désirait perpétuer jusqu'à sa mort. Chaque dimanche, qu'il y ait messe ou non, elle recevait à dîner tous les membres de sa famille. Ils venaient avec leurs enfants, et c'était chaque fois la fête. Elle ne manqua pas, lors d'une de ces premières visites, d'inviter à se joindre à eux le capitaine Jacques

Adhémar et son épouse. Tout de suite, elle sympathisa avec Apolline, l'épouse du capitaine.

Profitant de la présence du capitaine, Nicolas, Ludovic et Romuald ne manquèrent pas de s'enquérir de tout ce qui touchait l'avenir de Drummond. Un beau dimanche, le capitaine arriva avec une nouvelle qui ne manqua pas de les réjouir.

— Saviez-vous, dit-il, que monseigneur l'évêque a obtenu une grande faveur de mon ami le major Heriot ?

— Quoi donc ?

— Il vient de céder des terrains tout près d'ici, dans la rue Brock, pour la construction d'une église et d'un presbytère. Il y a même assez d'espace pour un cimetière.

Nicolas, que les faveurs du major ne laissaient pas dupe, reprit :

— Sans vouloir vous vexer, mon capitaine, le major avait-il le choix ?

— Il aurait pu y mettre des conditions.

— Vous croyez ? Au nombre d'Irlandais catholiques qui ont fait partie de son armée et ont reçu des terres à Drummond, il n'avait guère le choix. Il faut au plus tôt une église catholique et il le sait. Bien entendu, les Canadiens français en profiteront également, mais il n'y peut rien. Enfin, il aurait été bien mal avisé de refuser cette faveur à monseigneur l'évêque. Ce dernier, paraît-il, au moment de la guerre contre les Américains, ne s'est pas gêné pour recommander dans ses sermons à tous les Canadiens français de soutenir les Anglais et de combattre à leurs côtés.

Les arguments de Nicolas portèrent. Le capitaine approuva mais non sans ajouter :

— N'oublie surtout pas, mon cher Nicolas, que ce sont nos conquérants et qu'ils ont le gros bout du bâton. Le major aurait pu en profiter pour exiger ceci ou cela. Après tout, c'est lui qui dispose des principaux terrains de Drummond. Il n'a posé qu'une seule condition.

— Laquelle ?

— Que l'église ait comme patron saint George.

— Pourquoi donc ?

— Parce que c'est un de ses prénoms.

— L'église anglicane ne se nomme-t-elle pas déjà Saint-George ? Il semble tenir à laisser sa marque dans la place deux fois plutôt qu'une. Il veut vraiment qu'on se souvienne de lui !

Le capitaine Adhémar regardait Nicolas avec des yeux rieurs. Il ajouta :

— Je ne t'ai pas tout dit, mon cher Nicolas. Tu te moques pour rien. Le reste de l'histoire devrait te faire plaisir. Monseigneur l'évêque a refusé le nom de Saint-George pour l'église catholique.

— Vraiment ?

— Connais-tu les deux prénoms du major ?

— Non pas !

— Frederic-George. Aussi l'église catholique se nommera-t-elle Saint-Frédéric.

Mis en joie par la déconvenue du major, Nicolas s'exclama :

— L'évêque lui aura fait cette fleur ! Entre célibataires, on peut se faire des cadeaux de ce genre.

— Tu es de mauvaise foi, Nicolas, changeons vite de sujet, proposa Adhémar.

Ludovic offrit à tous l'occasion d'une diversion :

— Un voyageur m'a dit hier qu'il y a eu un drame sur la rivière. Fort heureusement, cette mésaventure s'est bien terminée.

— Que s'est-il passé ?

Bien au fait de cette histoire, le capitaine raconta :

— Un jeune homme a tenté de traverser la rivière, en haut des rapides. Son canot a été emporté par le courant. Il se serait noyé, sans un coup de chance : son embarcation a dérivé vers une petite île, précisément située à la gueule de ces rapides. Il a pu s'échouer dessus, mais son canot n'était plus utilisable. Les secours ont été plus prudents qu'il y a deux ans, où le même genre d'aventure était survenu à un jeune pêcheur. En tentant d'aller le tirer de son mauvais pas, quatre honorables citoyens se sont noyés. Cette fois, on a manœuvré de loin. À quelques centaines de pieds en haut des rapides, on a expédié vers le jeune homme une embarcation retenue par un câble. Au quatrième essai, la chaloupe s'est échouée sur l'île du naufragé. Le jeune homme transi y est monté. Il s'est emparé des rames et, aidé par des bras secourables retenant le câble et le halant, il est parvenu à regagner la rive en toute sécurité.

Ils en étaient là de leur conversation quand Ludovic, intrigué depuis quelques jours par un détail, s'informa auprès du capitaine :

— Vous avez remarqué comme nous la maison en construction de l'autre côté de la rue, en biais avec la nôtre. J'ai vainement tenté de connaître le nom du propriétaire.

Le capitaine se leva lentement pour jeter un coup d'œil par la fenêtre. Il dit par-dessus son épaule :

— J'ai bien peur que ma primeur ne te fasse pas plaisir. Mais autant te le dire puisque tu l'apprendras tôt ou tard.

Se tournant cette fois vers Ludovic, le capitaine ajouta :

— Cette maison est la propriété de John Downey. Il veut en faire une auberge pour les visiteurs de langue anglaise.

— Ça sent le coup monté ! s'indigna Ludovic. On ne pouvait guère s'attendre à mieux de la part des Anglais. Ce qui m'attriste le plus dans cette nouvelle, c'est que, j'en suis certain, ce terrain appartenait au major Heriot. Pourquoi l'avoir vendu à quelqu'un voulant y construire une auberge, sinon pour diminuer les chances de faire prospérer la mienne ? Qu'importe, nous saurons bien tenir le coup !

Sensible à l'émoi que venait de causer son information, le capitaine Adhémar trouva aussitôt les mots qu'il fallait pour apaiser Ludovic :

— Il ne faut vraiment pas t'en faire avec ça. Je n'imagine aucun voyageur Canadien français préférer une auberge anglaise à la tienne. Ce sera de la saine concurrence et du progrès pour notre ville.

Ludovic n'avait pas digéré l'affront, mais il approuva, non sans ajouter :

—Vous avez peut-être raison, capitaine, mais rien n'empêche que...

Il ne termina pas sa phrase. Le capitaine eut beau insister pour connaître le fond de sa pensée, Ludovic se borna à dire :

—Ce n'est rien capitaine, je me parlais à moi-même. Et soyez certain que je me comprenais !

Chapitre 23

L'*Auberge Grenon*

Depuis maintenant plus d'un an, Ludovic tenait auberge à Drummond. Au début, les voyageurs se faisaient rares, mais les bons plats d'Émilie et de Dorothée avaient largement contribué à doter l'auberge d'une réputation hors de l'ordinaire. On disait :

«Arrête-toi à l'*Auberge Grenon*,
tu auras vite ta récompense,
il n'y a pas dans tout le canton,
meilleur lieu où emplir sa panse.»

Spontanément, tous les nouveaux mariés choisissaient l'auberge pour leurs noces. Ludovic, secondé par Romuald, veillait à prévenir les excès. Il était évident que de l'autre côté du la rue, l'*Auberge Downey*, malgré le fait que la majorité des habitants du canton et des cantons voisins fussent de nationalité anglaise, peinait à lui faire concurrence. Ludovic se moquait. En jouant sur le nom de son concurrent, il s'amusait à répéter : «Nous allons le faire damner.» Quant à Émilie, elle perpétuait la coutume en recevant les siens tous les dimanches.

∽

À chacun de ses passages à Drummond, Nicolas, s'il disposait de quelques minutes, en profitait pour faire le tour des lieux. Il n'avait d'ailleurs pas à parcourir beaucoup de chemin pour y arriver. Après avoir quitté l'auberge de Ludovic, il suivait le chemin Saint-George jusqu'à la rue Heriot, qu'il remontait puis redescendait presque aussitôt après être passé devant la trentaine de maisons qu'on y dénombrait. Il se rendait ensuite au bord de la rivière jusqu'au Passage.

Il aimait regarder le passeur s'affairer à faire traverser des gens. Quand il en avait le temps, il causait avec lui et s'embarquait juste pour le plaisir d'admirer Drummond de l'autre rive, ce qu'il fit même un beau jour avec Bernadette et les enfants. Le passeur était le meilleur informateur de tout le canton. Ses passagers lui colportaient les dernières nouvelles. C'est ainsi qu'un dimanche de l'été 1819, Nicolas apprit la venue prochaine du missionnaire.

Profitant de la bonne qualité des routes, l'abbé Raimbault parcourait les cantons de Grantham, Wickham, Simpson, Wendover et Durham. Il devait venir, le dimanche suivant, afin de célébrer la messe et procéder à un mariage et à plusieurs baptêmes. Nicolas prévint sa mère. Émilie s'activa afin que deux de ses petits-enfants soient du nombre des futurs baptisés :

Éphrem, le quatrième enfant de Nicolas et Bernadette, de même qu'Alphonse, celui de Bernardin et Marie-Josephte.

Le missionnaire choisit de procéder à la cérémonie dans la maison du capitaine Adhémar. Comme plusieurs résidants de Drummond et des environs se retrouvaient chez le capitaine, l'abbé Raimbault profita de l'occasion pour leur faire part de ses préoccupations :

— Ce n'est pas normal, après maintenant cinq années d'existence, que Drummond ait son église protestante et toujours pas d'église catholique. Nous avons, bien sûr, grâce à la générosité du major Heriot, les terrains nécessaires pour l'érection d'une église et d'un presbytère, mais il n'y a rien dessus.

— Vous avez raison, monsieur l'abbé, reconnut le capitaine Adhémar. Je vais faire signer une pétition par tous nos concitoyens pour la construction d'une église.

— L'idée est excellente mais n'apportera pas nécessairement l'argent suffisant. Ce qu'il faudrait, ce serait contacter tous les catholiques de la paroisse afin qu'ils s'engagent à fournir qui du blé, qui de la planche, qui un animal, qui des légumes. Le tout pourrait être vendu pour constituer le fonds permettant la construction de l'église.

Auditeur attentif, Nicolas s'interposa :

— Je ne veux pas vous contredire, monsieur l'abbé, et jouer les rabat-joie, mais comment pensez-vous que nos gens, plus pauvres que Job, pourront donner un de leurs animaux ou encore une partie de leur récolte afin que l'église se construise ? Il me semble que ce serait plus profitable de faire une souscription auprès des habitants de la ville, qui sont beaucoup plus nombreux et plus à l'aise que nous.

L'abbé réagit tout de suite avec vigueur :

— Qui s'en chargera ?

Contre toute attente, Jacques Adhémar intervint :

— Je m'occupe de cette souscription.

Il avait déjà tenté le coup quelques années auparavant, mais sans grand succès. Cette fois, sa démarche eut plus de succès : on vit bientôt s'élever une première église à Drummond.

Les mois passaient et tout allait pour le mieux pour Ludovic et Dorothée, dont l'auberge accueillait bon nombre de visiteurs. Puis, soudainement, pour une raison que Ludovic ne parvenait pas s'expliquer, plus un seul voyageur ne s'arrêta à l'auberge, une fois la noirceur venue. Pourtant, jusque-là, c'était souvent le moment où on frappait à la porte pour demander une chambre pour la nuit.

Un soir à la fenêtre, il remarqua deux voyageurs habitués de l'auberge, passer tout droit pour chercher refuge chez son concurrent anglais.

— Je ne comprends pas, dit-il à Romuald. Ferdinand Joyal et Pierre Jutras s'arrêtent ordinairement chez nous deux fois par mois. Et les voilà qui préfèrent aller chez Downey.

Occupé à nettoyer un coin du plancher où du lait avait été renversé, Romuald releva la tête pour dire :

— Y a d'l'eau qu'est pas claire derrière ça, c'est certain. Faudrait leur demander leurs raisons.

— Aurions-nous fait quelque chose qui leur aurait déplu?

— La dernière fois qu'ils sont venus, ils étaient bien satisfaits.

Toujours posté à la fenêtre, Ludovic demeurait plongé dans ses pensées. La pleine lune éclairait la rue de ses plus vifs rayons avant d'aller tracer sur la rivière un filet d'argent.

— Nous n'avons pourtant pas la peste, grogna-t-il. J'aimerais bien tirer cette histoire au clair.

Passé maître dans les enquêtes du genre, Romuald le rassura :

— Je vais savoir, bout de ciarge, ce qu'ils ont contre nous. C'est pas normal que des gars comme Joyal et Jutras lèvent le nez sur notre auberge.

Deux jours plus tard, un de leurs habitués, après avoir jeté un coup d'œil dans la direction de l'*Auberge Grenon* se dirigea vers celle de Downey. Fin renard, Romuald, témoin de son manège, se rendit compte de quelque chose d'anormal. «Ils se comportent, se dit-il, comme si notre auberge les rebutait.» Il décida de sortir pour voir si, de la rue, quelque chose pouvait inciter les voyageurs à passer leur chemin.

Tout étonné, Ludovic vit bientôt Romuald revenir en toute hâte, en maugréant :

— Bout de ciarge! lança-t-il. J'ai découvert le pot aux roses.

— Quoi donc? s'enquit Ludovic.

— Viens voir !

Ludovic lui emboîta le pas.

— Regarde au pied du fanal !

Posée sous le fanal bien en évidence, se trouvait une pancarte sur laquelle on pouvait lire : « complet ». À Ludovic qui s'apprêtait à l'enlever, Romuald déclara :

— Elle n'est pas venue là toute seule. Cette pancarte, j'en mettrais ma main au feu, a deux pattes et traverse régulièrement la rue, soir et matin. Le soir pour apparaître, le matin pour disparaître.

Il se mit au guet une bonne partie de la nuit. Au petit matin, il vit Henry Downey sortir de chez lui et se diriger droit vers le fanal. Il le reçut à la pointe du fusil :

— Refais ça juste une fois, mon maudit Anglais, et si tu n'as pas de plomb dans la tête, je te promets que tu vas en avoir dans le cul !

Chapitre 24

Pour qui sonne le glas

L'automne 1822 avait été particulièrement beau, avec sa symphonie de couleurs. L'air gardait encore un peu de la chaleur de l'été. De la grande fenêtre de l'auberge, on pouvait apercevoir la nouvelle église dont on terminait les travaux. Émilie, à qui cela rappelait l'érection de l'église Saint-Roch à Québec, avait suivi avec beaucoup d'intérêt la construction de ce temple beaucoup plus modeste. Se souvenant de la Sainte-Émilie, la cloche qui portait son nom, elle s'était intéressée aux manœuvres par lesquelles avait été hissée à sa place l'unique cloche. Elle attendait avec impatience le jour de l'inauguration officielle, fixée au 25 novembre. Quel ne fut pas son étonnement quand, vingt jours avant l'événement, la cloche se mit soudainement à tinter.

— C'est bien un glas ? demanda-t-elle à Romuald.

— C'est un glas !

Ils se dévisagèrent, sachant trop bien ce que cela signifiait : un membre de la paroisse était passé de vie à trépas.

Émilie se signa avant d'ajouter :

— Qui ça peut-il bien être ?

Aussi intrigué qu'eux, Ludovic répondit :

— Un voyageur ou un voisin viendra sûrement nous en informer.

Trop impatient d'en savoir davantage, Romuald n'attendit pas plus longtemps pour aller aux nouvelles.

— Je vais voir, dit-il en se dirigeant vers l'église.

Il était de retour cinq minutes plus tard, la tête basse et l'air abattu. Il avait à peine passé le seuil qu'Émilie demandait :

— C'est quelqu'un qu'on connaît ?

— Ah oui ! murmura Romuald, et je n'arrive pas à le croire.

— Qui c'est donc ?

— Notre ami, le capitaine Adhémar.

Émilie blêmit et se laissa choir sur la chaise la plus proche. Un silence, comme seule la mort sait en imposer, s'étendit sur toute l'auberge. Romuald le rompit le premier :

— Reprends-toi, dit-il à Émilie. Ton amie Apolline doit être effondrée. À ta place, j'irais la voir sans tarder.

Émilie sécha ses larmes, mit un chapeau et se dirigea d'un pas vif vers la demeure du défunt.

— On ne sait pas ce qui nous attend, commenta Romuald. Je l'ai encore vu avant-hier, je l'ai même salué en passant. Il était loin d'avoir l'air de ce qu'il est devenu aujourd'hui. Bout de ciarge, qu'on ne tient pas à grand-chose !

Jacques Adhémar était une personnalité de premier plan à Drummond. On le considérait, au même titre que le major Heriot, comme l'un des fondateurs de la place. Le curé de Sorel, qui desservait aussi Drummond, fut informé du décès, mais les chemins s'avéraient si mauvais qu'il ne put se rendre à Drummond. Le major Heriot, quoique de religion anglicane, se chargea de faire exposer son ami dans le chœur de la nouvelle église. Tout le village défila devant le cercueil. Deux jours passèrent. Il était grand temps qu'ait lieu l'inhumation. Le major Heriot décida de faire enterrer son ami dans le sanctuaire, du côté de l'évangile. Le lendemain, le curé Fournier de Baie-du-Febvre arrivait à Drummond. Voyant qu'on avait inhumé le capitaine dans le sanctuaire, il se montra indigné :

— Qui a eu cette audace ?

Le major Heriot s'approcha :

— C'est moi qui ai décidé de le faire inhumer à cet endroit.

— Vous ignorez sans doute, monsieur, qu'un laïc ne peut être enterré dans le sanctuaire. Seuls les ecclésiastiques possèdent ce droit. De plus, l'Église catholique ne permet plus ce genre d'inhumation.

— Permission ou pas, monsieur le curé, s'il y en a un qui mérite l'honneur de ce genre d'inhumation, c'est bien le capitaine Adhémar. Les catholiques lui doivent en grande partie cette église. C'est la place qui lui revient pour son grand repos.

Voyant le major aussi déterminé, le curé Fournier battit en retraite et se contenta de bénir la fosse.

Témoin de cette discussion, Romuald rapporta à l'auberge que le curé ne dansait pas sur la même musique que le major.

— Pour une fois qu'il a la bonne note et le bon pas, dit-il, je suis d'accord avec le major.

TROISIÈME PARTIE

LA SUITE DES COMBATS

1825-1837

Chapitre 25

La vie au canton de Wickham

Il y avait maintenant tout près de neuf années que Nicolas s'était établi sur sa terre du canton de Wickham. Emporté par l'urgence de vivre, il ne s'était jamais arrêté à analyser sa situation. Mais voilà qu'en ce matin d'hiver rude et glacial, alors qu'il revenait de chez Ludovic et Dorothée, une vérité lui sauta à la figure : il n'aimait pas vraiment son travail de fermier. Quand il comparait sa terre à celle de Bernardin et le jardin de Bernadette à celui de Marie-Josephte, il voyait bien que quelque chose n'allait pas. Bernardin avait défriché plus d'un tiers de terre de plus que lui. Il possédait deux chevaux, cinq vaches, un bœuf, quelques cochons et des moutons, alors que lui se contentait d'un cheval, de deux vaches, d'un bœuf et de deux cochons, et son poulailler ne souffrait pas la comparaison avec celui de son beau-frère.

Pendant toutes ces années, il ne s'était jamais demandé ce que Bernadette, la petite tailleuse d'habits déracinée de son île Jésus pour être conduite en pleine forêt, où elle avait passé sans se plaindre neuf années difficiles, pouvait penser de leur vie dans la ferme. Ils avaient maintenant quatre enfants. Le cinquième allait, dans quelques mois, montrer le bout de son nez.

Si Nicolas trouvait de plus en plus pénible sa vie sur une terre, n'en était-il pas de même pour Bernadette? Il en était là dans ses pensées quand il arriva devant sa maison. En ramenant Marin à l'écurie, il ne put y entrer. Chassée par le vent, la neige s'était accumulée au pied de la porte et il dut pelleter durant de longues minutes pour la dégager. Ce geste, qu'il répétait des dizaines de fois par hiver, eut tout à coup raison de sa patience. De rage, il poussa la porte, serra les dents et dit tout haut pour se calmer:

— Il faut que ça change et ça presse!

Il entra à la maison, les bras chargés de bois. Le poêle ronflait, dispersant sa bonne chaleur dans toute la pièce. Il déposa ses bûches d'érable dans la boîte à bois. En l'entendant entrer, Bernadette était venue au-devant de lui.

— Bernardin et Marie-Josephte vont bien?

— Mieux que jamais!

— As-tu faim? Je pourrais te faire chauffer une bonne soupe aux pois.

— Fais donc ça, et si tu n'as pas dîné, fais-en donc autant pour toi, que nous prenions deux minutes pour causer.

Bernadette s'affaira à mettre la table et faire chauffer la soupe. Les enfants s'amusaient autour du grand lit. Une grande pièce constituait seule le rez-de-chaussée au milieu duquel le poêle trônait comme un prince chaleureux. Au-dessus du tuyau, courant jusqu'à la cheminée, étaient étendues quelques pièces de linge. Nicolas s'attabla en attendant sa pitance. Il lui semblait que ses yeux se dessillaient et, pour la première fois, il prenait toute la mesure de sa vie passablement misérable.

Bernadette déposa les plats fumants sur la table et s'assit doucement, une main posée sur son ventre plein de vie.

— Te rends-tu compte ? dit Nicolas. À la fin de l'hiver, ça fera neuf ans que nous sommes ici…

Elle mit du temps à répondre.

— Si je m'en rends compte ? Je ne sais pas, tellement la vie me gruge comme une chandelle allumée par les deux bouts. Les enfants et le travail ne me donnent pas le temps de m'arrêter gros. J'aurai eu cinq enfants en moins de dix ans, c'est beaucoup. Par chance que je n'en ai pas eu deux ou trois d'un coup, comme il arrive parfois. Mais je ne suis pas trop malheureuse. Nous sommes chanceux tout de même de pouvoir nous suffire à nous-mêmes et d'avoir des voisins comme Bernardin et Marie-Josephte.

— C'est vrai, mais quand les voyons-nous ? Le dimanche, pour le dîner à l'auberge, et durant le temps des fêtes. Le reste de la semaine, ils ont les mêmes obligations que nous. Nous les verrions tout autant si nous vivions à Drummond.

— Quelle idée te ronge les sangs ? Songerais-tu à déménager à Drummond ?

— Est-ce que pendant les dix prochaines années à venir notre vie sera toujours la même ? La maison, l'étable, la grange, la forêt à repousser sans cesse d'une année à l'autre ? Est-ce que nos narines ne pourront jamais sentir d'autres odeurs que celles de l'étable, de la grange et de la porcherie ?

Bernadette semblait vouloir jouer l'avocate du diable :

— Tu oublies qu'ici nos enfants jouent avec leurs cousins et leurs cousines.

— Les enfants s'amusent avec tous les enfants qui veulent bien s'amuser. Ils se feraient d'autres amis en ville.

— Parmi les enfants des familles anglaises ?

— Avec ceux des familles canadiennes-françaises.

— Est-ce qu'il y en a seulement, en ville ?

— Quelques-uns dans la rue Heriot, entre autres, ceux du barbier Boisvert, le locataire de la maison des Jones. Mais, plus encore, à l'école qu'ils pourraient fréquenter, parce qu'une école, il finira bien par y en avoir une. Là, nos enfants apprendraient tout ce qu'il faut pour éviter de passer leur vie dans une ferme. S'ils décident ensuite d'y vivre, ce sera par choix. Il n'y a rien de pire, tu sais, que de vivre à rebours de soi.

— Que veux-tu dire ?

— Tu n'en as pas assez de traire les vaches, baratter le beurre, filer la laine, sarcler le jardin ? Tu dis que tu n'es pas malheureuse, mais j'aimerais t'entendre dire que tu es heureuse.

Bernadette releva la tête et le regarda droit dans les yeux, comme elle le faisait toujours quand elle désirait sonder à fond le cœur de son mari.

— Aurais-tu vraiment décidé de nous amener vivre ailleurs ?

Pris de court, Nicolas hésita.

— J'ai seulement idée de ce que nous pourrions devenir, si nous le voulions, dit-il au bout d'un temps.

— Qu'attends-tu alors pour le faire ?

À son tour, en réprimant le sourire qui lui montait aux lèvres, Nicolas la regarda comme il oubliait trop souvent de le faire. Il vit comment, en neuf années, le travail acharné était parvenu à la vieillir, multipliant les rides autour de ses yeux et burinant son beau visage. Il dit doucement :

— J'y réfléchis. Peut-être n'oses-tu pas te plaindre, mais la vie que nous menons pourrait être fort différente.

Bernadette ne réagit pas tout de suite, puis il vit ses traits s'animer, et une lueur qu'il connaissait bien allumer ses yeux. Il s'empressa de demander :

— Qu'en dis-tu ?

— Ce que j'en dis ? Ce serait merveilleux.

Quelques jours plus tard, Nicolas attela Marin au traîneau et gagna Drummond, où il avait différents achats à faire.

❧

Comme toujours, l'hiver avait mis du temps à tirer sa révérence. Mai, tel un magicien, verdit d'un coup tout le paysage. Ce soir-là, après avoir couché les petits, Bernadette, grosse de plusieurs mois, sortit sur la galerie. Elle avait besoin de prendre quelques goulées d'air. La journée lui avait paru particulièrement dure. De la forêt tout proche émanait la senteur des pins, sur laquelle empiétait la pestilence de l'étable. La brunante découpait contre le ciel la silhouette des arbres. La lune surgit au-dessus de l'érablière, telle une immense lanterne orangée, éclairant d'une faible lueur la route perdue dans l'ombre.

Bernadette s'assit dans la berceuse préférée de Nicolas. Elle se berça un moment, faisant gémir les planches de la galerie. Depuis sa conversation d'un soir avec son mari, la vie de ferme lui pesait de plus en plus. Elle ne s'en plaignait pas, mais il lui semblait vivre en dehors de tout ce que la vie avait été pour elle, jusqu'à cet exil au canton de Wickham. Nicolas revint alors de l'étable, un fanal à la main.

— Les enfants dorment ? s'informa-t-il.

— Ils sont couchés depuis un petit moment. J'en profite pour prendre un peu d'air avant d'aller en faire autant.

Nicolas s'approcha d'elle et la serra dans ses bras. Elle comprit tout de suite qu'il avait quelque chose d'important à lui apprendre. Il n'agissait jamais autrement quand une décision lui tenant à cœur les concernait tous les deux.

— Ce n'est pas encore fait, dit-il, mais je crois que nous ne passerons pas toute notre vie ici.

Avec une note d'étonnement dans la voix, Bernadette s'exclama :

— Vraiment ? Toi qui as répété si souvent que tu ne déménagerais jamais plus ?

Il partit d'un grand rire :

— Il n'y a que les sots qui ne changent pas d'idée.

— Aurais-tu décidé de quoi sans m'en parler ?

— Oui ! Mais ce sera une surprise qui va te faire grandement plaisir.

Il caressa le ventre de Bernadette, y colla son oreille pour y sentir la vie qui l'habitait.

— Quand ce sera réglé, tu seras la première à le savoir. En attendant, continue de te forcer pour nous faire un bel enfant.

Elle se leva, se posta derrière lui, posa ses mains sur ses épaules et dit, avant de l'embrasser :

— En t'épousant, je savais que notre vie serait pleine de surprises. Pour nous, j'en suis certaine, le meilleur est encore à venir.

Deux semaines plus tard, elle donnait naissance à leur cinquième enfant, à qui ils donnèrent le prénom chantant d'Emmanuel.

Chapitre 26

Nicolas passe aux actes

Les chemins avaient tellement souffert du gel et du dégel qu'ils n'étaient plus praticables depuis des semaines. Mais voilà que le beau temps des derniers jours permettait maintenant de se déplacer sans trop se plaindre de la rudesse du parcours. Ce dimanche-là, en compagnie de toute la famille de Bernardin, celle de Nicolas gagna Drummond. Les cousins et les cousines s'amusaient ferme à l'arrière de la grande voiture. Comme elles le faisaient chaque fois qu'elles se voyaient, Bernadette et Marie-Josephte causaient de tout et de rien, mais surtout des prouesses de leurs enfants. Assis à côté de Bernardin sur le banc du conducteur, Nicolas semblait perdu dans ses pensées depuis un moment.

—J'ai quelque chose d'important à vous annoncer, dit-il soudainement.

Bernardin le poussa du coude :

— Si c'est si important, il faut le dire tout de suite sans nous faire languir.

— Tu devras patienter jusqu'au dîner.

Bernardin s'esclaffa :

— Tu fais ton cachottier ? Ça ne te ressemble pas.

— Qui saura attendre, apprendra !

Puis, se rendant compte de ce qu'il venait de dire, Nicolas pouffa de rire.

— Qu'est-ce qui te rend si joyeux ?

— Rien, sinon que me voilà comme mon père à inventer des dictons.

La route les secouait passablement, mais ils étaient contents d'être là tous ensemble. Bernardin ne manqua pas d'en faire la remarque :

— C'est heureux que ta mère ait institué cette tradition du dîner familial, le dimanche. Je n'avais pas connu ça en France. Ça tisse des liens solides, et quelle bonne idée elle a eu de convaincre Ludovic et Dorothée de venir s'établir à Drummond !

— J'ai l'impression que l'idée est venue tout autant de Dorothée et de Ludovic que de ma mère.

Dans la voiture, les enfants s'étaient mis à se chamailler un peu trop au goût de Nicolas. Il se retourna et leur dit :

— On chante un peu ?

Sans plus attendre, il entonna de sa belle voix de baryton :

— Il était un petit navire, il était un petit navire, qui n'avait ja-ja-jamais navigué, qui n'avait ja-ja-jamais navigué, ohé ! ohé !

Les enfants entrèrent dans le jeu et se mirent à chanter à leur tour. Ils montèrent à bord du *Petit navire*, firent un bout de chemin avec *Malbrough s'en va-t-en guerre*, en passant par le moulin avec Marie-Anne, et aussi par les *Prisons de Nantes*. Quand les premières maisons de Drummond apparurent à l'horizon, ils chantaient en chœur «Dans tous les cantons, y a des filles et des garçons qui veulent se marier, c'est la pure vérité». Le chemin se faisant plus cahoteux, ils entonnèrent «Sur la route de Drummond, sur la route de Drummond, il y avait un cantonnier, il y avait un cantonnier, et qui cassait, et qui cassait, des tas de cailloux». Rendus à la porte de l'auberge, ils s'amusaient à répéter «Ah! c'était un p'tit cordonnier! Ah! c'était un p'tit cordonnier, qui faisait fort bien les souliers, qui faisait fort bien les souliers».

Tous les dimanches, Émilie les attendait à la porte de l'auberge, «pour recevoir le clan», comme Romuald se plaisait à le répéter. Il aimait ces visites hebdomadaires et jouait à la perfection son rôle de grand-père substitut, trouvant le moyen de taquiner chaque enfant, tout en les gâtant de bonbons en cachette.

Affairée autour de la table, Dorothée, pour qui la nature semblait moins généreuse, chantonnait elle aussi, heureuse de recevoir les enfants de son frère et de sa sœur. Elle s'empressa de délivrer Bernadette de son petit dernier.

— Emmanuel, dit-elle, il me semble que ce nom lui va comme un bonnet. Je veux être sa marraine! supplia-t-elle.

— Tu l'es déjà d'Éloi, remarqua Bernadette, sans compter d'Augustine.

— Jamais deux sans trois! s'écria-t-elle joyeusement. Ça compensera pour les enfants que nous n'avons pas. Ludovic est certainement du même avis, n'est-ce pas Ludovic ?

— Quoi donc, chérie ?

— J'ai demandé à Bernadette d'être la marraine de son Emmanuel.

— Puisque tu le souhaites, dit-il. Mais qu'est-ce que notre chère belle-sœur en pense ?

— Je verrai avec Nicolas, promit Bernadette. Avec une marraine de même, le pauvre enfant, s'il ne sait

pas où aller dans la vie, n'aura qu'à s'ouvrir les yeux et suivre la poussière qu'elle déplace, il ne sera jamais en peine.

Les femmes pouffèrent pendant que Ludovic rejoignait Bernardin, ainsi que Nicolas et Romuald, en grande conversation. Il s'empressa d'offrir à chacun un verre.

Les enfants s'amusaient dehors. Pendant ce temps, comme toujours, Émilie s'affairait à la cuisine où la rejoignirent Dorothée, Marie-Josephte et Bernadette.

— Ça sent bon, m'man ! Je gagerais que c'est une tourtière de Charlevoix.

— Ton nez ne te trompe pas, ma fille.

— Nicolas a quelque chose d'important à annoncer, lança Bernadette.

— Quoi donc ?

— Il veut en faire part lui-même.

— Pourquoi tu nous en parles, alors ?

Bernadette sourit. Ses yeux pétillaient. Elle rougissait de plaisir.

— J'ai tellement hâte qu'il le fasse !

—À te voir, la taquina Dorothée, occupée à bercer doucement Emmanuel, c'est certainement quelque chose qui te ravit.

—Ah! Pour ça, oui!

Les mains pleines d'ustensiles, elle attendait, pour les disposer sur la table, que Marie-Josephte ait fini d'y étendre la nappe. Pour faire dévier la conversation, elle dit:

—Vous ne trouvez pas que le temps passe vite? Il me semble qu'il n'y a pas si longtemps, j'étais encore à Montréal à faire la cour à Nicolas. Pourtant, dans un an, ça fera bien proche dix ans que nous sommes sur notre terre.

—Dix années? T'en es sûre? s'écria Émilie. Dix ans déjà!

—C'est bien difficile de me tromper, j'en suis à mon cinquième depuis notre mariage, ça en fait un tous les deux ans. J'ai eu Élise quand nous étions là-bas. Éloi est né ici, pas longtemps après notre arrivée. Édouard, Éphrem et Emmanuel ont suivi. Le temps file comme l'eau de la rivière.

—À qui le dis-tu! s'écria Émilie. Me voilà vieille comme le monde. J'en ai fait cuire, des soupes, depuis que je suis à Drummond! Je n'ai pas de regret, par contre, d'avoir suivi Ludovic et Dorothée. Rien n'empêche que mon âge, je commence à le sentir dans mes vieux os.

Dorothée la taquina:

—Allons donc, m'man! Vous n'êtes pas si vieille que ça, vous vous souvenez encore de nos anniversaires.

Le jour où vous les oublierez, là on pourra dire que
l'âge vous aura rejointe.

La boutade de Dorothée les fit s'exclamer toutes en
même temps :

— Toi, ma p'tite démone !

Émilie sourit de les voir de si bonne humeur.

— Chère, dit-elle à Marie-Josephte, irais-tu dire
aux enfants que le dîner est prêt ?

— Ça, m'man, vous pouvez dire que vous l'avez
demandé souvent. Vous rappelez-vous quand Dorothée
et Alicia revenaient de l'école ? En entrant, elles ne
savaient dire que ça : « M'man j'ai faim ! »

Émilie lui jeta un regard plein de tendresse.
Dorothée fit remarquer :

— Quand on pense qu'aujourd'hui, ce sont vos petits-
enfants qui ont la panse comme des trous sans fin !

— Tu peux le dire, Dorothée : le temps coule
comme de l'eau entre nos doigts.

Les femmes appelèrent les enfants, qui s'installèrent
à la bonne franquette autour de la table. Les cousins se
ressemblaient tant que, pour un œil étranger, ils pouvaient passer pour des frères. Comme Émilie en avait
fait la remarque, ils avaient un fort bon appétit. À peine
leur dernière bouchée avalée, comme un vol de moineaux, ils retournèrent à leurs jeux. La table libérée, les
adultes y prirent place à leur tour. Ils venaient tout juste
de s'attabler quand Nicolas les fit taire :

— Allons ! Allons ! J'ai besoin de votre attention.

Il l'obtint rapidement, mais non sans le grain de sel
de Romuald :

— Si c'est pour un discours, bout de ciarge, fais-le court, parce que ma panse a besoin de sa récompense.

— Ne vous inquiétez pas, je serai mieux que court : je serai bref. Comme je le disais à Bernardin en venant, j'ai une grande nouvelle à vous apprendre.

Toujours à redouter le pire, Émilie commença par pâlir, puis, se ressaisissant, elle demanda à son fils :

— Quoi donc ?

Nicolas tarda à répondre, uniquement pour les faire languir encore un peu, avant d'annoncer fièrement :

— J'ai loué le magasin général de Jacques Adhémar. J'y pensais depuis des mois, depuis sa mort en fait. J'ai demandé à Apolline si elle ne me louerait pas la maison et le magasin. Elle s'apprête, comme vous le savez, à regagner Montréal pour de bon. « Ton offre, m'a-t-elle dit, me rendrait service. J'avais idée de vendre, mais je ne trouve pas d'acheteur sérieux. »

— Tu as loué ! s'exclama Romuald. Veux-tu dire que tu abandonnes ta terre ?

— C'est en plein ce que m'a demandé Bernadette, quand je lui en ai parlé. Pour le reste, j'ai loué la maison et la terre à Marius Fontaine contre le blé, les fruits, les légumes et la viande nécessaires à nos besoins. Je veux tenter de voir si je réussirai mieux comme marchand que comme cultivateur.

Marie-Josephte se désola :

— Nous allons vous perdre comme voisins.

— Oui, mais ça ne nous empêchera pas de nous voir tous les dimanches et fêtes. En plus, à Drummond,

nous allons pouvoir nous consacrer à la vie fort différente que j'ai toujours envisagée pour nous. Jamais de
toute ma vie je n'avais songé à cultiver la terre avant,
justement, d'en hériter d'une. Je pense que ma
Bernadette mérite pas mal mieux. Elle était habituée
à la ville avant de venir ici. Elle va vite se faire des amis
et, qui sait, peut-être pourra-t-elle amener du beurre
sur notre pain en dessinant des patrons et en cousant
des habits comme elle le faisait si bien, quand j'ai eu
le bonheur et la chance de la connaître. Mais surtout,
elle dessine si bien qu'elle trouvera certainement quelques paysages à coucher sur papier.

Les compliments de son mari avaient fait monter le
rouge au visage de Bernadette. Elle s'empressa de
dire :

— L'ouvrage ne manquera pas, mais quand j'aurai
un moment, le premier paysage que je me propose
d'ébaucher sera celui du village de Drummond comme
nous le voyons de l'autre rive de la rivière. Nous avons
traversé une fois à cet endroit, un dimanche, avec les
enfants. Depuis, ce paysage ne m'est jamais sorti de la
tête.

Le discours de Nicolas et la surprise qu'il avait pro-
voquée valurent ensuite un long silence, finalement
rompu par Romuald :

— Ça, c'est une nouvelle qu'il vaut la peine
d'arroser !

Il se précipita dans la grande salle de l'auberge, au
fond de laquelle se trouvait le bar, et il en revint avec
verres et whisky. Ils trinquèrent à l'avenir. Bernardin,

pendant tout ce temps, n'avait pas prononcé un seul mot. Il leva son verre :

— À mon vieil ami qui, dans sa grande sagesse, a su reconnaître qu'il n'était pas fait pour labourer la terre, mais plutôt pour la parcourir. Que continue de croître la chance qui le suit depuis notre rencontre !

Ils levèrent de nouveau leur verre. Bernardin ajouta à la blague :

— Entre nous, il a mis dix ans à comprendre qu'il ne réussirait pas à me battre comme cultivateur, espérons qu'il n'en mettra pas autant à saisir que nous sommes de tout cœur avec lui.

Là-dessus, Bernadette dit qu'elle avait, elle aussi, quelque chose à leur annoncer.

— Dis-moi pas, chère belle-sœur, que tu as toi aussi un discours à faire, lança Bernardin, d'un air moqueur.

— Rassurez-vous, dit-elle, ça sera bien moins long à dire qu'à faire.

— Quoi donc ?

— Je suis de nouveau en famille.

— Pas vrai ! s'exclama Dorothée. Un sixième !

Tout émue, Émilie dit :

— Tu vas me faire encore grand-mère. Vraiment, je suis comblée.

Sur le visage de Bernadette se dessina le sourire qui lui donnait tant de charme.

— Eh oui ! Les Sauvages vont encore passer dans six ou sept mois.

— J'espère, lança Romuald, qu'ils n'auront pas trop de plumes pour ne pas risquer d'étouffer le bébé !

Sa réflexion les mit en joie. Quelques minutes plus tard, autour de la table, ils cherchaient ensemble un prénom pour l'enfant à naître.

—Si c'est un garçon, dit Nicolas, nous avons Elphège, Étienne, Eudore et Égide.

—Si c'est une fille, s'empressa d'ajouter Bernadette, ce sera Élisabeth, Éphigénie... ou Émilie, comme sa grand-mère.

—C'est bien gentil à vous d'avoir pensé à lui donner mon nom, fit remarquer Émilie, mais il me semble que c'est moins mêlant quand il n'y en a pas deux à porter le même nom dans la même famille.

—Si c'est comme ça, conclut Bernadette, pour moi, elle va s'appeler Éphigénie.

Romuald s'écria soudain :

—Bout de ciarge ! Pourquoi ?

Bernadette lui répondit avec un grand sourire.

—Peut-être bien parce qu'il y a dedans le mot « génie ».

Chapitre 27

Catastrophe

Bernadette se plaisait souvent à remonter le fil de ses souvenirs. Ses pensées la ramenaient alors à l'époque où, petite couturière pour le tailleur Morin à l'île Jésus, elle avait vu entrer un jeune soldat sur lequel elle avait aussitôt rivé son regard. Il venait faire prendre ses mesures pour un habit qu'elle s'était empressée de coudre en y mettant tout son cœur et tout son talent.

Quelques semaines plus tard, couturière et soldat se mirent à profiter de leurs moindres congés pour se promener bras dessus, bras dessous. Puis tout s'était précipité, le mariage, le déménagement dans la ferme, la naissance des enfants et voilà que, comme un vaisseau qui touche enfin au port, elle se retrouvait à Drummond.

Certes, ce n'était pas Montréal. Drummond montrait à peine le visage d'une petite ville naissante, mais c'était aussi la rivière, le Passage, l'auberge de Ludovic et de Dorothée, les visites de la grand-mère Émilie, les

taquineries du grand-père Romuald et, tous les dimanches à l'auberge, la venue de Bernardin et de Marie-
Josephte avec leurs six enfants. Puis, pour ajouter à tous
ces petits bonheurs, la venue en semaine de la tante
Dorothée, les bras chargés de gâteries pour les petits.

La ville, c'était tout ça et encore plus : l'école, un
jour, pour Élise et Éloi, la grand-messe du dimanche
et tout ce monde venu de partout pour y assister, les
jasettes sur le perron de l'église après la grand-messe,
les promenades au bord de l'eau avec les enfants et,
surtout, le va-et-vient des marchands et des habitants
dans la rue Heriot. Elle était toujours là, attentive à la
moindre demande des clients. Ce qui la réjouissait le
plus, c'était de faire désormais partie d'un village, d'en
connaître les gens et d'y vivre sans souci.

Le temps avait fait également son œuvre en elle et,
en ce printemps 1826, elle donna naissance à Éphigénie.

Le printemps, cette année-là, se comportait comme
un four en activité dont on aurait oublié la porte toute
grande ouverte. Depuis des semaines, comme onze
ans auparavant, la nature montrait des signes inquié-
tants. À peine sortis, les bourgeons se tordaient sur les
branches. Le blé séchait sur pied. On n'avait jamais vu
la rivière aussi basse. Le soleil ne désemparait pas, tous
les jours, implacable, brûlant la végétation sur place.
Les animaux trouvaient à peine de quoi brouter dans
les champs. On attendait vainement, jour après jour,
l'arrivée de la pluie.

Boniface Lehoux, surnommé «Le temps qu'il fait», en raison de son don pour prédire la température, en perdait tous ses moyens. Depuis des années, on n'entreprenait aucun travail d'envergure sans s'en quérir auprès de lui du temps à venir. Rarement se trompait-il. Mais cet été-là, il ne pouvait rien voir venir, comme si le soleil avait tari l'eau de sa source :

— Que voulez-vous savoir ?

— Quand est-ce que la pluie va venir ?

— Je ne suis pas sorcier, je ne fais pas venir la pluie en battant du tambour ! La pluie, la pluie, elle va venir quand le bon Dieu aura décidé de nous l'envoyer.

— Toi qui prétends connaître le temps qu'il fait, aurais-tu perdu tous tes moyens ?

— Je n'ai rien perdu, c'est le temps qui s'est égaré.

Le 26 juin, alors que l'été commençait à peine et qu'une pluie bienfaisante était tombée quelques jours auparavant, de la fumée s'éleva à deux milles du village : sans doute un feu mal éteint après les célébrations de la Saint-Jean ou encore un feu d'abatis mal contrôlé. On ne s'en inquiéta pas d'abord, mais le feu prit de plus en plus d'ampleur, si bien que, poussé par le vent, il embrasa la forêt entière, puis atteignit bientôt les premières maisons du village, sautant de l'une à l'autre comme un monstre affamé, jusqu'à raser le village entier en quelques heures.

À l'approche des flammes, tout le monde avait fui, qui du côté d'Headville, qui du côté du canton de Wickham, vers ce qui deviendrait plus tard le village de L'Avenir. Ludovic, Dorothée, Émilie et Romuald avaient emprunté tout naturellement cette direction, rejoints par Nicolas, Bernadette et leurs enfants. En cours de route, ils rencontrèrent un Bernardin inquiet, venu voir ce qu'ils devenaient.

— Tout le village va y passer, l'informa Ludovic.

— Est-ce que le feu s'amène par ici ?

— Si le vent ne tourne pas, la forêt entière risque de brûler et Dieu sait où ça va s'arrêter.

Ils rallièrent la ferme de Bernardin. Nicolas en profita au passage pour s'enquérir auprès de son fermier si tout allait bien. Ils attendirent avec anxiété la suite des événements, prêts à gagner le bord de la rivière où, pensaient-ils, l'incendie s'éteindrait de lui-même. Ils n'eurent cependant pas à le faire, car les vents changèrent de direction, aussitôt suivis d'une pluie bienfaisante.

— Le ciel est aussi noir que l'enfer, fit remarquer Romuald pour dire quelque chose.

Bernardin se moqua :

— Qui vous dit que l'enfer est noir ? À mon avis, il doit être passablement clair, s'il y a autant de feu qu'on le dit.

Romuald en resta la bouche grande ouverte d'étonnement. Il gratta ce qui lui restait de poil sur le crâne.

— Bout de ciarge, grommela-t-il, y a rien de plus vrai que ce que tu viens de dire. J'y avais jamais pensé. Ça prouve qu'on dit n'importe quoi.

— Et qu'on a toujours quelque chose à apprendre, le taquina Bernardin. Si on écoutait tout ce qui se dit qui n'a pas de bon sens, ajouta-t-il, il y aurait de quoi écrire un grand livre.

❧

Quand, le lendemain, tout danger eut été écarté, ils reprirent anxieusement le chemin de Drummond. Une odeur âcre les empêchait de respirer normalement et l'air était encore lourd de fumée. En vue du village, la désolation était telle que les femmes se mirent à pleurer. Mais, en s'approchant, la petite troupe eut la surprise de sa vie : l'*Auberge Grenon* était encore debout. Les flammes l'avaient épargnée, de même que l'*Auberge Downey*, les deux églises, la catholique et l'anglicane, ainsi qu'au bord de la rivière, la maison et le moulin du major Heriot. Le magasin général avait été rasé, tout comme l'ensemble des maisons de la rue Heriot. Nicolas et Bernadette avaient tout perdu.

Tout naturellement, après cette tournée désolante, ils se retrouvèrent tous à l'auberge, à l'exception de Romuald qui avait insisté pour s'arrêter à l'église, où une foule était rassemblée. Ce qu'ils venaient de vivre les avait profondément bouleversés. À Bernadette qui se désolait, Nicolas trouva ces paroles de réconfort :

— Nous sommes toujours vivants et en bonne santé. Nous avons encore tous nos enfants. La ferme que nous possédons n'a pas été touchée. Il ne nous reste plus qu'à relever nos manches et à recommencer.

Ému par les paroles de Nicolas, Ludovic lui donna une tape sur l'épaule en lui disant :

— Je n'aurais pu tomber sur un beau-frère plus courageux. Notre auberge a été miraculeusement épargnée, il y a tout plein de place pour vous loger en attendant.

— Pas avec tous les enfants, s'interposa Bernadette, ça n'a pas de bon sens. Nous allons occuper toute la place et comment pourrez-vous recevoir des clients?

— Les clients vont plutôt se faire rare dans un pareil champ de ruines, ne croyez-vous pas?

— Au contraire, reprit Nicolas. Vous allez en avoir plus que jamais. Imaginez tout ce que la reconstruction va amener de monde. Il faudra bien qu'ils se logent quelque part...

Dorothée intervint à son tour :

— Nous trouverons certainement le moyen de nous organiser pour que personne ne manque d'espace.

Ils en étaient là de leurs réflexions quand Romuald vint les rejoindre.

— As-tu appris quelque chose qui peut nous intéresser? questionna Ludovic.

— C'était tellement désolant de les entendre, avoua Romuald, que je ne suis pas resté là plus de cinq minutes. Mais j'ai quand même eu le temps de me laisser dire que, à la vue des églises et des auberges demeurées intactes, l'abbé Holmes s'est écrié : « Le bon Dieu comme le diable ont sauvé leurs demeures ! »

Ludovic réagit vivement:

— Si c'est ça qu'il pense de notre auberge, le ciel n'est certainement pas de notre côté.

Chapitre 28

Achat

Drummond mit du temps à se remettre de ce désastre. Le village entamait son essor quand le feu l'avait anéanti. Les lendemains de l'incendie furent très pénibles. Bon nombre des résidants décidèrent d'aller vivre ailleurs. On se mit tant bien que mal à déblayer les ruines. Le major Heriot offrit généreusement l'hospitalité à plusieurs de ses concitoyens. De son côté, le missionnaire prit quelques-uns de ses paroissiens sous son aile, le temps qu'ils trouvent à se reloger.

Après avoir accepté l'hospitalité de Ludovic et de Dorothée pour quelques jours, Nicolas et Bernadette regagnèrent leur ferme du canton de Wickham avec leurs trois plus jeunes enfants. Élise et Éloi demeurèrent à l'auberge de l'oncle Ludovic, où ils pourraient rendre service. Bouleversée par le sinistre, Émilie voulut faire sa part pour que la vie reprenne son cours normal et elle maintint la tradition des dîners du dimanche.

Après une journée passée dans leur ferme en compagnie de son fermier et de sa famille, Nicolas prit une résolution. Il se rendit chez Bernardin et Marie-Josephte en compagnie de Bernadette.

— Nous aurions besoin d'un service pour quelques jours, dit-il.

Heureuse de pouvoir les aider dans leur détresse, Marie-Josephte assura :

— Quoi que ce soit, ça va nous faire plaisir de vous le rendre.

— Pourriez-vous garder nos plus jeunes pour quelques jours ?

— Bien sûr ! s'écria Marie-Josephte. Allez-vous quelque part ?

— Nous avons décidé de faire un tour à Montréal. Bernadette va avoir l'occasion d'y revoir sa famille.

— Quelle bonne idée que celle-là ! C'est pas nous qui allons vous en empêcher. Mais entrez donc ! Venez prendre un petit quelque chose. Avec la chaleur qu'il fait, ça va vous faire du bien.

Ils causèrent surtout de ce feu qui avait tout ravagé. Connaissant désormais l'aversion de son frère pour le travail de la terre, Marie-Josephte n'osa pas demander s'il comptait revenir s'établir dans sa ferme. Quand Bernardin arriva des champs, la conversation dériva sur la tâche de reconstruire Drummond.

— Il paraît, dit Nicolas, que les propriétaires des maisons incendiées vont recevoir de l'aide du gouvernement.

Bernardin dit avec résignation :

— Une bagatelle, comme d'habitude. Heureusement que tu n'étais que le locataire du magasin !

— Mais j'y ai perdu passablement de meubles, des vêtements, de la vaisselle et bien d'autres cossins. Pour ça, je n'aurai rien.

Marie-Josephte n'était pas demeurée sourde à leur conversation. Elle quitta la pièce un moment et y revint bientôt, les bras chargés de linge.

— Vous avez perdu toutes vos hardes, dit-elle, en voici que nous avons en surplus et qui devraient vous faire, de même qu'à vos enfants.

Nicolas se retourna et la serra contre lui.

— Là, s'exclama-t-il, je reconnais ma petite sœur au grand cœur. Doro qui nous offre son hospitalité et Marie-Jo qui est prête à se priver pour nous. Vraiment, je suis un homme comblé, j'ai deux sœurs en or. Je te remercie de ton offre, mais ce ne sera pas nécessaire, nous avons idée de nous acheter des hardes neuves à Montréal.

Un Nicolas transformé et une Bernadette souriante revinrent de Montréal quelques jours plus tard. Dès qu'elle le vit entrer à l'auberge, Émilie accueillit son fils en lui servant ce commentaire :

— Tu es bien le fils de ton père, tu ne sais pas cacher ce qui te tient à cœur. Je n'ai même pas besoin de te le demander, je sais déjà que tu as pris une décision importante.

Nicolas fit l'étonné.

— Qu'est-ce qui vous dit ça, m'man ?

— J'te connais par cœur, mon garçon. N'oublie pas que c'est moi qui t'ai fait. Quand tu as quelque chose d'heureux à annoncer, c'est écrit en toutes lettres sur ton visage.

— Vous avez deviné juste, m'man. Nous avons une bonne nouvelle, mais je vais laisser Bernadette vous la dire elle-même.

Bernadette rosit de plaisir. Elle avait eu le temps de visiter ses parents pendant que Nicolas, de son côté, entreprenait des démarches. Ensemble, comme Nicolas l'avait laissé entendre à Marie-Josephte, ils s'étaient procuré des vêtements neufs. Mais, par-dessus tout, ils avaient mené à bon terme leur voyage.

— Nous avons, dit-elle, acheté le terrain de Jacques Adhémar.

La nouvelle était d'importance et fut accueillie avec de larges sourires.

— Est-ce à dire, questionna aussitôt Ludovic, que vous allez reconstruire la maison et le magasin général ?

Nicolas leva les bras au ciel.

— On ne peut rien te cacher, cher beau-frère ! C'est en plein ce que nous avons l'intention de faire.

Émilie, que pareille nouvelle réjouissait au plus haut point, intervint :

— J'en ai parlé à Romuald, Marie-Josephte et Dorothée, et ils sont tous d'accord. Je vais donner tout de suite à Nicolas sa part d'héritage, comme ça, il aura tout ce qu'il lui faut pour reconstruire.

En entendant les paroles de sa belle-mère, Bernadette ne put retenir ses larmes.

— Voyons ! Voyons ! dit Romuald, ce n'est pas comme ça qu'on arrose une bonne nouvelle.

Le sage homme, qui ne ratait jamais une occasion de célébrer, trouva le moyen de les faire trinquer au succès de leurs entreprises futures.

Nicolas ne perdait pas de temps à exécuter tout ce qu'il entreprenait. Il se mit aussitôt au travail. Aidé de Bernardin et de Romuald, ce dernier beaucoup plus pour conseiller que pour agir, ils bûchèrent sur sa terre le bois nécessaire à l'érection de la nouvelle maison et du magasin en quelques jours. Puis, en compagnie de son beau-père, Nicolas alla faire préparer la planche et les poutres nécessaires au moulin à scie de la rivière Noire.

Bernadette qui, depuis près de deux ans, administrait les affaires du magasin, fut chargée de démarcher un entrepreneur prêt à construire les deux édifices. Malgré toute sa bonne volonté, elle ne put trouver personne de libre avant un mois ou deux. Qu'il soit Anglais ou Français, avait dit Nicolas, tâche de nous dénicher quelqu'un le plus tôt possible. » Bernadette n'eut aucun succès auprès des entrepreneurs de langue anglaise, qui refusèrent systématiquement leur concours. Le découragement allait les gagner, quand Émilie eut soudain une illumination :

LA FORCE DE VIVRE

— Je me souviens que c'est un nommé Jean-Baptiste
Trudel et son fils qui ont bâti l'église. Ils seraient sûrement capables de construire la maison et le magasin.

— Ils ne sont pas d'ici, intervint Romuald. Si j'ai
bonne souvenance, ils restent à Nicolet. Si Nicolas le
permet, dès demain, j'attelle la jument et je me rends
là-bas les engager s'ils sont disponibles.

Quand Nicolas arriva à l'heure du souper, comme
des conspirateurs, ils l'attendaient tous autour de la
table et lui firent part de la trouvaille d'Émilie.

— On s'aligne de même ! dit-il avec enthousiasme.
Pendant ce temps-là, ça va me permettre d'aller à
Sorel commander des marchandises, parce que les
marchands anglais de Nicolet ne veulent rien me
vendre et les Hart de Trois-Rivières demandent des
prix de fous. Si ceux de Sorel ne sont pas plus raison-
nables, je commanderai tout à Montréal.

Heureuse de la tournure des événements, Bernadette
intervint à son tour :

— Puisque c'est de même, mon homme, je vais en
profiter pour aller chez Marie-Josephte. Je m'ennuie
des petits.

Romuald offrit tout de suite de la conduire.

— Tout est bien qui finit bien ! lança joyeusement
Dorothée.

— Dis plutôt : tout est bien qui continue bien, la
reprit Nicolas sur un ton narquois. Vous ne trouvez
pas, m'man, qu'il y a du Edmond dans l'air ?

Sa boutade fit s'illuminer tous les visages.

Chapitre 29

Vendeur itinérant

Nicolas menait rondement son affaire, «comme tout Grenon digne de ce nom», se plaisait-il à dire. Deux semaines plus tard, sa nouvelle maison à deux étages dressait fièrement sa façade dans la rue Heriot tandis que s'élevaient déjà les murs du magasin général. Il avait pris le temps d'en dresser des plans simples, mais à son goût. Au rez-de-chaussée se trouvaient la cuisine et la salle à manger. S'y rattachait, à l'arrière, le magasin. Au milieu, un escalier menait à l'étage où on trouvait la chambre principale et trois autres chambres occupées par les enfants. C'était une bonne demeure dont il avait tout lieu d'être fier.

Quand, un mois plus tard, tout fut en place, il se rendit à quelques reprises à Sorel pour chercher les marchandises qu'il avait fait venir de Montréal. Une goélette lui livra les meubles dont il avait besoin pour sa maison, et ceux qu'il avait l'intention de vendre. Il fut pendant quelque temps, dans Drummond renaissant de ses cendres, le seul marchand général disposant d'à peu près tout ce dont les gens avaient besoin. Il se garda bien d'en profiter pour vendre à prix élevé. Néanmoins, auncun Anglais ne vint s'approvisionner chez lui.

Ses affaires prospéraient cependant tellement bien que Romuald commençant à se faire vieux, il lui adjoignit Joseph Moulin, un jeune homme éveillé dont la présence au magasin fit merveille. Il ressemblait à une fouine et avait l'œil à tout, connaissait le prix du moindre objet et voyait à tenir à jour les inventaires.

Le magasin offrait une grande variété de marchandises. On y trouvait des meubles, des instruments aratoires, des poêles, des rouets, des lampes, des fanaux, tout le nécessaire pour la garniture de lit, plusieurs pièces de tissus ainsi que des balances, des semences, sans compter les outils, des fers à flasquer, de l'huile, des chandelles, de la vaisselle, des tabatières, de la poudre à fusil, des chaudières, des parapluies, des ustensiles de cuisine, des paniers, des pots en grès, un pétrin, du beurre, du sel, du poivre, du thé, du lard, du bœuf salé et jusqu'à de la peinture de diverses couleurs.

Puis, peu à peu, d'autres marchands, tels Samuel Sanders et John Henry, lui firent concurrence. Pendant les premiers mois suivant l'ouverture du magasin, les affaires allèrent bon train, mais elles devinrent graduellement moins bonnes, sans que Nicolas pût s'expliquer pourquoi. Les gens s'arrêtaient bien à son magasin, mais n'y achetaient plus rien, se dirigeant plutôt droit chez ses concurrents. Mis au fait de la situation, Romuald décida de mener son enquête. Il commença par observer les gens qui rentraient acheter chez Sanders ou Henry. Puis, fonceur comme il était, il résolut d'aller sans façon leur demander des explications, en commençant par le charretier André Prévost.

— Ne le prends pas mal, dit-il, mais je t'ai vu entrer chez Sanders y faire des achats, alors qu'auparavant tu venais volontiers au magasin de mon beau-fils.

Le bonhomme n'avait pas bon caractère. Il grogna d'abord :

— Est-ce que ça te regarde, sacrament ! J'achèterai ben où j'voudrai.

— Je ne viens pas te faire reproche de quoi que ce soit, reprit Romuald. Je veux juste savoir si mon beau-fils a fait quelque chose qui ne t'a pas plu, la dernière fois que tu as acheté chez lui.

— Non, il a été correct !

Romuald le regarda avec des yeux étonnés.

— S'il a été correct, pourquoi tu le boudes ?

— C'est pas lui que je boude, sacrament, c'est ses prix.

— Tu les trouves trop élevés ?

— Je comprends donc. Tout est moins cher chez Sanders et Henry.

Navré d'entendre de telles explications, Romuald voulut les confirmer et ce fut auprès de Joseph Grandmont qu'il le fit. Ce Grandmont était un homme raffiné ne disant jamais un mot plus haut que l'autre et dont la conversation était saupoudrée de « plaît-il », « s'il vous plaît » et « merci ». Les gens ne s'adressaient

pas à lui autrement qu'en disant «monsieur Joseph».
Romuald ne fit pas exception à la règle.

— Pardonnez mon intrusion chez vous, monsieur
Joseph, commença-t-il. Si je suis là, c'est que j'ai quelque
chose à vous demander qui me tient beaucoup à cœur.

— S'il vous plaît, prenez le temps de vous asseoir,
monsieur Romuald. À notre âge, n'est-ce pas, nous
pouvons nous asseoir pour causer.

Même si Romuald aimait beaucoup se démener, il
obtempéra et s'assit sur la chaise que son interlocuteur
lui désignait.

— Plaît-il ! Puis-je maintenant savoir ce qui me
vaut l'honneur de votre visite ?

— C'est quelque chose de tout simple, monsieur
Joseph, je viens m'enquérir de la raison pour laquelle
nous ne vous voyons plus depuis quelque temps au
magasin général de mon beau-fils.

— Ah ça ! S'il vous plaît de m'entendre, je vous dirai
tout simplement que ses prix me rebutent. Il suffit,
monsieur Romuald, de se présenter chez votre beau-
fils pour toujours obtenir ailleurs des prix inférieurs.
Il ne se trouve pas, je crois, une seule marchandise de
son magasin que nous ne trouvions à meilleur prix
chez ses concurrents. Eh bien, merci ! Voilà pourquoi,
même si nous sommes servis en anglais, nous faisons
désormais nos achats chez ces gens et, plaît-il, je ne
suis pas le seul.

À Romuald qui se montrait tout étonné d'entendre
cela, monsieur Joseph consentit à aller plus avant dans
ses explications.

— Voyez-vous, monsieur Romuald, j'ai tenté l'expérience d'aller d'abord acheter une marchandise chez les Sanders. Il s'agissait, que cela reste entre nous, merci, d'un pot de chambre.

En disant cela, le vieil homme émit un petit rire gêné, dont il s'excusa aussitôt.

— Pardonnez, s'il vous plaît, cette digression, mais il faut bien dire, n'est-ce pas, les choses comme elles sont. Un pot de chambre, plaît-il, vous le comprendrez monsieur Romuald, ça ne peut pas attendre : nécessité oblige, hi! hi! hi! Toujours est-il que je me présente chez le marchand Sanders et je demande l'objet en question. On me répond : nous n'en avons plus, mais revenez cet après-midi, nous en aurons en main. Je demande combien je devrai débourser pour cet objet indispensable. On me dit : sans doute quatre chelins et cinq pences et peut-être moins, tout dépendra de ceux que nous recevrons. Par acquit de conscience, s'il vous plaît, je m'arrête au magasin de votre beau-fils pour la même demande. On m'en présente un à quatre chelins et cinq pences. J'hésite en me rappelant que monsieur Sanders a laissé entendre le même prix, mais aussi peut-être moins. De retour l'après-midi même chez monsieur Sanders, il me vend, merci, le même pot que chez votre beau-fils, trois chelins et cinq pences.

Les explications du vieil homme avaient satisfait Romuald. Il les rapporta au souper, le soir même. C'est alors que Ludovic, venu chez Nicolas en compagnie de Romuald, intervint. Il dit :

—Tout cela me semble fort curieux, cher beau-frère, tu ne trouves pas? Ces marchands paraissent ajuster leurs prix à la baisse en fonction des tiens.

Après quelques moments de réflexion, d'une voix où perçait l'agacement, Nicolas dit:

—Comment peuvent-ils être informés de mes prix?

Depuis un moment, Romuald fronçait les sourcils. Il releva la tête en s'exclamant:

—Je crois connaître la clé du mystère!

—Quoi donc?

—À moins que je me trompe, demain je vous la révélerai.

Le lendemain matin, derrière le comptoir du magasin, Romuald tortillait nerveusement sa barbe en attendant l'arrivée du jeune commis. Dès qu'il le vit entrer, il lui fit signe:

—Amène-toi! J'ai affaire à toi.

Le jeune homme s'approcha. Romuald le saisit par le collet et, sans autre préambule, lui parla dans le blanc des yeux:

—J'aimerais savoir, jeune homme, combien les marchands Sanders et Henry te paient pour que tu leur révèles les prix de nos marchandises?

L'autre rougit jusqu'au bout des oreilles, mais trouva le toupet de protester:

—Lâchez-moi! Lâchez-moi! Je n'ai rien à voir là-dedans!

—Pourquoi alors es-tu rouge comme une crête de coq?

Voyant que Romuald maintiendrait sa prise tant qu'il n'aurait pas obtenu de lui une réponse valable, le jeune Moulin tenta de se dégager et de s'enfuir. Il se démena en vain : Romuald le tenait fermement.

— Pas d'entourloupettes, grogna-t-il, la vérité, rien que la vérité.

L'autre avoua :

— Je leur fournis les prix de tout ce qui est vendu ici.

— Et ils ajustent les leurs en conséquence, en conclut Romuald. Compte-toi chanceux de ne pas avoir affaire au patron, il a la poigne pas mal plus solide que la mienne.

Il le conduisit à Nicolas. Informé de la duplicité du jeune commis, celui-ci le congédia sur-le-champ. Pourtant, le même phénomène persista. Les clients avaient appris. Ils s'arrêtaient au magasin général de Nicolas, mais après s'être enquis du prix des marchandises, ils se rendaient chez ses concurrents et négociaient les prix à la baisse en ayant systématiquement gain de cause. Nicolas se demandait où tout cela le mènerait, quand une excellente idée de Romuald vint le tirer d'embarras.

Le lendemain matin, munis d'une longue liste de toutes les marchandises dont ils disposaient et de leurs prix de vente, ils se mirent en route, s'arrêtant à toutes les maisons occupées par des familles de langue française. Nicolas était devenu vendeur itinérant et livrait ses marchandises directement chez ses clients.

—Je pense, oncle Romu, que vous avez eu là une idée de génie qui va me sauver la vie et me permettre de faire vivre convenablement à la fois mon magasin et ma famille.

Chapitre 30

Enfin une école

Drummond existait maintenant depuis une douzaine d'années et, à part l'école anglaise ouverte par les bons soins du major Heriot, aucune autre école n'existait encore dans tout le canton. Conscient de l'importance d'une bonne instruction, Nicolas fit des démarches auprès de tous ses clients désireux de faire instruire leurs enfants.

— Il nous faudrait une école, répétait-il. Plus nous serons nombreux à en exiger une, plus nous aurons de chances de la voir s'ouvrir.

— Fais circuler une pétition, lui avait suggéré Bernardin.

L'idée lui plut. Au bout de quelques mois, il avait fait signer une cinquantaine de ses clients. Il rencontra le missionnaire, lui remit sa pétition et adressa ensuite une lettre au directeur du Séminaire de Nicolet. Il désirait le rencontrer pour s'informer de la meilleure manière de s'y prendre pour ouvrir une école primaire.

Un matin, il prit le chemin de Nicolet, où il avait rendez-vous au séminaire. Le prêtre qui le reçut était maigre comme un clou. Il regardait le monde par-dessus un pince-nez qui le faisait ressembler, avec son nez d'aigle, à une bête étrange. À Nicolas qui lui faisait part du désir de voir se construire une école à Drummond, il conseilla d'une voix haut perchée:

— Mais pourquoi construire une école alors qu'il en existe déjà sûrement une chez vous?

— Où ça?

— Dans la sacristie de l'église, ça va de soi. À quoi sert une sacristie d'église et combien de temps par année?

— Vous me donnez-là, monsieur l'abbé, une excellente idée en même temps qu'un très grand coup de pouce.

— Ça vaut mieux qu'un coup de pied, n'est-ce pas, lança l'abbé tout en s'amusant d'un rire sec de sa propre répartie.

Si Nicolas était comblé d'avoir trouvé un local de classe, ça ne donnait pas pour autant un professeur pour y enseigner. Là-dessus, l'abbé se fit moins bavard. Il proposa toutefois:

— Nous pourrions en parler au directeur de notre institution. Il a très bien connu tous les élèves ayant fréquenté le séminaire depuis au moins une dizaine d'années. Peut-être connaît-il, dans quelque coin reculé, quelqu'un qui pourrait servir de maître à vos enfants.

Consulté à son tour sur ce sujet, le directeur promit de mettre tout en œuvre pour dénicher un maître d'école pour Drummond. L'instituteur tant désiré arriva à la fin du mois d'août 1828. Au tout début de septembre, dans la sacristie de l'église paroissiale, monsieur Apollinaire Letendre accueillit ses premiers élèves, une quinzaine en tout, garçons et filles. Il fut étonné de constater avec quelle facilité Élise et Éloi Grenon apprirent tout d'abord l'alphabet puis, au bout de quelques mois, surent lire et écrire avec passablement d'assurance.

Nicolas avait eu la chance, durant son séjour dans l'armée, de côtoyer nombre de Français. À leur contact, il avait vite compris l'importance d'une bonne instruction. Il s'intéressa de près aux progrès de ses enfants. Quand Élise et Éloi revenaient de l'école, il leur faisait réciter leurs leçons et révisait avec eux leurs devoirs.

—Vous devez vous efforcer, disait-il, de comprendre tous les mots que vous lisez.

— Comment on va faire ?

— Comment ? Je vais vous le montrer. Nous n'avons pas beaucoup de livres dans la maison, mais nous en avons un très précieux, celui-ci, le *Dictionnaire universel* de Boiste. Il m'a suivi pendant toutes ces années où, depuis l'Espagne, je me suis promené à Gibraltar, en Sicile, et de Malte jusqu'ici. Quand vous lirez un mot dont vous ne connaissez pas la signification, ouvrez le dictionnaire et trouvez-le. Vous lirez ce qu'on en dit et vous apprendrez ainsi à bien parler.

Bernadette aimait le voir enseigner du vocabulaire aux enfants en leur faisant réciter des listes de mots par cœur, tout en donnant leur signification. Un soir qu'elle tendait l'oreille à leur conversation, il dit aux enfants:

—Je veux vous entendre parler parfaitement bien notre langue. Je ne veux pas d'un langage poussif et boiteux.

Éloi demanda:

—Que veux dire «poussif»?

—Tu sais quoi faire pour le savoir. Et toi, Élise, sais-tu ce que veux dire le mot «poussif»?

—Non!

—Eh bien! Tu vas l'apprendre en même temps que ton frère.

Éloi revint avec le dictionnaire et lut:

—*Poussif: qui halète, qui manque d'inspiration.*

—C'est bien. Toutefois, quand je vous demande, les enfants, d'avoir un langage parfait, il ne s'agit pas non plus de tomber dans la préciosité et d'avoir un langage affecté. Si je vous le demande, c'est tout simplement par respect pour la langue que nous parlons.

—Que veux dire «préciosité»? dit Élise en riant.

—Que signifie «affecté»? questionna Éloi à son tour.

—Le dictionnaire! dirent-ils en chœur.

Et ils éclatèrent de rire avec leur père qui, de l'admiration dans les yeux, les regardait avec l'air de se dire: «Comme je suis chanceux d'avoir des enfants de même!»

Ils en étaient là de leurs travaux, quand leur mère s'approcha et les pria de libérer la table pour y disposer les assiettes du souper.

Nicolas, qui se plaisait beaucoup dans son rôle, s'interposa en disant :

— Ça ne peut pas attendre ?

Bernadette le regarda affectueusement, avec aux lèvres un sourire ironique.

— La faim n'attend pas, et celle qui prépare le repas non plus. Il faut manger pendant que c'est chaud et le repas est présentement chaud. Pas besoin du dictionnaire pour comprendre ça, n'est-ce pas ? Vous continuerez après le souper.

Déjà Édouard, Éphrem et Emmanuel rôdaient autour de la table. Aussitôt les assiettes mises, ils s'assirent. Les autres, après avoir rangé plumes et encriers, vinrent les rejoindre. Bernadette arriva avec la soupe. Nicolas prit place à son bout de table. Sans dire un mot, avec son couteau, il traça une croix sur la miche de pain et en coupa de larges tranches qu'il distribua à ses enfants. Bernadette prit la louche et servit à chacun un généreux bol de soupe. Une délicieuse senteur de légumes remplissait la salle à manger, les bouches étaient pleines, rien ne troublait le silence, sinon le crépitement des bûches dans le poêle et le bruit des cuillères au fond des bols. Une bonne chaleur émanait du poêle.

Nicolas s'arrêta, regardant ses enfants manger avec appétit. Il se dit : rien que pour ça, il vaut la peine d'avoir une famille. Comme si elle ressentait la même chose que son mari, Bernadette s'approcha, lui mit une main sur l'épaule, le seul geste de tendresse qu'elle se permettait à son égard en présence des enfants, et demanda d'une voix chaude :

— Qui veut encore de la soupe ?

Éphrem et Emmanuelle tendirent leur bol. Elle les servit, puis alla voir si, dans son berceau, Éphigénie dormait bien. Elle revint ensuite de la cuisine avec un grand plat de hachis de porc.

— Que veux dire « hachis » ? lança Éloi dans un grand éclat de rire.

— Ça veut dire, dit Éphrem en rotant, qu'on n'aura plus faim après le souper.

— On ne rote pas à table, le reprit Bernadette, excuse-toi.

— Excusez mon « rote », dit-il.

— En attendant le « votre », ajouta Édouard, ce qui déclencha chez tous un long fou rire, auquel Nicolas se garda bien de mettre fin, tant il était heureux de voir ses enfants de si bonne humeur.

Le hachis disparut aussi rapidement que la soupe et le dessert, du sirop d'érable où on trempait son pain, subit le même sort.

Le souper était à peine terminé et la table débarrassée qu'Élise et Éloi se remirent à leurs travaux, sous la supervision de leur père. Pendant près d'une heure encore, ils s'amusèrent à enrichir leur vocabulaire, s'obligeant à trouver dans le dictionnaire ces mots que leur père qualifiait de « récalcitrants ».

Quand la soirée fut suffisamment entamée, les enfants montèrent se coucher. Bernadette vint trouver Nicolas qui, dictionnaire en main, préparait la liste de mots pour le lendemain.

— Sais-tu à quoi je songe ? dit-il à Bernadette.

— Quoi donc?

— Éloi semble avoir de belles capacités à apprendre. En septembre prochain, je pense l'envoyer pensionnaire au Séminaire de Joliette.

— Vraiment! reprit Bernadette. Ils vont vouloir en faire un prêtre.

— Connaissant Éloi comme je le connais, je doute fort qu'il se lance dans cette voie. Il aime tellement les mots que je le verrais plutôt notaire.

— Et Élise?

— Elle, mon petit doigt me dit qu'elle sera un jour institutrice.

— Et les autres?

— Nous verrons à mesure qu'ils grandiront. Édouard et Éphrem me semblent moins doués pour l'étude, mais ils adorent déjà le travail de la ferme. Il n'y a rien qu'ils aiment autant que de donner un coup de main à leur oncle Bernardin. Quant à Emmanuel, il est encore trop jeune pour savoir ce qui le passionne vraiment.

— C'est pour Éphigénie, se plaignit Bernadette, que je m'en fais.

— Son bec-de-lièvre ne devrait pas l'empêcher d'avoir une bonne vie. Si elle ne se fait pas religieuse plus tard, elle trouvera bien à rendre suffisamment service pour qu'on l'aide à vivre décemment.

— C'est bien triste quand même, ajouta Bernadette. Il faudra faire attention de ne pas en avoir d'autres. J'aurais trop de peine s'il fallait qu'ils naissent infirmes comme la petite.

— Ne te désole pas, ma mie, la vie est ainsi faite.

Et pour la consoler, il la serra contre lui. Dehors, le ciel d'hiver était pur. Aucun vent ne venait troubler la paix. Les fumées des cheminées montaient droit dans un ciel que semblaient boire les étoiles.

Chapitre 31

Nicolas se fait un cadeau

Comme chaque lundi, Nicolas attela la jument. Le beau temps semblait vouloir persister. Il en profitait pour faire le tour de quelques-uns de ses clients qui avaient parlé de se procurer éventuellement, qui une baratte à beurre, qui un peu de vin, qui des clous et quelques outils.

Emmitouflé jusqu'au cou dans son manteau de chat sauvage, il prit la route des Cantons en direction de Richmond. Il y avait longtemps qu'il n'était pas allé dans ce coin presque inaccessible en hiver. La *sleigh* glissait bien sur la neige et le paysage, immuable, lui donnait l'impression de ne pas progresser. Perdu dans ses pensées, il ne se rendit pas compte que le sommeil le gagnait petit à petit. La jument, docile, continuait son chemin, cependant que, la tête penchée sur le menton, Nicolas cognait des clous. Un cri le tira de sa prostration :

— Eh l'ami ! Le chemin appartient à tout le monde !

Réveillé en sursaut, il se rendit compte que son

attelage, au beau milieu de la route, bloquait complètement le passage. Il commanda à la jument de se
ranger. Son interlocuteur allait passer quand Nicolas
s'avisa de lui demander l'état de la route plus loin.

—On ne peut pas demander mieux! s'exclama
l'autre avec un rire aussi gras que sa personne. Mais
pour s'en apercevoir, il faut être réveillé.

Il disparut ensuite dans un nouvel éclat de rire.
Nicolas se secoua. Encore au moins deux bonnes
heures de trajet l'attendaient avant d'arriver à destination. Il les passa à se remémorer tout ce qu'il avait fait
depuis son arrivée à Drummond. Il n'avait qu'un seul
regret, celui de n'avoir pu mettre la main sur une terre
le long de la rivière. Il trouvait son travail de marchand ambulant fort intéressant. «Si j'avais obtenu
une terre le long de la rivière, se disait-il, peut-être me
serais-je senti obligé de continuer à travailler comme
cultivateur. La vie est drôlement faite. Parfois, en nous
contrariant, elle nous récompense.» Sa décision de
quitter la terre lui semblait avoir été fort appropriée.

Bernadette était visiblement beaucoup plus heureuse à Drummond qu'isolée dans une ferme. Elle le
lui répétait d'ailleurs souvent et, chaque fois, elle en
profitait pour lui dire: «Avec toute ton instruction, tu
es beaucoup mieux marchand que cultivateur. Tu te
sous-estimes, Nicolas, tu vaux bien plus que tu penses.»
Elle n'avait qu'à lui dire ça avec son sourire qui, chaque
fois, le faisait fondre, pour se sentir heureux. Mais il
n'en perdait pas pour autant son idée fixe: une terre
au bord de la rivière.

Tout en jonglant de la sorte, il était parvenu aux abords de Richmond. Il aimait ce coin vallonné des Cantons-de-l'Est, avec la rivière Saint-François tranchant le village en deux, comme une balafre au milieu d'un visage. Il s'arrêta d'abord au magasin général afin d'y trouver un violon, qu'un de ses clients lui réclamait depuis longtemps et pour lequel il était prêt à débourser un bon prix, en raison de sa rareté.

Il fut heureux de mettre la main sur un instrument qui lui parut faire l'affaire à première vue, compte tenu de ses connaissances limitées en ce domaine. Il pouvait l'obtenir à un prix raisonnable. Le marchand le tenait d'une succession depuis un bon moment et, la demande étant rare, il se montra fort heureux de pouvoir s'en départir.

—Est-ce qu'il sonne bien ? s'enquit Nicolas.

—Je ne sais pas en jouer, répondit le bonhomme, mais je pourrais vous le faire entendre à midi, quand John Herman, notre violoneux, va passer.

—Je veux bien vous le laisser jusque-là, parce que j'aimerais vraiment l'entendre avant de le prendre, mais à une condition.

—Laquelle donc ?

—Que votre prix n'augmente pas.

En bon marchand qu'il était, le bonhomme se récria :

—Je n'ai qu'une parole et je m'y tiendrai.

—Dans ce cas, assura Nicolas, je serai votre acheteur. Ce n'est plus qu'une question de son.

Revenu au magasin à l'heure du dîner, il le trouva tout animé par une musique endiablée. Le violoneux faisait courir son archet d'une façon fort habile et le violon chantait sur tous les tons d'une voix qui plut aussitôt à Nicolas.

— Vous avez votre acheteur, dit-il.

— Si j'ai bien compris, reprit le marchand, vous l'achetez pour quelqu'un d'autre.

— Oui ! Pour un de mes amis de la région de Drummond.

— Vraiment ? Vous habitez par là ?

— Depuis une douzaine d'année.

— Au village ou dans les rangs ?

— Au village, mais j'ai aussi une terre dans le canton de Wickham.

— Ah, c'est ben pour dire, un de mes clients m'a raconté il n'y a pas deux jours qu'il aurait une bonne terre à vendre par là, au bord de la rivière.

— Moi qui en cherche justement une depuis des années ! Vous pourriez me mettre en contact avec ce client ?

— Certainement, il reste à trois maisons d'icite. Jean-Louis, dit-il à son commis, va donc voir si Brian Logan est chez lui. S'il est là, ramène-le. Dis-lui qu'il aurait peut-être un acheteur pour sa terre du canton de Wickham.

Le commis ramena un vieil homme à barbe blanche, fort en courbettes, avec des yeux bleu de mer ne laissant paraître ni beau temps ni tempête. Nicolas eut du mal à lui soutirer des renseignements sur sa terre, le vieillard ne voulait visiblement pas parler devant le marchand.

Nicolas coupa au plus court :

— Je vais passer vous voir chez vous dans dix minutes, le temps qu'on enveloppe ce violon que je viens d'acheter. Attendez-moi, j'arrive.

Le vieil homme repartit aussitôt. Nicolas se fit expliquer de façon précise, par le commis, où l'homme habitait. Cinq minutes plus tard, il frappait à sa porte.

Cette fois, le vieillard se fit plus loquace. Il baragouinait un peu de français. Mais Nicolas se débrouillait assez bien en anglais, souvenir de ses années dans l'armée. Ils réussirent à se comprendre. Sans avoir vu la terre en question, Nicolas prit une option dessus.

— Si elle me convient, promit-il, je reviendrai d'ici un mois pour l'acheter.

De retour à Drummond, il fit part de la nouvelle à Bernadette, avec beaucoup d'enthousiasme. Il aurait sa terre au bord de la rivière, quitte à vendre celle qu'il possédait déjà.

Le lendemain, en compagnie de Romuald, il accourait chez Bernardin pour lui faire part de la nouvelle. Il réussit à les convaincre de l'accompagner jusqu'au bord de la rivière pour l'aider à retracer les bornes du terrain.

— Ça ne sera pas facile en hiver, objecta Bernardin.

— Mais je sais à peu près où c'est, assura Nicolas. La rivière, par là, fait un grand détour qu'on appelle le «bec du canard». C'est presque vis-à-vis d'ici, à un mille et demi environ.

Ils partirent tous les trois, raquettes aux pieds, par le sentier qui, de la ferme de Bernardin, menait aux environs du cours d'eau. Bernardin, que cette démarche intriguait passablement, s'informa :

— Si cette terre-là te convient, serais-tu prêt à vendre ton habitation ?

— Pourquoi pas, mon fermier attend de l'acheter depuis longtemps. J'en aurais un bon prix. Sais-tu ce que je me bâtirais sur ce terrain ?

— Quoi donc ?

— Une maison d'été. Je rêve de vivre au bord de l'eau depuis des années. Pour moi, j'ai ça dans le sang. Ça doit me venir de mes aïeux de Baie-Saint-Paul. Quand on est né là, on ne peut pas se passer de l'eau bien longtemps.

Quand, après une bonne demi-heure de marche, ils débouchèrent sur une éclaircie au bord de la rivière, ils en déduisirent qu'ils ne devaient pas être loin de l'endroit indiqué par le vieux Logan.

— Il m'a assuré, expliqua Nicolas, qu'il n'y avait dans ce coin-là qu'une seule éclaircie au bord de la rivière, ouverte par lui depuis quelques années.

Ils cherchèrent les tas de roches indiquant les bornes, mais la neige trop abondante ne leur permit pas de les dénicher. Nicolas insista pour se rendre au bord de la rivière. Il avait déjà en tête le camp qu'il désirait y bâtir. Sur le chemin du retour, il ne parla que de ça. Il en fit la description avec tellement d'enthousiasme que Bernardin en conclut :

— Comme ça, Nico, l'affaire est dans le sac ?

Romuald s'inquiéta :

— Qu'est-ce que Bernadette va en penser ? Vous n'aurez plus les revenus de votre ferme.

— Ceux du magasin devraient suffire. Avec tout le bois que je pourrai tirer de ma nouvelle terre, on devrait réussir à arriver sans problème.

De retour chez lui, il s'ouvrit de son projet à Bernadette. Il argumenta tant et si bien qu'elle finit par dire :

— Si tu penses que ça fera notre bonheur, vas-y. Tu ne m'as jamais encore déçue. Une fois de plus, c'est probablement toi qui as raison.

Deux semaines plus tard, son habitation du canton de Wickham vendue, il se portait acquéreur de sa terre au bord de la rivière. Il venait de réaliser un de ses plus grands rêves. Il ignorait encore tous les problèmes que cet achat allait lui causer, sinon il n'aurait jamais conclu ce marché.

Chapitre 32

Conflit et fin

Quand la nature eut fait son travail et qu'au printemps la neige ne fut plus qu'un souvenir, Nicolas se rendit au bord de la rivière et prit réellement possession des lieux. Il engagea un bon charpentier et, en sa compagnie, en moins de deux semaines, construisit son camp au bord de l'eau.

— Maintenant, promit-il à Bernadette, nous pourrons nous reposer en pleine nature. Les enfants vont avoir le plus beau terrain de jeu du monde. Il n'y a rien de plus agréable que d'admirer les étoiles, le soir au bord de l'eau, avec comme musique les bruits de la forêt, le rire des huards, les hululements de la chouette et du grand-duc, mêlés au grondement des rapides et aux coups de gueule du vent.

Si Bernardin l'avait entendu, il se serait moqué en lui disant que le poète venait enfin de se réveiller en lui. Il lui aurait rappelé ce soir-là où, dans la forêt, en route pour Saint-François-du-Lac, Nicolas l'avait ridiculisé parce qu'il s'intéressait aux étoiles. Et il lui semblait déjà entendre son ami clore la discussion en invoquant un adage digne d'Edmond : «Seuls les sots ne changent pas d'idée.»

Cet été-là, ils le passèrent entre Drummond et leur maison d'été du bord de la rivière. Nicolas dut ensuite mettre les bouchées doubles pour ne pas perdre ses clients, passant tout le mois de septembre à reprendre le temps perdu. Fort heureusement, les affaires marchaient bien. «En été, répétait-il, pour se justifier, les gens ont besoin de beaucoup moins de marchandises.»

Au début d'octobre, alors que la forêt affichait ses plus belles couleurs, il voulut reprendre le chemin de sa maison d'été. Il avait élargi le sentier qui, depuis chez Bernardin, courait jusqu'à la rivière. On pouvait maintenant y rouler en charrette. Quel ne fut pas son étonnement quand, à un quart de mille environ de la ferme de son ami, il trouva le chemin barré. Quelqu'un y avait empilé des souches et des branches, empêchant tout passage. Il fut contraint de rebrousser chemin et en profita pour se rendre directement au bureau d'enregistrement des terres. Là, sur un plan, il chercha et trouva l'endroit où le chemin était obstrué. Tout près, au bout d'une clairière, le plan indiquait une maison appartenant à un dénommé Robert Jamieson.

Il s'informa auprès du registraire :

— Qui est cet homme ?

— Un vieil original, un genre d'ermite.

— Est-ce lui qui aurait encombré la route de la sorte ?

— Il en est bien capable. Quand il a une chose dans la tête…

Nicolas se renfrogna :

— Seriez-vous informé de quelque chose que j'ignore ?

— Peut-être bien… Il est venu ici, il y a un mois environ, s'enquérir si le chemin qui passe au bout de sa terre était réglementaire.

— Vous pensez qu'il ne l'est pas ?

— Il l'est puisque, comme tous les chemins de rang, il respecte les normes prescrites et ne rogne pas plus qu'il ne faut sur sa terre. Nous sommes allés vérifier.

— Par conséquent, il n'a pas le droit de l'obstruer ?

— Allez le lui faire comprendre si vous le pouvez. Nous, nous y avons renoncé. Il faudra sans doute l'en convaincre en l'amenant devant les tribunaux.

— En voilà une affaire ! se désola Nicolas. Pour le moment, nous n'avons d'autres choix que de nous y rendre et de dégager la route.

— C'est peut-être la meilleure solution, jusqu'à ce qu'il l'obstrue de nouveau.

Une semaine plus tard, en compagnie de Romuald et de Bernardin, ils dégagèrent le passage. C'était compter sans l'entêtement du vieillard qui ne manqua pas de l'obstruer de nouveau, moins d'un mois plus tard. Nicolas attendit le printemps et résolut d'aller voir le vieil original chez lui, qui l'accueillit en lui braquant sous le nez le canon d'un fusil. Il ne parvint pas à placer un mot et n'eut pas l'impression qu'il réussirait, même avec la meilleure volonté du monde, à lui faire entendre raison. Il décida de porter le litige entre les mains de la justice. Au procès qui suivit, il eut largement gain de cause. Condamné pour méfait public avec ordre de réparer, le vieux Jamieson se fit tellement tirer l'oreille que Nicolas décida de dégager la route lui-même. À compter de ce moment, il n'eut plus à souffrir d'obstacles sur son chemin.

Nicolas faisait souvent appel à l'oncle Romu pour divers travaux. Ce dernier ne refusait jamais, se plaisant en compagnie de son beau-fils. Il l'accompagnait volontiers dans ses expéditions chez ses clients les plus éloignés et cela rassurait Bernadette que son homme ne fût pas seul en pleine campagne. Quant à Romuald, qui ne rajeunissait pas et qui se sentait moins utile à l'auberge, parcourir ainsi la campagne lui donnait l'impression d'un second souffle.

En ce printemps 1831, Nicolas avait un long voyage à faire du côté de Sherbrooke et il se proposait de s'arrêter chez les Abénaquis de Grantham au retour. Il proposa à Romuald de l'accompagner. Ce dernier s'en fit une joie. En route, il dit à Nicolas :

— Mon gars, je t'envie d'être jeune et en bonne santé. Tu ne peux savoir comment je me sens devenir un vieux bonhomme.

Nicolas se moqua :

— Pourtant, vous n'êtes pas trop grognon pour votre âge !

—Moi, peut-être, mais bout de ciarge, mes os commencent à le devenir. Je ne suis plus tout jeune. Soixante-treize printemps! Je commence à les sentir partout et je t'en passe un papier que, comme moi, ils ne sentent pas toujours la rose. C'est vraiment pas drôle de vieillir.

—Allons, vous n'êtes pas si vieux que vous le dites. Vous êtes encore capable de bien suivre.

—Mais pour combien de temps encore? Tout ce que je demande, c'est de partir vite pour n'embarrasser personne.

—Comme je vous connais, l'encouragea Nicolas, ça ne devrait pas traîner longtemps. Vous avez toujours fait les choses net, fret, sec.

La réflexion de Nicolas les fit rigoler un petit moment.

—Où nous amènes-tu? questionna Romuald.

—À Sherbrooke. Je vais y chercher de quoi qui devrait rendre bien des services...

Romuald monta un peu le ton:

—Ça serait-y trop te demander, bout de ciarge, de ne pas parler en paraboles? À mon âge, on a tout vu et tout entendu, tu pourrais bien me dire ce que tu caches derrière ce «de quoi» à aller chercher.

—Tiens! Tiens! se moqua Nicolas, il n'y a pas que vos os qui deviennent grognons.

—Parle pour te faire comprendre! De même, tu n'auras pas à te plaindre de me voir en beau fusil.

—Allons, je n'ai rien à cacher en toute. Je m'en vais chercher deux robes de carriole en peau de chat sauvage. De même, Bernadette ne se plaindra plus, l'hiver, quand je l'amène à notre camp au bord de la rivière.

— Il t'arrive d'y aller en hiver ?

— Je comprends donc ! Ce camp-là devient chaud comme un four dès qu'on fait une attisée avec de bonnes bûches d'érable. Une heure après, je ronronne comme un vieux matou en chaleur, si bien que je suis prêt à me laisser flatter dans tous les sens du poil et ma bonne Bernadette a les mains douces !

— Tu ne me feras pas accroire que tes robes de carriole, c'est tout ce que tu vas faire à Sherbrooke ?

— Allons donc ! Je n'entreprendrais pas un voyage juste pour ça. Comme nous allons coucher là ce soir, demain j'aurai le temps de passer prendre les commandes de trois ou quatre clients. Vous le savez, j'ai toujours fonctionné de même.

Le lendemain matin ils reprenaient la route de Drummond. À cinq heures, ils arrivaient à Durham, où Nicolas s'arrêta pour quelques échanges de marchandises avec les Abénaquis. Profitant de cette halte, Romuald alla « soulager la nature », comme il disait, là où tous les Indiens avaient l'habitude de le faire, derrière une palissade.

Ils regagnèrent Drummond à la noirceur avec, au-dessus de la tête, le grand tableau du ciel piqué de milliers d'étoiles où, pour s'amuser, Romuald feignait de chercher celle de la crèche de Bethléem.

—Vous ne la trouverez jamais, lui dit Nicolas, parce que d'abord ce n'était pas une étoile, paraît-il, mais une comète avec une longue queue comme celle de monsieur Halley. Oh là! là! Comme je m'exprime mal. Si les enfants m'entendaient! Je veux dire, et vous l'aurez bien compris, que la comète de monsieur Halley, qui devrait revenir dans trois ou quatre ans, a une longue queue, pas lui. Mais de toute façon, une comète, par définition, ça ne fait que passer.

— En plein comme nous autres, conclut Romuald.

—Vous avez bien raison, reprit Nicolas. En plein comme nous autres...

Une dizaine de jours après cette virée à Sherbrooke, Romuald tomba malade. Il fut soudainement pris d'une forte fièvre et de nausées. Ludovic le fit aussitôt mettre en quarantaine dans sa chambre afin d'éviter que d'autres puissent attraper sa maladie. Appelé à l'auberge, le docteur Marshall commença par lui faire des saignées. Puis il diagnostiqua la petite vérole.

— Il n'y a qu'une place où il peut l'avoir attrapée, certifia le docteur.

— Où ça?

— Est-ce qu'il est allé dernièrement chez les Abénaquis?

—Oui, il n'y a pas deux semaines.

—Est-ce qu'il y était seul?

—Non! Avec Nicolas.

—La quarantaine pour lui aussi, ordonna le praticien.

Nicolas ne voulut rien savoir d'être confiné dans sa chambre. Il décida de s'exiler dans son camp au bord de la rivière.

—Ça n'a pas de sens que tu restes là tout seul, se plaignit Bernadette.

—Au contraire, c'est ce qui a le plus de bon sens.

—Et si tu es malade?

—Tu enverras un des enfants me voir chaque jour et m'apporter de quoi manger. Si la cheminée fume bien, il n'aura même pas besoin d'entrer pour savoir si je vais bien. Il n'aura qu'à cogner à la porte pour me prévenir de sa venue et laisser les provisions dehors, près de l'entrée. De même, je ne vous donnerai pas la maladie, si jamais je l'ai. Si je l'ai attrapée et que je me sens vraiment très malade, je vous le ferai savoir quand un des enfants viendra.

Il y avait une semaine que Nicolas était à son camp. Tous les jours, Édouard lui portait un peu de nourriture et s'assurait qu'il allait bien. Bientôt, il lui annonça la mort de Romuald. Comme il ne se sentait pas malade, Nicolas décida qu'il en avait assez de la quarantaine et revint à la maison, à temps pour assister aux funérailles de son beau-père. Par crainte de la contagion, on s'empressa de mettre le défunt dans un cercueil qu'on recouvrit tout de suite. La cérémonie fut toute simple. Une cinquantaine de personnes se déplacèrent pour offrir leurs condoléances à Émilie. Après la bénédiction, le cercueil fut porté au charnier en attendant le dégel printanier, pour l'enterrement au cimetière.

En assistant à la cérémonie, malgré sa peine, Nicolas ne put réprimer un léger sourire en repensant à la conversation qu'il avait eue deux semaines auparavant avec son beau-père.

— Vraiment, dit-il, il a fait ça net, fret, sec.

Il se rendit compte qu'il avait parlé à voix haute quand Bernadette lui demanda :

— Qu'est-ce que tu dis là ?

Nicolas eut pour toute réponse :

— Rien ! Je me parlais à moi-même.

La mort avait fait son œuvre une fois de plus. Toutefois, personne d'autre ne fut atteint de la petite vérole, malgré le retour prématuré de Nicolas à Drummond.

— Il y avait un bon Dieu pour nous, commenta Émilie. Vraiment, le bon Dieu a été bon.

— Comment, lui demanda Nicolas, Dieu pourrait-il être mauvais si vous l'appelez le bon Dieu ?

Émilie haussa les épaules.

— Toi et tes questions idiotes ! répliqua-t-elle.

La perte de Romuald l'affecta beaucoup plus qu'elle voulait bien le laisser paraître, à tel point que Ludovic en fit la remarque à Dorothée, quelques mois plus tard :

— Vraiment, depuis le départ du beau-père, ta mère a pris un coup de vieux.

Chapitre 33

Les problèmes d'Emmanuel

Emmanuel était maintenant en âge de fréquenter l'école. Il s'y rendait fidèlement tous les jours de la semaine, avec ses autres frères et la petite Éphigénie. Si Éloi avait fort bien progressé et se trouvait maintenant au Séminaire de Nicolet, Édouard et Éphrem avaient mis plus de temps à apprivoiser la lecture et l'écriture. Cependant, Emmanuel semblait tout à fait incapable d'y parvenir. Quant à la petite, si elle apprenait très vite, son élocution s'avérait difficile, en raison de son infirmité.

Le soir, à la maison, Élise tentait par tous les moyens de faire lire des textes faciles à Emmanuel. Il butait sur chaque mot. Pourtant, il connaissait par cœur l'alphabet, qu'il récitait sans problème, mais le moindre exercice de lecture et d'écriture le plongeait dans une totale confusion.

— Les lettres et les mots sautent comme des moutons, disait-il. Ils se déplacent sur la feuille.

Patiemment, Élise le reprenait :

— Explique-moi mieux ce que tu veux dire.

— Les mots, ils changent de place.

— Les mots ou les lettres?

— Les deux.

— C'est pour ça que tu ne peux pas les lire?

— On dirait qu'ils sont en vie.

Plus il tentait de lire, plus tout s'embrouillait sous ses yeux. De dépit, il finissait par fondre en larmes. Avec une patience d'ange, Élise le faisait travailler tous les jours. Cependant, ce qu'il semblait réussir un peu mieux la veille, il le faisait tout de travers le lendemain. Élise n'y comprenait rien, pas plus que Nicolas qui croyait qu'Emmanuel ne se concentrait pas assez. Après quelques mois de travail sans résultats appréciables, il fallut bien se faire à l'idée qu'il n'apprendrait jamais à lire ni à écrire. Mais c'était compter sans la ténacité d'Élise. Voyant qu'elle n'arriverait à rien par la lecture et l'écriture, elle décida, puisqu'il était tout de même fort intelligent, de lui apprendre au moins à bien parler. Elle adopta la méthode pratiquée par son père avec Éloi et elle.

Emmanuel continua à fréquenter l'école. De retour à la maison, elle lui faisait apprendre une longue liste de mots dont elle lui donnait le sens, les lui faisant répéter jusqu'à ce qu'il les sache par cœur. Elle composait ensuite des phrases dans lesquelles elle introduisait certains de ces mots et il devait dire si ceux-ci convenaient au contexte des phrases. À défaut de savoir lire, répétait-elle, il saurait parler.

Un après-midi, il arriva de l'école en tenant par la main une Éphigénie en pleurs. Tout comme la petite,

Emmanuel ne semblait pas dans son assiette. Leur mère s'informa aussitôt :

— Ma foi du bon Dieu, pouvez-vous me dire ce qui vous arrive ?

— En revenant à la maison, il y en a un qui a ri d'Éphigénie, dans la rue, devant tout le monde.

— Qui ça ?

— Jimmy Sanders.

— Un des garçons du marchand Sanders ?

— Oui !

— C'est pour ça que ta petite sœur pleure ?

— Oui !

La petite sanglotait toujours.

— Est-ce qu'il lui a fait mal ?

— Il l'a tiré par les tresses et il l'a fait tomber.

— Qu'est-ce que tu as fait ?

— Je l'ai corrigé comme il faut.

— Tu l'as corrigé ?

— Je lui ai donné un coup de poing sur le nez assez fort qu'il s'en est allé chez lui en saignant et en braillant. Il ne rira plus de ma sœur.

— Est-ce que c'est lui qui a commencé ?

— Certain ! Il lui faisait des grimaces et lui courait après pour lui tirer les tresses.

— Très bien, dit Bernadette. Nous allons oublier ça pour tout de suite et nous en parlerons à votre père ce soir. Nous verrons ce qu'il dira de tout ça.

Informé des événements, Nicolas n'attendit pas au lendemain pour mettre les choses au clair. Il dit à Emmanuel :

— Tu viens avec moi ? Nous allons chez les Sanders.

Ils n'eurent qu'à traverser la rue de biais. Nicolas ne laissait pas pourrir une situation. Il allait droit au but. C'est ce qu'il fit quand Samuel Sanders vint répondre.

— Monsieur Sanders, je viens vous apprendre que votre fils s'est moqué de ma fille Éphigénie, qui est affligée d'une infirmité.

Le marchand Sanders l'interrompit :

— *What ?* dit-il.

Dans son anglais rudimentaire, Nicolas parvint tout de même à faire comprendre le pourquoi de sa visite.

Quand il eut saisi de quoi il s'agissait, Samuel Sanders vira au cramoisi. Il hurla quelque chose dont Nicolas finit par comprendre le sens général. En somme, selon la version du fils Sanders, la petite lui avait couru après et donné un croc-en-jambe qui expliquait son saignement de nez.

— Ce n'est pas du tout la version de mon fils, ici présent, qui dit avoir corrigé lui-même votre fils pour ses agissements à l'égard de notre fille infirme.

Le marchand ne voulut rien savoir de plus et il s'apprêtait à leur fermer la porte au nez quand Nicolas s'interposa pour le prévenir :

— Si votre fils se permet de nouveau ce genre de conduite et que vous ne le corrigez pas, je verrai à ce qu'il ne recommence pas.

Il ajouta :

— Je suis homme à respecter mes voisins. Je ne vous ai fait aucun tort jusqu'à présent, j'attends de vous que vous ayez la même conduite.

Le marchand l'envoya promener en le traitant de « *son of a bitch* ».

— *Son of a bitch* toi-même! répondit Nicolas.

En traversant la rue pour revenir chez lui, il pesta contre ces gens qui se croient supérieurs et refusent d'admettre des évidences: pourquoi Éphigénie s'en serait-elle prise à Jimmy Sanders?

Il avait tourné la page depuis longtemps sur cette chicane d'enfants quand, un jour, Emmanuel revint à la maison la figure en sang. Il expliqua à son père, qui ne tolérait pas que ses enfants règlent leurs problèmes à coups de poing, qu'il n'avait eu d'autre choix que de se défendre. Avec deux de ses amis, le jeune Sanders lui était tombé dessus, à la sortie de l'école.

— Pour quelle raison?

— Je ne sais pas!

— Il y a toujours un motif derrière toute action.

— Il voulait se venger pour l'autre fois.

— Et, si je comprends bien, il ne l'a pas fait seul parce qu'il craignait de ne pas avoir le dessus? Comment as-tu fait pour leur échapper?

— J'ai donné un coup de poing à Jimmy, j'ai envoyé une savate à Andrew et j'ai rué dans le gros Brock.

Nicolas examina de près le visage d'Emmanuel.

— Ils ont quand même réussi à t'amocher passablement la figure.

— Astheure que je le sais, se promit Emmanuel, la prochaine fois, je ne les manquerai pas.

— Parce qu'il va y avoir une prochaine fois?

—C'est certain ! Ils vont encore essayer de me battre.

—S'il y a une prochaine fois, je vais m'arranger pour que ce soit la dernière.

Quand, quelques jours plus tard, les trois mêmes voulurent une fois encore s'en prendre à Emmanuel, ils eurent Édouard et Éphrem sur le dos. Le jeune Sanders et ses comparses goûtèrent à l'eau glacée de la rivière, et à compter de ce jour-là, les frères Grenon se firent la réputation d'être des gaillards qu'on ne pouvait intimider.

—Ça va leur éclaircir l'esprit, laissa entendre Édouard, avec un regard malicieux.

—En autant qu'ils en ont un, conclut Éphrem en riant.

Emmanuel s'informa :

—Comment ça se fait que vous étiez là juste à temps ?

—P'pa nous avait dit de veiller un peu sur toi, p'tit frère... Après tout, t'as encore presque la couche aux fesses !

Chapitre 34

Départs

Élise, l'aînée de la famille, fut la première à quitter le toit paternel. Au milieu de l'été 1835, sur la recommandation du maître d'école Apollinaire Letendre, elle fut contactée par Hilaire Caya, habitant du septième rang d'Headville, qui se démenait afin de trouver quelqu'un capable d'enseigner à lire et à écrire aux jeunes enfants des familles des rangs six et sept, leur évitant de la sorte un long trajet jusqu'à l'école du village.

Élise fut d'abord tout étonnée d'être contactée pour ce travail. Qui avait bien pu les informer de son intérêt pour l'enseignement? Manifestement, elle démontrait en ce sens de si belles aptitudes, dont Emmanuel avait été le premier bénéficiaire, que le mot s'était passé.

— Vous vous rendez compte, m'man? Je serai logée et j'aurai un salaire de vingt livres pour l'année, sans compter les trois chelins et quatre deniers de plus par élève que j'obtiendrai des parents en mesure de payer.

Et si des enfants viennent de familles incapables de payer pour les faire instruire, je recevrai dix chelins de plus par enfant instruit gratuitement.

— Tu vois, dit Bernadette, ton bon travail est enfin reconnu et récompensé.

— Une chose me peine, ajouta Élise. Je partirai longtemps de la maison.

— Mais avec tes écoliers, l'encouragea sa mère, tu auras comme une nouvelle famille.

— C'est vrai ce que vous dites, m'man. Et après tout, aux vacances des fêtes et de l'été, je pourrai venir vous voir.

— La vie est faite de même, ma grande, tu sais. Il arrive toujours une journée où on doit laisser ses parents et sa famille pour s'assurer de gagner sa vie. Des fois, comme moi, on part pour se marier, d'autre fois c'est pour travailler, mais c'est assuré qu'un jour on est obligé de partir. Il faut fermer les yeux et se dire : la vie continue.

— Après tout, approuva-t-elle, je suis chanceuse, puisque Headville est tout près.

Sa mère la regarda avec tendresse.

— Nous pourrons même aller te voir parfois à ton école avec Éphigénie.

À la fin d'août, Élise partit pour Headville. Sa grand-mère Émilie, en compagnie de Dorothée, vint assister à son départ. Elle tenait à être là pour voir partir, disait-elle, l'aînée de ses petits-enfants.

◦∫∘

Depuis la mort de Romuald, Émilie était très peu sortie de l'auberge. Elle tenait toujours à y recevoir ses enfants et petits-enfants, le dimanche, mais en réalité c'était à Dorothée qu'incombait le plus gros du travail.

— Ta vieille mère, disait Émilie, a perdu pas mal de plumes. Parfois je me sens trop vieille pour tout ce que j'ai à faire. Heureusement que tu es là. Jamais je n'aurais pensé me rendre à l'âge que j'ai.

Quand Dorothée l'entendait parler de la sorte, elle la reprenait instantanément :

— Soixante-dix ans, m'man, c'est pas si vieux que ça !

— Soixante-treize ans, ma fille, c'est assez vieux pour avoir vu mourir deux maris.

— Il y en a ben manque qui se rendent jusqu'à quatre-vingts.

— Ça dépend de la vie qu'ils ont faite, ma fille. On dirait que plus on travaille dur, plus on est endurant.

— Là, m'man, vous pouvez pas savoir comme vous avez raison. Vous avez travaillé dur, vous êtes bonne pour vous rendre à cent ans.

Émilie rit un moment.

— Me vois-tu à cent ans ? De quoi j'aurais l'air ? D'une vieille pomme ratatinée. Non, ben crère, comme aurait dit votre père, que je ne me rendrai pas là.

L'automne, cette année-là, fut passablement rude. Le jour des morts, déjà une petite neige laissa présager un hiver coriace. Il arriva avec ses froidures au début de décembre. Dès que la neige étendit son premier manteau, Émilie ne mit plus le nez dehors. Déjà, elle s'affairait à préparer les gâteries culinaires du temps des fêtes. Le deuxième dimanche de décembre, elle reçut les siens comme elle l'avait toujours fait. Mais le lendemain, fiévreuse et souffrant d'une toux profonde, elle prit le lit. Le docteur Barron fut appelé à son chevet. Il diagnostiqua une grippe sévère. Rappelé d'urgence le lendemain, il déclara que la grippe avait dégénéré en pneumonie.

— Si elle est assez forte, dit-il à Dorothée, votre mère pourra peut-être passer au travers, mais n'y comptez pas trop.

Dorothée prévint Nicolas qui expédia Éphrem avertir Bernardin et Marie-Josephte. Ils accoururent à l'auberge. La maladie emporta Émilie au cours de la nuit.

— Je lui disais qu'elle se rendrait à cent ans, il y a de cela quelques jours à peine, se désolait Dorothée.

— Sans cette maladie, elle aurait bien pu se rendre jusque-là, remarqua Marie-Josephte. Elle l'aurait bien mérité tant elle a travaillé.

— Tout au long de sa vie, dit Nicolas, notre mère n'a jamais dérangé personne. Elle s'est arrangée pour mourir de la même manière. Elle est partie aussi vite que notre père, en ne faisant pas plus de bruit. Je pense bien que notre mort nous ressemble un peu.

Avec le décès d'Émilie se terminait un chapitre important de la vie des Grenon. Ils ne ménagèrent rien pour que leur aïeule puisse reposer en paix au cimetière de Drummond, dans ce qui était devenu pour elle une terre d'exil. Elle y avait passé près de vingt ans. Sa plus grande consolation, en ce lieu, avait été de pouvoir jouir de la présence de ses enfants et de ses petits-enfants. Lors du service religieux à l'église de Drummond, le curé fit à travers elle le panégyrique de toutes celles et de tous ceux qui, dans la vie, quittent leur milieu natal pour vivre loin de leur famille afin de se consacrer entièrement à celle qu'ils ont créée : « Ce sont, comme la défunte Émilie, des âmes exceptionnelles pour qui la vie est souvent synonyme de générosité et de don de soi. Avec son départ, soyez-en assurés, vient de se tourner une précieuse et riche page de vie. »

En présence de ses enfants, de son gendre, de sa bru et de ses petits-enfants, elle fut inhumée dans le lot familial, auprès de Romuald. Une seule de ses enfants, Alicia la religieuse, ne put assister à son enterrement. Nicolas le déplora :

— Il a suffi, remarqua-t-il, qu'elle se donne au bon Dieu pour qu'on la perde à jamais. Moi je n'y comprends vraiment rien.

Les premières pelletées de terre recouvraient à peine le cercueil, que Dorothée, au sortir du cimetière, prévint son monde :

— C'est pas parce que m'man est partie qu'il faut que la tradition meure avec elle. Dimanche midi et tous les dimanches, nous continuerons à dîner tous ensemble à l'auberge.

Chapitre 35

Retour sur le passé

Parfois, les soirs d'hiver semblaient ne devoir jamais se terminer. Réunis autour du feu, chacun plongeait dans ses pensées pendant que les minutes sombraient une à une au rythme du sablier. Les enfants avaient vieilli. Nicolas les sentait suffisamment mûrs pour entendre le récit de certaines de ses aventures de guerre. Sans qu'ils aient eu besoin, cette fois, de le supplier de raconter, il les réunit autour de lui et leur dit :

— Vous m'avez demandé souvent de vous parler de ma vie de soldat. J'attendais que vous soyez en âge d'entendre ce que j'ai à dire. Je n'ai jamais eu idée d'en faire un mystère, il y a déjà eu assez de secrets dans notre famille. Avant mon départ en France, j'avais alors dix-huit ans, mon père m'a raconté un peu sa vie de jeunesse. Je ne l'ai jamais oublié. Voilà pourquoi je vais faire la même chose pour vous. Une seule raison m'a retenu de vous en parler avant aujourd'hui : ce que j'ai à raconter n'est pas très beau. Ce n'est pas le bout de ma vie dont je suis le plus fier et je fais tout mon possible pour l'oublier, même s'il m'est resté gravé dans la mémoire et me revient sans cesse comme un mal de cœur.

«Si vous voulez savoir comment je suis entré dans l'armée, vous le demanderez à votre mère ou encore à votre tante Marie-Josephte, je le leur ai déjà raconté. Je pense que vous serez plus intéressés d'entendre parler de mes débuts comme soldat et ensuite de la première fois où je me suis battu.»

— C'est ça! approuvèrent les garçons.

Trop jeune et trop sensible pour supporter de tels récits, Éphigénie fut priée de se réfugier dans sa chambre et ne se le fit pas dire deux fois. On entendait le crépitement du bois dans l'âtre. Nicolas baissa la tête, se passa la main sur le front comme il lui arrivait souvent de le faire lorsqu'il devait se concentrer, et commença:

— Nous avons marché, mon ami Jérôme et moi, vers Landau, en Allemagne, en pensant à tout ce que nous laissions derrière nous. Je me demandais quelle folie nous avait menés jusque-là. Nous nous étions fait piéger et nous étions désormais forcés de devenir soldat. J'étais plein de regrets. Je revoyais mes parents, mes sœurs, mes amis. Qu'est-ce qu'ils allaient penser de tout ça? Je n'osais pas leur écrire. Je repensais à Baie-Saint-Paul, à la rivière du Gouffre. Il me semblait que nous venions à peine de quitter les nôtres...

«Mon ami Jérôme ne pensait pas comme moi. Il était tout à fait satisfait de son sort. Il m'a dit: "Tu ne peux pas t'imaginer, Nico, comme je suis heureux d'aller me battre contre des hommes plutôt que contre des cabestans et des voiles récalcitrantes." Je l'ai raisonné : "Ça ne te fait rien d'être obligé de marcher comme nous le faisons ?" "Nous voyons du pays, quoi demander de mieux ?" "Et si nous y laissons notre peau ?" "Pourquoi penser à ça ? Pour le moment, nous avons tout ce qu'on peut souhaiter." »

Édouard demanda :

— Pourquoi vous alliez en Allemagne ?

— Pour notre entraînement dans l'armée de Napoléon.

— Ça vous a pris beaucoup de temps pour arriver là ?

— Huit jours ! Nous n'avons pas marché tout ce temps. Nous avons d'abord fait route à bord d'une patache qui nous a conduits jusqu'à Rouen. Mais après, nous avons continué à pied, de vingt à vingt-cinq milles par jour.

Emmanuel s'enquit :

— Qu'est-ce qu'une patache ?

— Une patache, c'est une charrette qui va très lentement.

Attentifs à tout ce que disait leur père, les garçons ne bronchaient pas. Ils ne voulaient pas perdre un mot de l'histoire. Leur père les avait prévenus qu'il la leur raconterait une seule fois et qu'il ne reparlerait jamais plus de ses années de soldat. Il poursuivit :

— Un matin, après une nuit passée dans un pré à la belle étoile, des colonnes de brumes ont monté çà et là comme l'haleine de la terre. Le soleil a fini par

percer ce voile et, du coup, tout le paysage s'est déman-
tibulé comme un château de cartes. Des ombres étaient
toujours endormies dans les rues du village et les fenê-
tres des maisons reflétaient sur le sol des mauves et des
oranges. Je m'en souviens comme d'hier. Je songeais
à ceux qui, comme nous, étaient, en ce moment,
engagés dans le même voyage. Je me suis aperçu ce
jour-là que je devais oublier tous mes rêves si je ne
voulais pas qu'ils me suivent tous les jours dès mon
réveil. J'allais devenir soldat de la Grande Armée et
mon rêve consisterait désormais à rester vivant.

« J'ai dit à Jérôme : "Te rends-tu vraiment compte de
ce que nous devenons ? Hier, nous étions libres comme
des oiseaux. Mais nous voilà maintenant en cage."
Jérôme était toujours resté d'une humeur égale. Il a
répondu : "L'armée est une cage dont nous pourrons
sortir un jour." "Sur nos deux jambes ou les pieds
devant ?" "Sur nos deux jambes, tu le verras bien. Nico,
aurais-tu oublié que la chance a toujours été de notre
bord ? Pourquoi elle nous lâcherait maintenant ?" "Ça
ne prendrait pas grand-chose, tu sais, une balle perdue,
un coup de sabre dans le dos." "Allons ! a-t-il protesté.
Toi et tes idées noires. Pense donc à tout le bon qui
nous attend."

« Pour m'aider à me changer les idées, il s'est mis à
chanter. Il avait une belle voix. J'ai voulu le faire taire,
il n'en a pas moins continué. Dans sa chanson, il y
avait des militaires se disputant le cœur d'une belle. Il
a fini par m'avoir avec sa chanson, parce que, parvenu
au dépôt, j'avais retrouvé ma bonne humeur. »

Toujours aussi éveillé, Emmanuel demanda :

— Qu'est-ce que le dépôt ?

— L'endroit où on entraînait les recrues à devenir soldat. C'était précisément à Landau, en Allemagne. À peine étions-nous arrivés qu'on nous a donné un uniforme et qu'on nous a mis un fusil dans les mains. Ce qui nous a fait plaisir à Jérôme et à moi, c'est qu'on nous a placés dans la même compagnie du même régiment. Tout de suite ça été les exercices militaires. Ça pressait, l'empereur avait toujours besoin de nouveaux soldats pour remplacer ceux morts par milliers sur les champs de bataille.

« Dès le deuxième soir après notre arrivée, nous avons couché à la belle étoile, comme nous l'avons fait des dizaines de fois par la suite. Après, nous avons fait des exercices. Nous avons appris à reconnaître les divers roulements de tambour et nous avons toujours été en pleine activité : corvées de vaisselle, maniement du fusil, de la baïonnette et du sabre. Nous n'avions pas le droit de rouspéter. Nos instructeurs nous ont domptés rapidement et ont fait de nous de grands marcheurs. Je ne pensais jamais qu'un homme pouvait marcher autant que nous avons marché. »

Étonné, Édouard demanda :

— Vous n'aviez pas de voiture ni de chevaux ?

— Nous étions beaucoup trop nombreux. Nous ne pouvions compter que sur nos deux jambes. Après trois mois d'entraînement, nous avons pris la route au petit matin, au son des tambours, avec sur le dos tout notre attirail et des rations de nourriture pour le casse-croûte du midi. Quelques charrettes nous ont précédés pour le transport des pièces lourdes, comme les canons. Il faisait froid. Pour nous réchauffer, nous étions toujours portés à marcher vite. Notre capitaine nous a prévenus chaque fois : "Vous devez ménager vos forces et mesurer vos pas. La Prusse n'est pas tout à côté ! Vous devez y arriver tout d'un morceau et prêts à combattre. Une, deux, une, deux ! La tête droite, le cœur chaud, les oreilles molles. Une, deux, une, deux !" J'ai demandé : "Quand combattrons-nous ?" Le capitaine a répondu : "Ça viendra en son temps, mais ce n'est pas demain la veille."

« Je m'étais inquiété pour rien. Nous n'étions que des recrues amenées en renfort en cas de besoin. Les paysans nous regardaient défiler en secouant la tête, et ceux qui avaient déjà porté l'uniforme le faisaient avec des yeux remplis de pitié. Les femmes avaient ordinairement beaucoup de douceur dans le regard, on comprenait qu'elles avaient sans doute un mari, un frère ou un fils à l'armée. Les enfants trottaient un bon moment en notre compagnie, puis en même temps qu'ils disparaissaient, le bourg s'effaçait derrière nous comme une page qu'on tourne. Un autre village se dessinait au loin. Des femmes nous lançaient des fleurs, des enfants applaudissaient sur notre passage. Nous étions bien accueillis. On nous tendait des tasses d'eau, on nous encourageait. Quelques-uns marchaient au pas à nos côtés, puis le village disparaissait derrière nous et nous nous apercevions soudain que nous avions la gorge et les yeux chargés de poussière. »

— Est-ce que vous pouviez vous arrêter pour boire ? risqua Ernest.

— Parfois. Ça dépendait où nous étions et aussi de l'humeur des officiers. Plus nous avons avancé, moins nous avons vu de monde sur notre passage, comme si les habitants de ces villages étaient las de voir passer des soldats. Malgré ces longues marches, Jérôme n'avait pas perdu sa bonne humeur. "Te rends-tu compte ? ne cessait-il de répéter. Nous voulions voir du pays. Nous sommes servis. En plus, nous sommes nourris et logés, et nous touchons un salaire." "Tu as raison, lui disais-je, mais tu oublies qu'au printemps, nous ne pourrons pas retourner chez nous."

D'une voix émue, Emmanuel demanda :

— Ça ne lui faisait rien, à Jérôme, de ne pas pouvoir revenir ?

— Non, il était heureux d'être soldat et quand on est bien dans ce qu'on fait, on ne s'ennuie pas. Où en étais-je ?

— Vous marchiez pour aller en guerre.

— C'est ça ! Tant que nous avons été près de la France, on a été bien accueillis. Chaque soir, on nous plaçait dans des familles où nous allions passer la nuit. Mais à certains endroits, on nous a reçus de façon plus réservée. Certains en avaient assez de ces soldats qui, tous les soirs, comme des moineaux sur un tas de fumier, s'invitaient sans gêne chez eux pour manger et dormir. Il avait suffi parfois d'une mauvaise expérience pour que les plus tolérants des hommes prennent en grippe tout ce qui porte un fusil. Il est vrai que des soldats, ils en avaient vus beaucoup et que tous n'étaient pas des enfants de chœur.

— Vous étiez nombreux? s'informa Éphrem.

— Des milliers!

— Tant que ça?

— Oui! C'est ça, une armée. Nous avions, jusque-là, été accueillis chez les gens comme de braves soldats de Napoléon, mais un soir j'ai appris que tous les habitants n'avaient pas le même culte pour l'empereur et ses soldats.

« Le sort m'a fait échouer chez un meunier pour la nuit. Sa femme, une rougeaude à l'air rébarbatif, a jeté une paillasse dans un coin. J'ai compris que ce serait mon gîte. J'ai eu beau, à plusieurs reprises, tenter d'entamer la conversation, je n'ai eu pour toute réponse que des grognements m'invitant à me taire. Tout ce qu'elle a servi au repas, à son mari et à moi, c'est du pain sec et du fromage. Le maître farinier n'a ouvert la bouche que pour manger. Tant que je ne l'ai pas interrogé sur son métier, il n'a pas produit un son. Il m'a fallu faire bien des détours pour parvenir à l'amadouer. "C'est un beau moulin que vous avez là." "Ouais!" "Vous y travaillez depuis longtemps?" "Ouais!" "Votre père l'a fait tourner avant vous?" "Ouais!" "J'aimerais bien le visiter. Si j'en juge par l'excellent pain que je viens de manger, vous produisez de la fameuse bonne farine." "La meilleure du pays!"

« Je venais de faire mouche, je le savais et j'ai profité de cet avantage pour revenir à la charge: "Je ne m'y connais pas bien en blé et farine. Il faut sans doute bien des années pour devenir un bon meunier et produire de la farine de cette qualité. Je suppose que vous êtes maître dans votre métier ?” “Ouais ! Depuis bientôt vingt ans.” “J'admire les gens qui ont du métier : ce sont eux, dans tous les domaines, qui nous rendent la vie meilleure. Du bon pain, on n'en trouve pas partout ; il faut d'abord et avant tout de la bonne farine.” “Tu vois, a grogné le bonhomme, en s'adressant à sa femme, c'est pas moi qui le dis, ton pain est bon parce que ma farine est excellente.”

« Profitant de mon avantage, après l'avoir flatté comme il faut sur sa farine, je suis revenu à ma première idée : “J'apprécierais bien, avant la tombée de la nuit, que vous me fassiez visiter votre moulin.” Cette fois, ma demande n'est pas restée lettre morte. Cependant, il est demeuré méfiant. “Pourquoi veux-tu visiter mon moulin ? Pour mieux me voler ensuite ?” “Parce que je n'en verrai pas de si beau avant longtemps. Je m'en vais en guerre chez les Prussiens. C'est peut-être bien le dernier que je verrai.”

« Il m'a regardé curieusement. J'ai deviné que les Prussiens ne lui disaient pas grand-chose. Il a enlevé son bonnet, a gratté son crâne qu'il avait à moitié chauve, s'est levé lentement, a attrapé un fanal au passage. J'avais gagné la partie, je l'ai suivi dans l'escalier menant à l'étage du moulin, dont les grandes ailes tournaient au ralenti. Il m'a montré la trémie, la meule fixe, la meule flottante, le frein, en m'expliquant leur fonctionnement.

« Arrivé près du blutoir, il s'est mis à pester contre un taquet qui tenait mal et s'ouvrait sous l'effet des vibrations, et a tenté en vain de l'ajuster. "Je connais un truc pour le faire tenir", lui ai-je dit. Il m'a jeté un regard incrédule. J'ai demandé : "Vous avez un riflard ou une lime ?" Il en a tiré une d'un vieux coffre. En moins de deux, j'ai biseauté le bout du taquet qui a cessé aussitôt de bouger. Le bonhomme m'a regardé d'un air sceptique, se demandant sans doute où j'avais appris ce truc et si le taquet ne sauterait pas dès que nous aurions le dos tourné. Je l'ai rassuré : "Il tiendra ! C'est tout simplement parce qu'il n'appuie plus complètement ; il n'aura plus tendance à tourner." "J'aurais cru le contraire", a-t-il dit, étonné. J'ai expliqué : "C'est justement notre erreur !"

« Le meunier a jeté un coup d'œil méfiant vers le taquet qui n'avait pas bougé. Par cette astuce, je venais de m'en faire un ami. Après notre visite, le bonhomme m'a offert un verre puis deux, remontant dans son passé de meunier, bâti de mille et un faits cocasses dont il ne se lassait pas de parler. J'ai dû l'interrompre quand, après les fatigues du jour, le sommeil m'a gagné par un long bâillement et une lourdeur des paupières. J'ai eu droit à un lit dans une petite chambre blanche comme la plus pure de ses farines. »

Ernest s'étonna :

— P'pa ! Vous étiez reçu de même tous les soirs dans des familles pour coucher ?

— Pas tous les soirs, mais presque. Pour en revenir à mon meunier, tôt à l'aube, après avoir payé ce que je lui devais, parce qu'on nous donnait de l'argent pour ceux qui nous recevaient, j'ai englouti quelques tranches de pain frais et fais mes adieux à un homme et une femme au regard sympathique qui m'ont accompagné jusqu'à la porte du moulin. Je me suis empressé d'aller rejoindre ma compagnie en face de l'hôtel de ville. Jérôme m'attendait avec un air renfrogné. "Je n'ai pas dormi de la nuit, a-t-il dit. Il y avait tellement de vermine que je n'étais pas seul dans mon lit."

«Au lieu de le plaindre, je me suis mis à rire et à le taquiner : "Si tu menais une bonne vie comme moi, tu aurais certainement dormi toi aussi dans de beaux draps blancs, comme l'a fait ton serviteur ici présent." "C'est ça, moque-toi, a-t-il grogné. Un jour ce sera mon tour et je saurai bien te le mettre sur le nez."

«Nous avons repris la route aux roulements des tambours. Le temps, demeuré frais, nous a permis une fois de plus de parcourir d'un bon pas au moins sept lieues. Le soir venu, j'ai trouvé refuge dans une ferme dont ni le maître ni sa femme n'ont daigné m'adresser la parole, à croire qu'ils étaient muets. La magie de la veille n'a pas opéré. La femme m'a jeté une écuelle comme à un chien et, même si j'avais bien payé mon écot, m'a indiqué une paillasse au fond du grenier.

«Le lendemain, ç'a été au tour de Jérôme de se moquer : "Monsieur n'a pas eu droit à un traitement de faveur comme moi?" "Quel traitement de faveur?" "Un lit douillet et une jolie demoiselle pour m'y tenir compagnie." "Tu veux rire de moi?" Jérôme s'est esclaffé. "Tu ne serais pas jaloux, par hasard?" "Moi, jaloux! Allons donc, me crois-tu assez naïf pour te croire? La fille est certainement le fruit de ton imagination. Rien n'empêche que parfois, j'aimerais que les règlements pour notre répartition chez les habitants soient moins rigoureux. Mais que faire et que dire!" "Tu sais comme moi comment ça se passe, a repris Jérôme. Deux ou trois heures avant notre arrivée dans le bourg ou la ville où nous devons passer la nuit, le maréchal de logis nous précède et prévient les maires, les échevins et les syndics de notre arrivée. C'est pour ça que dès notre entrée dans le bourg, tout ce beau monde nous passe en revue." "Je sais, ai-je dit. Je t'avoue qu'au fond j'aime autant bivouaquer dans une grange ou dans un lieu à l'écart que d'être expédié, à la grâce de Dieu, chez l'un ou l'autre des habitants du lieu. Le sort ne m'a pas favorisé la nuit dernière, tu peux en être certain : des grogneux de premier ordre!"»

— Vous avez parcouru combien de lieues comme ça? interrogea Emmanuel.

— Des centaines, sinon des milliers. Marcher, c'était ce que nous faisions tous les jours, tant que nous n'étions pas rendus au champ de bataille.

— Aviez-vous des journées de congé comme à l'école?

— Oui, de temps à autre. Ainsi, après quelques jours de marche, nous sommes arrivés enfin dans une ville dont j'ai oublié le nom, heureux de pouvoir nous y arrêter pendant deux jours. La halte était fort méritée. Le sort cette fois nous a favorisés, Jérôme et moi, parce que notre capitaine, le sieur de Maubert, et son lieutenant, le sieur de Maricourt, ont décidé que nous logerions, tout comme eux, à l'auberge de *La Bonne Guerrière*. Pourquoi nous? Je l'ignore encore. L'aubergiste, un joyeux luron à la bouche tordue comme un tire-bouchon, avec un regard vif et la répartie facile, a été tout heureux de nous accueillir. La nourriture a abondé, le vin a coulé à flot, la pension s'est avérée abordable, nous n'aurions pu demander mieux.

« Toute la soirée, une rougeaude a tourné autour de nous. Ses œillades en disaient long sur ses intentions. Nous avons réussi à nous en défaire en nous éclipsant sur la pointe des pieds, sous prétexte de besoins pressants. L'auberge entière a ri, chanté, pleuré, s'est lamentée, a crié et a recommencé sans se lasser. Ç'a été impossible de dormir. Il a fallu attendre que le vin fasse enfin son travail et vienne à bout des plus récalcitrants. »

Curieux, Édouard demanda:

— Est-ce que vous vous êtes levés de bonne heure le lendemain matin?

— Quand bien même nous aurions voulu nous lever tard, nous étions tellement habitués à nous lever tôt que nous n'avions plus sommeil. D'ailleurs, c'était dimanche, et les cloches des églises ont éveillé la ville à l'aurore.

« Ç'a été pour tous une journée chômée. On en a profité pour remettre de l'ordre dans notre fourbi. La journée s'est étirée à jouer au lansquenet et aux dames. L'aubergiste était heureux: toutes ses chambres occupées, ses affaires ne pouvaient aller mieux. Même si c'était le dimanche et qu'il n'avait pas le droit de le faire, il nous a promis une traite au dîner et a ajouté : "Et des femmes tant que vous en voudrez !"

« La rougeaude de la veille, comme toutes ses compagnes, a recommencé ses œillades. Après avoir annoncé le couvre-feu, à neuf heures, le capitaine Maubert nous a dit discrètement : "Attention à vos goussets !" Il y avait à peine cinq minutes que j'étais couché que quelqu'un est entré dans ma chambre. J'ai fait semblant de dormir, par une respiration régulière. Quand je fus certain que quelqu'un était à fourrager dans mes hardes, à la recherche de ma bourse, je me suis levé d'un bond en hurlant : "Au voleur !" C'était une des servantes qui n'a pas attendu son reste pour déguerpir, pendant que j'étais pâmé de rire. J'avais caché ma bourse sous mon oreiller. Il m'a semblé que la même chose s'était déroulée dans les autres chambres, car j'ai entendu de nombreux pas de fuite dans les escaliers. Vous auriez dû voir, au matin, la tête de l'aubergiste, les sourires du capitaine et du lieutenant, et les yeux sombres des demoiselles. À peine avons-nous eu droit à un croûton avant notre départ. Je ne vous mens pas, il y avait tant de haine dans le regard de la rougeaude qu'elle aurait fait peur à elle seule à tous les hussards de l'empereur. »

Nicolas cessa son récit.

— Bon, bien, les garçons, dit-il, voilà une première tranche de mes aventures militaires, ça sera tout pour ce soir. Je vous raconterai la suite un autre soir.

— Demain ! supplia Emmanuel. Nous n'avons pas su la première fois que vous vous êtes battu.

Nicolas se leva, les regarda avec tendresse, assis dans l'ombre.

— On verra ! dit-il. Pour le moment, bonne nuit !

Chapitre 36

Mariage d'Éloi

Un beau jour de l'été 1837, Nicolas avait affaire à Montréal pour y négocier l'achat de plusieurs meubles. Il décida de s'y rendre en compagnie de Bernadette qui comptait profiter de ce voyage pour revoir les siens. Emmanuel fut chargé de les conduire à Sorel avec mission de ramener la jument et de retourner les chercher quatre jours plus tard. Pendant ce temps, la bonne marche de la maison fut confiée à Élise.

Ils arrivèrent à l'heure du dîner à Sorel, où Emmanuel prit congé d'eux pour retourner tout de suite à Drummond. En attendant de prendre le vapeur pour Montréal en milieu d'après-midi, Nicolas et Bernadette se promenèrent en amoureux dans les vieilles rues de la ville.

Au moment où ils s'apprêtaient à monter à bord, un homme, manifestement inquiet, qui faisait les cent pas depuis un moment, se présenta à eux.

— Bonjour madame, bonjour monsieur, pardonnez mon audace de vous aborder ainsi au moment où vous allez faire le voyage à Montréal. Je me nomme Albert Boisclair et je suis accompagné de ma fille Marie-Louise, que voici. Mon métier de maître tonnelier m'empêche d'accompagner ma fille pour son premier voyage dans la grande ville.

La jeune fille, d'une beauté rare, semblait si timide qu'elle osait à peine lever les yeux vers eux.

— Heureux de faire votre connaissance, dit Nicolas pour la mettre à l'aise.

— Je crois que ma fille, qui se destine à l'enseignement, apprendra beaucoup de ce voyage chez une de ses tantes.

— Vous avez absolument raison, lui signifia Nicolas, voyager nous apprend beaucoup.

Le tonnelier en vint alors à formuler la proposition qui lui brûlait les lèvres :

— Puis-je vous demander, mon cher monsieur et ma chère dame, de veiller sur Marie-Louise tout au long du trajet et de voir à la confier aux bons soins de sa tante à l'arrivée du navire à Montréal ?

— Je veux bien vous rendre ce service, mon cher Albert, mais à une condition. Quand votre charmante fille sera de retour de Montréal, j'aimerais la présenter à mon fils Éloi qui termine présentement à Nicolet des études pour devenir notaire. Il me semble que je les verrais bien ensemble. Et cela d'autant plus que mon fils va commencer sa pratique ici même à Sorel.

— Vous m'en direz tant ! s'exclama le tonnelier. Parfois les circonstances font bien les choses. En voici un bon exemple. Vous voulez bien me faire le plaisir de me dire qui vous êtes?

— Ah! Je suis impardonnable! s'excusa Nicolas. Mon épouse que voici se nomme Bernadette Rousseau et votre humble serviteur a pour nom Nicolas Grenon. Nous sommes de Drummond. Et j'y songe, mon cher Albert, si je veux tenir ma promesse, il faudrait bien que je sache où je pourrai vous trouver.

— Rien de plus facile, je demeure au 8 de la rue Alexandra. Vous y serez le bienvenu, comme votre dame et votre fils.

Ils montèrent sur le vapeur en compagnie de la jeune fille. Tant que le navire ne fut pas en route, elle ne parla pas, apparemment incapable de surmonter sa timidité. Quand le vaisseau eut pris le large, sans doute plus à l'aise de s'adresser à une femme qu'à un homme, elle se tourna vers Bernadette pour demander:

— Que faites-vous dans la vie?

— Mon époux est marchand. Nous sommes propriétaires d'un magasin général. Je suis mère avant tout, mais j'aide aussi mon mari à tenir les comptes.

— Vous tenez un grand registre?

— Oui! Un livre de comptes dans lequel j'inscris les achats de chacun au fur et à mesure et que je tiens à jour, puisque certains achètent à crédit et font inscrire sur leur compte.

— Est-ce que tous vos clients payent en argent?

— Pas tous. Il arrive que des gens fassent remise de leur dette avec de la farine ou encore du beurre, quand ce n'est pas du tabac ou du whisky.

Nicolas, de peur d'effrayer la jeune fille, les laissa entre elles et alla causer avec un de ses clients qu'il venait de reconnaître, en grande conversation avec un des membres de l'équipage.

—Tu t'en vas pour la première fois chez ta tante, glissa Bernadette, ça doit te faire bien plaisir?

—Si vous saviez comment! Je m'inquiétais toutefois un peu, parce que c'est mon premier voyage dans la grande ville et ma tante qui vient parfois nous voir à Sorel est une personne fort distraite. Je craignais de me retrouver seule à l'arrivée. Comment aurais-je pu m'orienter dans cette ville que je ne connais pas? Maintenant que je peux compter sur vous, mes craintes se sont dissipées. J'ai bien hâte de voir ma tante que j'aime beaucoup. Elle a été couturière toute sa vie.

—Pas vrai! s'exclama Bernadette. C'est ce que j'étais, à Montréal, avant mon mariage. Quel est le nom de ta tante?

—Thérèse Lachapelle.

Bernadette tapa dans ses mains, comme une jeune écolière à la réception d'un prix, en s'écriant:

—Le monde est petit! Je la connais!

Voyant Bernadette aussi agitée, Nicolas s'approcha et demanda:

—Tu peux me dire ce qu'il y a de si excitant?

—Il y a que je connais la tante de Marie-Louise.

—Vraiment?

—Nous avons fait de la couture ensemble. Elle était grande et brune, peut-être te souviendrais-tu d'elle?

— Ô chérie, tu sais que je n'avais d'yeux que pour toi.

— Comme c'est gentil, Nicolas, comme c'est gentil ce que tu me dis là. Il me semble que ça me rajeunit de vingt ans.

Quand le vapeur accosta au port de Montréal, la jeune Marie-Louise suivit ses bienfaiteurs sans les quitter d'une semelle. Elle avait bien raison, car la tante n'était pas au rendez-vous. Nicolas signala à un cocher son intention d'être conduit. L'homme leur fit signe de monter. Il demanda d'un air aimable :

— Où dois-je vous laisser ?

— Nous allons d'abord conduire cette jeune demoiselle chez sa tante.

S'adressant à Marie-Louise, il demanda :

— Tu as l'adresse ?

Elle tira un bout de papier du réticule qu'elle tenait précieusement.

— Au 245, rue Notre-Dame, dit-elle.

— Vivement chez madame Thérèse Lachapelle ! dit Bernadette.

Une dizaine de minutes plus tard, Bernadette attendit que le moment d'effusion entre la tante et la nièce soit passé pour dire d'une voix douce :

— Bonjour Thérèse !

La tante ouvrit de grands yeux, s'efforçant de situer l'inconnue dans la galerie de ses souvenirs.

— Aurais-tu oublié le tailleur Dubois, à Saint-Martin ?

— Bernadette !

Le cri que lança Thérèse Lachapelle fut entendu de la rue tant il était puissant et chargé d'émotions.

Elles tombèrent dans les bras l'une de l'autre. Il y eut promesse de se revoir dès le lendemain, pendant que Nicolas vaquerait à ses affaires. Pour ne pas retarder le cocher plus longtemps, Bernadette regagna la voiture. Ils se firent mener chez Eulalie, la sœur de Bernadette, en attente de leur venue depuis des jours.

Quelques semaines plus tard, comme il s'était engagé à le faire, Nicolas tint à conduire lui-même Éloi à Sorel afin qu'il puisse y entreprendre du bon pied sa carrière auprès du notaire Béliveau. En route, alors qu'il causait de choses et d'autres avec son fils, il lui annonça soudainement :

— Je tiens, à l'occasion de ce voyage, à te présenter une jeune demoiselle du nom de Marie-Louise Boisclair, particulièrement belle et charmante.

Éloi rougit jusqu'au bout des oreilles.

— Ne sois pas intimidé, mon grand, cette demoiselle se destine à l'enseignement et je t'assure qu'elle pourrait te faire une compagne agréable. Tu as étudié dans un milieu d'hommes. Il est grand temps que tu fasses connaissance avec la gent féminine. Après tout, ce n'est pas trop tôt.

— Comme vous le voulez, p'pa, mais j'aurais sans doute su dénicher moi-même la perle rare.

— Je n'en doute pas, Éloi, mais qui te dit que la perle rare en question n'est pas précisément cette

Marie-Louise Boisclair? Et si jamais elle n'est pas à ton goût, tu auras maintes occasions d'en connaître d'autres. Il y a beaucoup de monde qui défile, dans une étude de notaire.

Arrivé à Sorel, Nicolas conduisit d'abord Éloi à sa pension avant d'aller vaquer lui-même à ses affaires. Il passa, bien sûr, par la rue Alexandra prendre rendez-vous, au nom d'Éloi, avec la si belle et si charmante Marie-Louise.

Le tonnelier fut tout heureux de pouvoir le remercier d'avoir si bien veillé sur sa fille. Il ne manqua pas de lui offrir un petit verre de whisky que Nicolas enfila avec plaisir, au nom de leur amitié. Le rendez-vous entre Éloi et Marie-Louise fut fixé au lendemain midi, autour d'un bon repas, que Yolande, l'épouse d'Albert, se ferait un plaisir de préparer pour eux.

Le lendemain midi, Nicolas et Éloi, devant un délicieux hachis, se retrouvaient en face d'un Albert en verve, d'une Yolande en sueur et d'une Marie-Louise rougissante. Le repas fut vite avalé, les conversations, plutôt anodines, mais le rendez-vous fort bien réussi, puisque, de part et d'autre, il y eut promesse de se revoir bientôt. Nicolas fut même étonné de l'aisance démontrée par Éloi pour apprivoiser la petite biche sauvage qu'était la belle Marie-Louise.

Le flair de Nicolas fut très vite récompensé, car un an plus tard, les cloches de l'église Saint-Pierre de Sorel sonnaient pour le mariage d'Éloi Grenon et de Marie-Louise Boisclair. Dans l'assistance, deux hommes se frottaient les mains de plaisir: Nicolas

Grenon et Albert Boisclair. Deux femmes, également, souriaient de bonheur derrière la voilette de leur chapeau, Bernadette Rousseau et Yolande Laronde.

Chapitre 37

Récit de guerre

Les enfants étaient restés sur leur appétit à propos des confidences de leur père concernant ses années comme soldat. Il remettait toujours, d'un soir à l'autre, la suite de son récit. Leur mère demeurait aussi curieuse que sa progéniture d'en apprendre sur cet épisode de la vie de leur père. Il trouvait toujours une bonne raison de ne pas en parler. Les enfants se servirent donc de leur mère pour faire fléchir leur père. Quand Bernadette lui demanda de poursuivre le récit de ses aventures, Nicolas répondit avec un peu d'impatience dans la voix :

— Ça fait bien cent fois que je te dis que je n'ai pas le goût d'en parler.

Marie-Josephte, arrivée sur les entrefaites en compagnie de Bernardin, avait entendu la conversation et vint seconder sa belle-sœur.

— Allons, Nico, Bernardin est de mon avis, il serait grand temps que tu te libères de ce grand mystère de ta vie. Les Grenon ont la réputation de tenir leur langue. Tu pourrais faire une exception pour une fois, ne serait-ce que pour nous faire plaisir.

— Vous croyez que d'entendre parler de mort est plaisant?

Bernardin n'avait pas dit un mot jusque-là. Il choisit ce moment pour intervenir :

— Nico, crois-moi, ça libère de raconter nos malheurs. Je l'ai fait. Demande-le à Marie-Josephte. Il me semble que depuis ce temps-là, ça les a chassés définitivement de mon esprit.

Sentant leur père sur le point de céder, les garçons s'approchèrent, discrètement.

S'assoyant près de l'âtre, Nicolas demanda :

— Par où pourrais-je commencer?

— Par le commencement, dit Bernadette, au moment où vous êtes partis faire la guerre.

Nicolas plongea sans plus tarder dans son récit.

— Nous sommes partis à l'amorce du jour. Un temps gris s'était levé, avec sa faible lumière effaçant les couleurs, dessinant de sombres silhouettes autour des maisons et des arbres. Nous étions désormais en Allemagne. Il a commencé à pleuvoir et tout le jour un crachin nous a accompagnés sur une route boueuse.

— Ça devait te coûter de quitter la France?

— Tu ne peux savoir comment. Mais, veut veut pas, la France fut rapidement derrière nous. Il a fait terriblement chaud sur la route. Heureusement, une grande forêt de chênes nous a fourni une ombre salutaire au plus chaud du jour. Ce soir-là, nous avons été au moins une trentaine à coucher dans une grange. Ça, c'est très clair dans ma tête. Quant au reste, je n'ai rien retenu des nombreux villages que nous avons traversés, sinon qu'ils s'avéraient très différents de ceux de France, plus massifs, plus serrés, moins vivants.

«Je me souviens que nous avons bivouaqué par un temps lourd à nous couper le souffle. Un orage se préparait, le vent soulevait la poussière : j'avais l'âme en berne. Je me suis étendu non loin de Jérôme, près du feu. Nous en avons eu long à dire. Je me suis indigné comme je l'ai fait bien des fois par la suite, Bernardin peut en témoigner.»

— Quand tu commençais, ça n'en finissait plus. "Qu'avons-nous fait au bon Dieu pour être dans pareil pétrin ? Rien ! C'est bien ça le pire. Nous voilà en route pour tuer quelqu'un si nous ne voulons pas être tués nous-mêmes. Pourquoi tuer un pauvre diable que je ne connais pas et contre qui je n'ai rien à redire ? Et si lui ne me tue pas, j'ai encore toutes les chances d'y laisser ma peau : ça prend juste une balle ou encore un boulet de canon, une lance dans le dos, un glaive au travers du corps." Voilà ce que tu as dû dire à ton ami, Jérôme, parce que tu me l'as répété cent fois.

— J'avais raison de parler ainsi. Nous étions lancés dans une guerre que nous ne voulions pas. Je n'en pouvais déjà plus de ces saprées routes à n'en plus finir, de ces journées longues comme des tunnels d'où nous sortions courbaturés avec une seule idée, dormir, dormir et dormir encore, en attendant de nous éteindre quelque part un de ces jours, à des milliers de lieues de chez nous, comme de vieilles bougies soufflées par un coup de vent.

— Et Jérôme, qu'est-ce qu'il disait de tout ça? questionna Marie-Josephte.

— Jérôme restait toujours confiant. Il répétait: "Tu ne vas tout de même pas te laisser aller. Ce n'est pas si pire que tu le dis. Sois patient, quand nous aurons un ennemi devant nous, tu vas voir, les choses vont changer. J'ai bien hâte à mon premier coup de fusil. Dors! Ça chassera tes idées noires. De toute façon, c'est ce que moi je vais faire." Voilà comment Jérôme voyait notre avenir.

Attentive à la moindre parole son mari, Bernadette lui demanda:

— Trouves-tu qu'il avait raison?

— C'est vrai que tout a changé quand nous avons eu des ennemis devant nous.

— C'était où?

— Quelque part en Prusse. Après des jours de marche, je ne savais pas trop où nous étions rendus. Nous avons avancé dans la brume sur un terrain boueux. Tantôt au loin, tantôt tout près, nous avons entendu toutes sortes de bruits: la galopade des hussards, puis des coups de canon. Ce brouillard nous a retenus, ne nous permettant ni d'avancer ni de reculer. Où étaient les ennemis? Puis soudain, il y a eu une percée dans les nuages et j'ai aperçu à nos pieds les cavaliers prussiens qui montaient à l'assaut.

— Ç'a dû être un choc?

—Je n'ai pas eu le temps de penser à rien. Nous nous sommes regroupés en carré, épaule contre épaule, prêts à tirer, en attendant la charge sans bouger. Le commandant a crié : "Feu !" À cette première salve, les cavaliers prussiens ont été renversés. Les survivants se sont repliés dans un désordre indescriptible, pendant qu'une deuxième vague de cavaliers a foncé sur nous. Nouvelle salve, cette fois moins meurtrière : certains cavaliers ont touché presque nos rangs. Nous nous sommes tenus prêts pour un nouvel assaut, baïonnette au fusil. À chaque charge ennemie, nous avons répondu par une salve mortelle. Plusieurs de nos compagnons sont tombés tout autour, mais c'était impossible de les aider à se relever. Les Prussiens n'ont pas renoncé et sont revenus par vagues successives, tout en perdant beaucoup d'hommes. Quand enfin ils se sont retirés, nous avons pensé pouvoir reprendre notre souffle, mais un ordre s'est fait entendre : "Allez derrière la cavalerie faire taire la batterie de canons qui pilonnent nos lignes sur la droite."

«Je me suis accroché aux étriers d'un chasseur à cheval qui m'a porté aussitôt derrière ces canons maudits. Nous en étions éloignés d'à peine cent mètres, quand un des canons a craché son boulet et sa mitraille. Mon cavalier et le cheval ont basculé en même temps. Je me suis retrouvé coincé sous la bête blessée, le temps de voir paraître un hussard prussien sabre au clair qui fonçait droit sur moi. Heureusement, j'avais encore mon fusil à la main, surmonté de la baïonnette. J'ai réussi à parer le coup. Son cheval s'est cabré, ce qui m'a donné le temps d'asséner au hussard un coup de baïonnette à la jambe. Il a perdu l'équilibre et est tombé à la renverse, droit sur moi. Ma baïonnette l'a transpercé de part en part. »

— Ouf! soupira Marie-Josephte en se cachant la figure dans les mains.

— Je vous avais prévenus, rappela Nicolas, ce que j'ai à raconter n'a rien de très réjouissant.

Bernadette intervint:

— Continue quand même, Nicolas, nous voulons savoir.

Il poussa un long soupir, puis replongeant dans ses souvenirs, il poursuivit:

— J'ai été étourdi par ma chute et suis resté coincé à la fois sous le cheval et le hussard prussien. J'ai repoussé le hussard et j'ai réussi à sortir mes jambes de dessous le cheval. J'étais couvert de sang, mais intact. Des deux pieds, j'ai poussé sur le cadavre de ce Prussien pour en retirer ma baïonnette et récupérer mon fusil. Quand je me suis relevé enfin, il n'y avait tout autour de moi qu'un champ de morts. Le cavalier qui m'avait conduit jusque-là gisait sur le dos, désormais sans tête, le boulet de canon la lui avait arrachée. J'entendais les plaintes des blessés s'élever tout autour de moi, comme un chant funèbre. La bataille s'était déplacée au loin vers l'est. J'ai cherché en vain du regard où se trouvaient les autres voltigeurs et mon ami Jérôme.

Marie-Josephte intervint:

— Ça devait être terrible…

— Ça l'était tellement que je me suis mis à trembler de tous mes membres, sans pouvoir me contrôler. J'ai su que tout était terminé quand les canons se sont tus. Quand j'ai recouvré mes esprits, j'étais assis parmi tous ces morts, l'uniforme trempé de sang, à me demander où je me trouvais. Des compagnons d'arme m'entouraient. J'ai demandé aussitôt à voir Jérôme. "Qui est Jérôme?" s'est informé un capitaine. "C'est l'ami avec lequel je me suis engagé dans l'armée." "Il n'y a pas de Jérôme ici, j'ai bien peur que tu doives le chercher parmi les morts."

«Tout le reste du jour, je n'ai fait que passer d'un cadavre à l'autre, à la recherche de mon ami. Je l'ai trouvé enfin alors que la noirceur tombait sur nous comme un linceul. Il ne restait plus d'intact que sa tête, un bras et une jambe, le reste, plus de la moitié de son corps, avait été emporté par la décharge d'un canon. Ça m'a tellement bouleversé que j'ai passé la nuit assis, perdu, hébété, à tenir dans mes bras les restes de mon ami mort, répétant : "Tu as voulu te battre, voilà où ça t'a mené." Le lendemain, j'ai insisté pour creuser la fosse moi-même, sur le champ de bataille où nous étions. Mon commandant m'a dit, plus tard, que j'ai enterré Jérôme sans dire un mot et sans verser une larme. Tout ce qu'il m'a entendu murmurer fut : "Maudite soit la guerre, et maudits soient ceux qui la font."»

— Qu'est-ce que tu as fait ensuite ?

— Ensuite, j'ai suivi comme un mouton. Ce n'était pas cent ou cent mille morts qui allaient arrêter l'empereur de combattre. J'ai changé mon uniforme souillé contre celui, encore intact, de l'un des morts. Ce n'était pas le choix qui manquait. J'ai opté pour celui d'un jeune homme à peu près de ma taille, en prenant le temps de revêtir sa dépouille de mes habits ensanglantés. Je savais que ceux qui restaient derrière allaient se charger de porter en terre ce pauvre soldat inconnu.

« On s'est remis en route pour poursuivre le carnage. Un gars de mon âge s'est approché de moi. "Je t'ai entendu, dit-il. Tu parles français, mais tu n'es pas Français. D'où es-tu ?" "De Baie-Saint-Paul, au Canada." "Le Canada, c'est en Amérique ?" "En plein ça." "Mais comment se fait-il que tu parles français ?" "Mes ancêtres venaient de France." "Appelle-moi Bernardin", qu'il m'a dit, en me tendant la main. "Je le ferai avec plaisir si tu veux bien m'appeler Nico." "Pour Nicolas, je présume ?" "Pour Nicolas." »

Bernardin intervint :

— Voilà, c'est comme ça que nous nous sommes rencontrés, Nicolas et moi.

Nicolas regarda son ami. Il se passa la main sur le front en esquissant un triste sourire avant d'ajouter :

— C'est bien la seule bonne chose que la guerre nous ait donnée.

Le récit de Nicolas les avait tous bouleversés. On entendait les papillons de nuit se heurter dehors au fanal allumé, tant le silence s'était fait lourd. Sans dire un mot, Bernadette se leva, s'empara du bougeoir et se chargea de conduire ses enfants à leur chambre.

QUATRIÈME PARTIE

DERNIERS COMBATS

1838-1845

Chapitre 38

Arrestation

Depuis son établissement dans la région de Drummond, Nicolas s'était complètement désintéressé du reste du pays. Il n'était pas sans avoir entendu parler du mécontentement des politiciens devant le refus de Londres de tenir compte des résolutions soumises en vue d'améliorer la situation des Canadiens français. Ludovic lui faisait part, de temps à autre, de certaines nouvelles rapportées par l'un ou l'autre de ses clients.

Un soir qu'il était en visite à l'auberge, deux hommes s'y présentèrent et insistèrent pour avoir une conversation privée avec lui et Ludovic. Nicolas avait tout de suite remarqué que ces individus semblaient continuellement sur leurs gardes.

Le plus âgé des deux, un homme dans la cinquantaine, commença à tâter le terrain d'une façon détournée.

— Je me suis laissé dire, commença-t-il à l'intention de Nicolas, que tu as fait partie du régiment Meuron. N'était-ce pas un régiment à la solde de l'Angleterre ?

—Messieurs, répondit Nicolas, si vous désirez savoir si j'ai combattu pour les Anglais contre les Américains, c'est oui ! J'étais à Plattsburgh. Mais il y a des années que je n'ai pas tenu un fusil et je n'ai pas l'intention de combattre pour ou contre qui que ce soit. Vous avez souhaité nous parler sans nous faire le plaisir de vous présenter. Je me nomme Nicolas Grenon et mon beau-frère ici présent, Ludovic Lahaie. Mon grand-père se nommait Jean-Baptiste Grenon. Il a combattu les Anglais en 1759. Moi, son petit-fils, j'ai combattu pour les Français et pour les Anglais. La vie, parfois, ne nous laisse pas le choix. C'est ainsi que pour recouvrer ma liberté, j'ai troqué mon képi de soldat de Napoléon pour celui de soldat du régiment Meuron. Sans cela, je ne serais pas là pour vous parler aujourd'hui.

—Nous avons eu tort, messieurs, je l'admets volontiers, de ne pas faire les présentations d'usage avant de vous convoquer à ce tête-à-tête. Je suis Léonce Faribeau.

—Et moi, enchaîna son jeune compagnon avec beaucoup de fougue, Aurélien Nadeau. Avez-vous entendu parler des Fils de la liberté ?

Ludovic n'était pas encore intervenu. Il déclara :

—Ce nom est venu quelquefois à mes oreilles sans que j'y prête vraiment attention. Puisque vous faites partie de ce groupe, est-ce ainsi qu'on peut le qualifier ? Faites-nous le plaisir d'éclairer notre lanterne à son sujet.

—Notre association existe depuis maintenant plus d'un an. Elle regroupe des hommes prêts à lutter pour bouter les Anglais dehors. Vous connaissez sans doute le Parti patriote?

Nicolas réagit vivement:

— La politique, je m'en mêle le moins possible. J'estime avoir suffisamment sacrifié d'années de ma vie pour un certain politicien nommé Napoléon Bonaparte, qui s'est proclamé empereur et a fait tuer des centaines de milliers d'hommes afin de réaliser ses ambitions de pouvoir. Mais rassurez-vous, ça ne m'empêche pas pour autant de savoir que le Parti patriote est dirigé par Louis-Joseph Papineau. Nous sommes très bien placés ici à Drummond pour savoir que les Anglais veulent nous assimiler.

Une expression de satisfaction se dessina sur le visage de son interlocuteur.

— C'est précisément ce contre quoi nous luttons, nous, les Fils de la liberté. Nous voulons rester Français et nous gouverner nous-mêmes.

— Vos ambitions sont fort louables, messieurs, approuva Nicolas, mais ce qui l'est moins à mes yeux d'ancien soldat, ce sont les moyens que vous prenez pour les faire valoir.

Le jeune Nadeau se leva d'un coup comme si on l'avait insulté. Rouge de colère, il éclata:

— Qu'avez-vous, monsieur, à nous reprocher? Tous les moyens diplomatiques, nous les avons pris! Nos dirigeants anglais n'ont rien voulu entendre! Il ne nous reste plus qu'à prendre les armes!

Son compagnon lui fit signe de se calmer et de se rasseoir.

— Excusez la fougue de la jeunesse, plaida-t-il. Il est vrai que nous travaillons actuellement à organiser des milices qui nous permettront de reprendre possession de notre pays. C'est d'ailleurs la raison de notre présence ici. Nous avons besoin de personnes comme vous pour regrouper et diriger nos forces. Accepteriez-vous de prendre la tête de la milice populaire de Drummond?

Ce fut au tour de Nicolas de réagir avec émotion :

— Sans vouloir vous offenser, messieurs, je vous ferai remarquer que, même avec la meilleure volonté du monde, il nous serait impossible, dans ce milieu anglais, de regrouper une milice sans que tout le pays le sache. De plus, je crois que si l'on est confronté à un ennemi plus puissant que soi, la négociation est toujours une meilleure arme que le fusil.

Le jeune Nadeau semblait avoir la susceptibilité à fleur de peau. Il se releva d'un bond et lança, furieux :

— J'en ai assez entendu ! Si vous ne venez pas, Léonce, moi je m'en vais !

Il gagna précipitamment sa chambre pendant que, plus calmement, son compagnon remerciait Nicolas et Ludovic d'avoir accepté de les écouter en leur recommandant le plus grand secret sur tout cet échange.

Une semaine après le passage des Fils de la liberté à l'auberge, deux gendarmes se présentèrent. Ludovic s'apprêtait à les servir quand, pour sa plus grande surprise, l'un d'eux pointa son arme vers lui pendant que l'autre, sans un mot, lui passait les fers aux pieds. Ludovic protesta vivement :

— Pourquoi m'arrêtez-vous ?

— Tu le sauras *later*, se borna à répondre l'homme armé.

Dorothée accourut et voulut s'interposer. Un des gendarmes la repoussa sans ménagement jusque dans sa cuisine.

— Où l'amenez-vous ? hurla-t-elle.

Ils sortirent sans répondre.

Dans la rue les attendait une voiture conduite par un troisième homme en armes. Ils y firent monter Ludovic et empruntèrent ensuite la rue Heriot, où ils s'arrêtèrent en face du magasin général de Nicolas.

Bernadette servait le souper quand les deux mêmes soldats entrèrent sans frapper.

— Ton mari ? demanda celui qui semblait connaître quelques mots de français.

— Il n'est pas ici ! Que lui voulez-vous ?

— Nous allons l'attendre.

Ils allaient s'asseoir quand Bernadette leur dit :

— Vous risquez d'attendre longtemps : il ne reviendra pas avant demain.

Celui qui commandait regarda Bernadette droit dans les yeux :

— Si tu mens... grogna-t-il.

Et sans rien ajouter, il passa lentement le côté de sa main de gauche à droite sur son cou.

Il fit signe à son compagnon et tous deux sortirent. Emmanuel se précipita à la fenêtre pour les voir s'éloigner.

— Pourquoi ils emmènent mon oncle Ludovic ? demanda-t-il à sa mère.

Bernadette confia aussitôt Éphigénie à Emmanuel et se précipita vers l'auberge. Aussi déroutée qu'elle, Dorothée se demandait quoi faire.

— Ils ont arrêté Ludovic et ils attendent le retour de Nicolas pour en faire autant. Qu'est-ce qu'on leur reproche, et où veulent-ils les mener ?

— Je ne connais qu'un homme qui peut répondre à ces questions, dit Dorothée.

— Qui donc ?

— Le colonel Heriot.

Sans plus tarder, elles prirent le chemin de Comfort Cottage, la maison du colonel. Le serviteur qui les reçut voulut faire du zèle :

— Mon maître ne reçoit pas n'importe qui, n'importe quand.

— Premièrement, répliqua Dorothée, nous ne sommes pas n'importe qui et deuxièmement, il n'y a pas d'heure ni de rendez-vous quand il s'agit d'une urgence.

Les voyant aussi déterminées, le serviteur changea d'attitude :

— Qui dois-je annoncer ? demanda-t-il.

— Mesdames Grenon et Lahaie.

Le colonel ne tarda pas à les rejoindre dans le hall où les avait laissées le serviteur. Il ne les pria pas de

passer dans une autre pièce, mais s'informa courtoisement de la raison de leur visite.

—Il m'est facile d'imaginer, mesdames, dit-il, que
si vous vous êtes déplacées à une heure aussi tardive,
il s'agit d'une cause majeure.

Bernadette résuma la situation. Le colonel n'avait
pas été informé de l'arrestation de Ludovic et promit de
faire la lumière sur cette situation dès le lendemain.

—Si je ne viens pas vous informer moi-même de
quoi tout cela retourne, je vous enverrai quelqu'un de
fiable pour le faire. Tout ce que je peux vous dire, mesdames, c'est qu'en temps normal, nous n'arrêtons pas
les gens sans raison.

—Mon mari n'est pas un criminel! lança vivement
Dorothée.

—Le mien non plus! enchaîna Bernadette. N'oubliez
pas qu'ils ont combattu pour et avec les Anglais.

Le colonel voulut se faire rassurant:

— S'ils n'ont rien à se reprocher et si c'est un
malentendu, ayez confiance en notre justice, vos maris
recouvreront rapidement leur liberté.

Dorothée et Bernadette regagnèrent l'auberge,
tout aussi inquiètes que lorsqu'elles l'avaient quittée.

—Va chercher Emmanuel et Éphigénie, dit
Dorothée, vous allez coucher ici ce soir. Nous allons
voir ensemble ce que nous pourrons faire demain.

❧

Le lendemain, après une nuit sans sommeil, les
deux femmes eurent de la difficulté à établir leur

programme de la journée. Dorothée voulait apprendre où se trouvait Ludovic tandis que Bernadette se demandait s'il n'était pas préférable de faire prévenir Nicolas afin de lui éviter d'être arrêté.

Elles décidèrent d'envoyer Emmanuel informer Bernardin. Tout excité par la mission qu'on lui confiait, le jeune homme sauta sur la jument et parti sans plus attendre.

Obligée de s'occuper d'Éphigénie, Bernadette ne pouvait pas quitter l'auberge. De son côté, après avoir mis sur la porte une pancarte indiquant la fermeture temporaire de l'établissement, Dorothée se dirigea d'un pas ferme vers l'édifice de la rue Heriot servant de prison. On ne la laissa pas entrer et, malgré ses cris et ses protestations, personne ne lui dit quoi que ce soit à propos de son mari.

Elle était en furie quand elle revint à l'auberge où, anxieuse, Bernadette l'attendait. Après être parvenue à la calmer un peu, Bernadette proposa d'attendre l'arrivée de Bernardin.

— Il saura nous dire, assura-t-elle, ce que nous avons de mieux à faire.

Il arriva un peu avant l'angélus du midi et prit aussitôt les choses en main.

— Je vais me rendre aux informations. Peut-être, parce que je suis un homme, réussirai-je à en apprendre plus que Dorothée. Mais ce qui me préoccupe davantage pour le moment, c'est ce que m'a raconté Emmanuel, c'est-à-dire l'arrestation de Nicolas prévue pour ce soir. En venant, nous avons remarqué que deux gendarmes se tenaient de faction devant le magasin.

Bernadette n'avait pas oublié le geste menaçant du militaire à son endroit si Nicolas ne se présentait pas. Elle en informa Bernardin.

— Tu es certaine qu'il revient aujourd'hui?

— Je l'attends à la fin de l'après-midi, avant le souper. Est-ce qu'on doit le faire prévenir?

Bernardin réfléchit un moment.

— Le faire prévenir, oui, mais il ne doit surtout pas fuir, car c'est toi qu'il mettrait en danger. De plus, sa fuite en ferait un coupable.

— Que nous proposes-tu alors de faire?

— Est-ce qu'Emmanuel sait par où son père doit venir?

— Il le sait. Ça lui est déjà arrivé d'aller au-devant de lui.

— Très bien! Nous allons envoyer Emmanuel prévenir son père de ce qui l'attend. Connaissant Nicolas comme je le connais, il va se présenter au magasin comme si de rien n'était.

— Ils vont l'arrêter, se désola Bernadette.

— Ils vont l'arrêter, mais s'il n'a rien à se reprocher, et c'est mon sentiment, il sera vite relâché.

Ayant réussi à rassurer ses belles-sœurs, Bernardin partit aux nouvelles. Tout ce qu'il apprit, c'est que Ludovic était bel et bien incarcéré à la prison de la rue Heriot, mais personne ne pouvait le renseigner sur les raisons ou la durée de son arrestation. En attendant l'arrivée de Nicolas, ils décidèrent de se retirer tous chez lui. Quand, dans la charrette de Bernardin, ils se présentèrent au magasin, les gendarmes voulurent les empêcher d'entrer.

— J'habite ici! hurla Bernadette, et personne ne m'empêchera de pénétrer chez moi!

Un des gendarmes voulut s'interposer. Bernardin ne dit pas un seul mot mais, le regardant dans les yeux, sans broncher, il s'avança droit vers lui. Le gendarme recula. Son compagnon lui dit de laisser tomber.

Il ne restait plus qu'à attendre le retour de Nicolas. Emmanuel sortit par l'arrière du magasin et partit se mettre à l'affût, le long de la route. Bernardin décida de retourner chez lui et d'envoyer auprès de leur mère et de Dorothée Édouard et Éphrem, qui l'aidaient tout l'été aux travaux de la ferme.

Tel que prévu, un peu avant l'heure du souper, Nicolas arriva en compagnie d'Emmanuel. Il était à peine descendu de voiture que les gendarmes l'appréhendèrent. Comme s'ils n'attendaient que ce moment depuis le début de la journée, les voisins vinrent assister à l'arrestation. Nicolas en profita pour dire d'une voix forte :

— Je savais que vous m'attendiez. Mon fils était venu me prévenir. Est-ce que j'ai fui? Non! Pourquoi? Parce que je ne suis coupable de rien. Il y a eu une dénonciation quelque part. Le dénonciateur, je le trouverai. Qu'il dorme bien d'ici là, si sa conscience le lui permet!

Les soldats l'emmenèrent, chaînes aux pieds, sous les regards consternés de Bernadette, de Dorothée et des deux enfants. Une heure plus tard, Édouard et Éphrem arrivaient. Ils furent suivis quelques minutes après par le curé Robson, envoyé par le colonel Heriot.

L'homme d'Église, tout vendu à la cause anglaise, était d'une grande austérité. Il entra au magasin, le visage long, sans laisser paraître la moindre émotion. Il connaissait Nicolas, qu'il n'aimait guère, parce qu'il avait refusé de devenir marguillier. Sans autre préambule, il déclara :

— On m'a chargé, mesdames, de vous apprendre pourquoi vos maris vont être conduits en prison à Sorel.

— Qu'est-ce qu'ils ont fait ?

— Ils ont discuté avec deux indésirables qui font partie des Fils de la liberté, à l'origine de la rébellion de l'été dernier.

Ne pouvant se retenir de faire la leçon, il ajouta :

— Une fois de plus, mesdames, le dicton se révèle exact.

— Quel dicton ?

— Dis-moi qui tu fréquentes, je te dirai qui tu es.

Toujours aussi vive dans ses réparties, Dorothée le reprit :

— Dites plutôt, monsieur le curé : « Dis-moi qui tu ne fréquentes pas et je te dirai qui est susceptible de te dénoncer. »

Sa mission accomplie, il transporta ailleurs sa condescendance. Il désapprouvait toute révolte contre l'autorité, la sienne et celle des dirigeants, mais, visiblement, il se serait volontiers passé de cette tâche désagréable que lui avait confiée le major Heriot. Si Nicolas avait été là, il aurait certainement dit : « C'est ce qui arrive quand on mange dans la même auge. »

Chapitre 39

En prison

La rébellion de l'été 1837 avait mis les autorités anglaises sur le qui-vive. On craignait une nouvelle flambée de violence et on soupçonnait tous les Canadiens français de vouloir y participer. À Drummond, milieu anglais par excellence, leurs agissements étaient surveillés de très près. Nicolas ne se montra pas trop étonné de leur arrestation. En qualité d'aubergiste, Ludovic pouvait passer aux yeux de bien des Anglais pour un fomenteur de troubles. Quant à lui-même, son travail le menait un peu partout aux alentours. Il connaissait une foule de personnes et pouvait facilement être pris pour un agitateur.

Le lendemain de son arrestation, après une nuit pénible en prison, Nicolas fut conduit à Sorel en compagnie de Ludovic. Tous deux reçurent l'ordre de se taire et se firent interdire de communiquer entre eux, d'une manière ou d'une autre. Quand ils furent entraînés hors de la prison, Bernadette et Dorothée se précipitèrent vers eux. Les gendarmes les repoussèrent sans ménagement, allant jusqu'à les menacer de leurs armes. Malgré leurs cris et leurs larmes, elles ne furent jamais capables de s'approcher du chariot où leurs maris avaient pris place.

Les gendarmes n'étaient pas pressés ; ils mirent toute la journée à rallier Yamaska, s'arrêtant à la moindre auberge et au plus petit cabaret pour prendre un coup. Pendant ce temps, les fers aux pieds et les mains liées par un fil de fer attaché au plancher de la voiture, Nicolas et Bernardin eurent tout le loisir de réfléchir au sort qui les attendait.

Profitant de ce que deux des gendarmes s'étaient arrêtés pour dîner dans un cabaret le long de la route et que le troisième s'était endormi sur le banc du conducteur, Nicolas chuchota :

— Je crois savoir ce qui nous vaut cette arrestation.

— Quoi donc ?

— La visite des Fils de la liberté.

— Vraiment ?

— On doit penser que nous sommes des leurs et nous prendre pour des rebelles.

— Encore leur faudra-t-il le démontrer.

— Ils viennent d'exiler les chefs de la rébellion. Il leur faut sans doute, pour l'exemple, d'autres coupables. Mais écoute-moi bien, Ludovic, nous n'avons rien à nous reprocher et rien non plus à avouer. Notre silence nous vaudra notre liberté.

— S'ils nous questionnent à propos des Fils de la liberté ?

— Nous avons jasé avec eux, mais nous ignorions qui ils étaient et nous n'avons rien à faire de ce qu'ils trament.

Ils en étaient là de leur échange quand les deux gendarmes sortirent de l'auberge en ricanant. Leur compagnon se dressa sur son siège. Nicolas et Ludovic furent autorisés à satisfaire leurs besoins naturels, après quoi on leur jeta quelques croûtons de pain qu'ils durent avaler en vitesse avant de se voir de nouveau lier les mains à la charrette. À Yamaska, la nuit qu'ils passèrent, toujours rivés à la charrette, leur parut une éternité. Ils accueillirent l'aube avec soulagement, mais la pluie se mit de la partie, et ce fut trempés jusqu'aux os qu'ils furent livrés, fers aux pieds, comme de vulgaires criminels, à la prison de Sorel. Là, on les mit dans des cachots séparés. Ils y attendirent, pendant des jours, que quelqu'un finisse par leur dire pourquoi on les gardait prisonniers. Leurs proches, qui avaient fait le voyage jusqu'à Sorel, ne furent pas autorisés à leur parler. Enfin, après une dizaine de jours, le juge Alexander Bradshaw, de passage à Sorel, daigna les recevoir pour leur faire lecture des charges retenues contre eux.

— On vous a vus, commenta-t-il, en compagnie de deux individus qui sont des rebelles.

— Qui ça, « on » ? grogna Nicolas. Un certain Downey, aubergiste, le concurrent de mon beau-frère, et un dénommé Sanders, propriétaire d'un magasin général et mon concurrent direct ?

L'intervention précise de Nicolas sembla surprendre le juge.

— Nous n'avons pas, à ce stade-ci de notre enquête, à vous révéler qui vous a dénoncés.

— Vous n'aurez pas à le faire, continua Nicolas, puisque je l'ai fait pour vous.

Le juge fronça les sourcils et, pour se donner contenance, jeta un rapide coup d'œil sur les notes qu'il tenait en main.

— Vous avez oublié sans doute qu'il y a un peu moins de deux semaines, deux individus se sont arrêtés à l'*Auberge Grenon*. Quelqu'un vous a vus discuter avec eux.

— Monsieur le juge, argumenta aussitôt Ludovic, est-ce que le propriétaire d'une auberge est tenu de connaître toutes les allées et venues des clients qui fréquentent son établissement ?

Le juge ne daigna pas répondre à sa question. Il poursuivit :

— Ces deux individus sont des rebelles qui, après s'être arrêtés à votre auberge, se sont rendus aux États-Unis. Nous les soupçonnons de vouloir renverser notre gouvernement.

— Qu'ils se soient arrêtés à l'auberge de mon beau-frère, c'est plausible, et qu'ils nous aient parlé, ça l'est aussi. Mais qu'est-ce que ça prouve ?

Agacé par les interventions de Nicolas et Ludovic, le juge oublia qu'il n'était là que pour les informer des raisons de leur emprisonnement. Il dit d'un ton plus incisif :

— Vous connaissez ces individus, oui ou non ?

— C'était la première fois que je les voyais, répondit Ludovic. Mais, monsieur le juge, n'est-ce pas le devoir de tout bon aubergiste de causer avec tous ses clients, de quelque race qu'ils soient?

De nouveau le juge haussa le ton:

—Je vous ai demandé si vous connaissiez ces hommes!

—Ni d'Adam ni d'Ève! affirma Nicolas.

Exaspéré par les arguments pertinents des prisonniers, le juge s'approcha d'eux, tira brusquement une chaise vers lui, la retourna, s'y assit à califourchon, puis, les regardant droit dans les yeux, commanda:

—Maintenant, je veux savoir la vérité.

Nicolas lui fit face.

—La vérité, monsieur, vous la connaissez déjà tout aussi bien que nous depuis le début. Faites le tour de tous les clients de mon beau-frère et faites le tour de tous les miens, aucun ne vous dira que nous leur avons parlé de révolte, puisque nous ne leur en avons jamais parlé et que nous n'avons jamais eu l'intention de leur en parler.

Voyant qu'il n'avait plus rien à tirer d'eux, le juge se leva.

—Vous savez maintenant pourquoi vous êtes emprisonnés. Quand le temps et nos obligations nous le permettront, nous essaierons de tirer plus au clair cette affaire. En attendant, nous autoriserons les gens de vos familles à vous voir.

Dès qu'elles eurent appris la décision du juge, Dorothée et Bernadette vinrent à la prison. Les mauvais traitements subis par leur mari et la pauvre nourriture qu'on leur donnait commençaient à les affecter passablement. Ils avaient le visage émacié, les cheveux hirsutes, la barbe longue. Les retrouvailles furent chargées d'émotion.

Bernadette s'approcha de Nicolas et posa sur lui des yeux remplis d'inquiétude. Nicolas s'efforça tout de suite de la rassurer :

— Ma mie, ne sois pas inquiète ! Ils n'ont absolument rien contre nous. Ils devraient nous relâcher bientôt.

De son côté, Ludovic encourageait Dorothée de la même façon :

— Ma chérie, il ne faut pas t'en faire, c'est un mauvais moment à passer, mais je suis persuadé qu'il ne durera pas longtemps.

Tant du côté de Nicolas que de celui de Ludovic, dont la mère et le frère habitaient Sorel, on se relaya pour leur apporter des aliments soutenants. Tous se demandaient combien de temps durerait leur incarcération.

Depuis l'absence de Nicolas, le magasin fonctionnait au ralenti. Bernardin et Marie-Josephte, pour soulager quelque peu Bernadette, proposèrent de garder plus longtemps Édouard et Éphrem à la ferme.

— Ça te fera deux bouches de moins à nourrir, dit Marie-Josephte. Leur travail paie en masse leur nourriture.

Même si, depuis l'arrestation de Ludovic, l'auberge marchait moins bien, les revenus permettaient à

Dorothée de survivre sans trop de peine. Mais elle était débordée par le travail et pour lui prêter mainforte, Bernardin et Marie-Josephte vinrent lui mener Augustine et Bérénice. Ce n'était pas la première fois qu'elles avaient l'occasion de travailler avec leur tante et elles se plaisaient en sa compagnie.

Dorothée se morfondait pour son Ludovic et se montrait très sensible au sort de Bernadette, privée de son Nicolas. Elle veillait à ce qu'elle ne manque de rien et passait la voir régulièrement. Afin de la soulager quelque peu, elle amenait parfois son filleul Emmanuel coucher à l'auberge.

Depuis que Nicolas était devenu marchand itinérant, Bernadette avait l'habitude de passer la nuit sans lui. Depuis quelques semaines, elle était souvent seule avec les deux plus jeunes. C'était une femme courageuse et, malgré la situation pénible dans laquelle elle se trouvait, elle s'interdisait d'imaginer le pire.

Un soir qu'Emmanuel couchait chez sa tante à l'auberge, elle avait jasé un bon moment avec Éphigénie avant qu'elle se mette au lit, puis, elle était redescendue à la cuisine où elle avait encore quelques petites tâches à accomplir. Bernadette préparait pour le lendemain la table du déjeuner, quand elle entendit du bruit du côté du magasin. Elle crut à une souris et n'en fit pas de cas. Comme elle s'apprêtait à mettre une bûche dans le poêle, elle entendit de nouveau des pas furtifs du côté de l'entrepôt. Cette fois, elle en était certaine, quelqu'un rôdait autour ou dans le magasin. Pourtant, elle se souvenait avoir bien fermé la porte.

S'il y avait quelqu'un à l'intérieur, comment avait-il pu entrer ? Elle jeta un coup d'œil craintif vers l'escalier menant à l'étage où la petite dormait. Elle parvint à se convaincre que l'enfant était en sûreté dans sa chambre.

Malgré la peur qui lui tenaillait les entrailles, elle décida d'aller voir ce qu'il se passait. Munie d'une lampe et d'une hache, la seule arme à portée de sa main, elle avança lentement entre les étagères dont les ombres s'allongeaient sur les murs au fur et à mesure de sa progression. Plus elle approchait du fond du magasin, plus elle retenait son souffle, se demandant ce qu'elle ferait si jamais elle arrivait nez à nez avec un intrus. Elle serra les dents, sa main se crispa sur le manche de sa hache, puis elle s'arrêta dans l'ombre en soufflant courageusement la lampe. Tendue, l'oreille aux aguets, elle entendit soudain quelqu'un détaler. Au même moment, elle vit par la fenêtre monter des flammes le long du mur extérieur.

Comme elle le raconta le lendemain à Nicolas, elle s'était emparée d'une couverture, sur une des étagères du magasin, et était sortie par la porte arrière aussi vite qu'elle avait pu. Le feu léchait presque le bord de la toiture. Au moyen de sa couverture, elle était miraculeusement parvenue à éteindre les flammes. Une minute de plus et l'incendie aurait échappé à son contrôle et dévasté le magasin. Elle n'en avait pas dormi de la nuit.

—Nous avons des ennemis plus dangereux que nous l'imaginions, fit remarquer Nicolas. Dès demain, je veux que tu demandes à Bernardin de laisser les garçons revenir à la maison. Comme ça, tu auras moins de raisons de craindre le pire. Ensuite, va avec eux chez Isidore Jutras et choisissez un bon chien de garde. Si les garçons cherchent à lui donner un nom, dis-leur de l'appeler Napoléon.

Chapitre 40

Libération

Il y avait maintenant près de trois mois que Nicolas et Ludovic croupissaient en prison. Ce n'était pas son grand cœur qui avait incité le juge à laisser leurs familles les visiter. Il savait fort bien que leurs proches verraient à ce qu'ils ne manquent de rien, ce qui permettrait aux autorités d'éviter d'être accusées de malveillance et de négligence à l'égard des prisonniers.

Nicolas et Ludovic commençaient à se demander si leur calvaire durerait éternellement. Novembre apportait ses vagues de froidure. L'humidité de leur cachot commençait à se faire drôlement sentir. Si parents et amis pouvaient leur fournir une alimentation saine et la consolation de leur présence, ils ne pouvaient leur apporter cette chaleur dont ils auraient eu tant besoin entre ces quatre murs glacials.

Bernardin se désolait de la situation de ses beaux-frères et craignait que les rigueurs de l'hiver ne leur soient néfastes. Il entreprit une démarche auprès du colonel Heriot dans l'espoir que celui-ci se servît de son autorité et de sa réputation afin de faire libérer ses anciens soldats.

—Ce n'est guère de mon ressort, expliqua le colonel. Je ne suis après tout que le fondateur d'un village. Je n'ai de poids qu'ici.

—Vous savez que ces incarcérations injustes commencent à jeter la grogne chez nos compatriotes. Ils craignent que le même sort leur soit réservé à un moment où à un autre. Vous n'ignorez pas non plus qu'ailleurs au Bas-Canada, la révolte gronde de nouveau et qu'elle pourrait bien se propager jusqu'ici.

Le colonel se leva brusquement, la mâchoire contractée, comme chaque fois qu'il était contrarié. Il émit un grognement, fit une grimace avant de lancer rageusement :

—Me laissez-vous entendre que vous auriez des intentions malveillantes ?

Toujours maître de lui, Bernardin reprit tranquillement :

—Vous savez fort bien, monsieur, que j'ai toujours eu des intentions pacifiques. Je ne souscris pas à ces mouvements qui ne mènent nulle part. J'ai été soldat, vous ne l'ignorez pas. Je ne le suis plus et c'est tout dire.

Après cette saute d'humeur, le colonel se calma et se rassit.

—Je suis informé de ce qui se passe chez nous et je suis en mesure d'y remédier, mais ne me demandez pas de miracle quant à ce qui se déroule ailleurs.

—Sorel n'est pas à des centaines de lieues. Un simple mot de votre part pourrait sans doute faire accélérer les choses. De rappeler que l'iniquité mène parfois à pire peut faire ouvrir des yeux et, qui sait, peut-être même des portes.

Du ton d'un homme décontenancé, le colonel conclut :

—Je verrai ce que je pourrai faire.

Donna-t-il suite à cette demande ? Bernardin, pas plus que Ludovic et Nicolas ne le surent. Toutefois, deux semaines avant Noël, le juge Bradshaw se trouvait de nouveau à Sorel et fit comparaître les prisonniers. Mis en présence du juge, Nicolas passa immédiatement à l'attaque :

—Qu'attendez-vous, si vous nous considérez comme coupables, pour tenir un procès juste et équitable ?

Le juge les regarda d'un air condescendant comme s'il désirait allonger leur calvaire encore un peu avant d'en signifier la fin.

—J'ai mieux que cela à vous annoncer. Notre enquête nous a démontré qu'il n'y avait pas lieu de vous craindre. Vous êtes libres.

—Libres ? s'écria Nicolas. Mais alors où sont les lâches qui nous ont faussement dénoncés ? Eux sont toujours libres ! Ce sont eux qu'il faudrait faire enfermer !

Le lendemain, Bernardin venait chercher, pour les ramener chez eux, deux hommes heureux mais profondément aigris contre les autorités du pays.

༄

Son incarcération avait révolté Nicolas.

— Je m'étais promis, dit-il aux siens, de ne plus jamais perdre ma liberté et voilà que je viens de passer quatre autres mois de ma vie en prison.

— Ce n'était pas la première fois que vous étiez emprisonné? s'étonna Éphrem.

— J'ai passé plus d'un an en prison en Espagne, quand j'étais soldat.

— P'pa, vous vous souvenez, vous aviez promis de nous raconter d'autres histoires du temps où vous étiez dans l'armée. C'est pas quand on sera partis de la maison que ce sera le temps d'en parler. Nous aimerions beaucoup en savoir plus encore.

— Tu as raison, Éphrem. Vous êtes maintenant assez vieux pour entendre ce que j'ai à dire à ce sujet. Le devoir d'un père n'est-il pas de préparer ses enfants à faire face à la vie? Maintenant que je sors d'une prison où j'ai été injustement incarcéré, il est grand temps que vous en appreniez davantage sur les hommes, et en particulier sur ceux qui se comportent de manière pire que des bêtes sauvages.

Ce soir-là, après le souper, il attendit que Bernadette et les garçons soient bien assis, ainsi que Marie-Josephte et Bernardin, en visite chez lui. Il leur jeta un regard où débordait beaucoup d'affection:

— Le lendemain de ma rencontre avec Bernardin, commença-t-il, vers les trois heures, nous avons débouché sur un contrefort de montagnes d'où nous apercevions à nos pieds une rivière, dont les rives étaient facilement atteignables au bas du rocher en terrasse où nous nous trouvions. Sur une croupe entourée de remparts du Moyen-Âge se dressait fièrement devant nous Saalburg, le bourg que nous avions ordre de prendre. De l'endroit où nous étions, nous avons pu distinguer nettement l'unique rue en pente raide dévalant jusqu'à un pont en bois visiblement mal défendu. Une fois les canons en place, l'ordre d'assaut fut donné. Avant même que l'ennemi n'eût offert la moindre résistance, la place était prise. Un jeu d'enfants, je n'eus même pas à me servir de mon fusil.

Emmanuel s'informa :

— Est-ce qu'il y a eu des morts ?

— Quelques-uns seulement. Le lendemain, nous avons de nouveau repris la route pour une autre bataille. J'étais devenu indifférent : mon seul souci consistait à souffrir le moins possible du froid et de la faim. Quel était donc le nom de l'endroit où nous devions combattre ? Ah oui ! Eylau ! Je me souviens que nous avons marché tout le jour et une bonne partie de la nuit. Qu'avions-nous fait d'autre durant tout ce temps ? Avions-nous dormi ? Je ne m'en rappelais pas. Maintenant, nous arrivions à ce fameux Eylau alors que les canons s'étaient tus depuis plusieurs heures.

« En débouchant sur le champ de bataille, entre chien et loup, nous avons eu tout juste le temps, avant la complète noirceur, d'apercevoir pêle-mêle chevaux, cavaliers, fantassins, tous morts à l'endroit où ils avaient combattu. Éclairés çà et là par des fanaux, se déplaçaient les silhouettes des hommes occupés à mettre de l'ordre dans tout cet enchevêtrement de cadavres bleuissant, de fusils pointés, de bêtes terrassées, d'étendards souillés, de canons crevés, au-dessus desquels flottait une odeur âcre, de sang, d'urine et d'excréments. »

— Ça devait être épouvantable à voir ?

— Et à sentir ! Tu peux le croire, Édouard. Il n'y a pas de mots pour le dire. Le pire, c'est que, malgré notre harassante marche de la journée, on nous a réquisitionnés aussitôt pour creuser des fosses. Nous y avons passé la nuit entière. Ce n'était pas la première fois que je voyais un tel désastre, mais de dégoût, j'avais le cœur au bord des lèvres, ne parvenant pas à comprendre ce qui pouvait justifier pareil carnage. "Est-ce que la gloire de l'empereur vaut seulement un mort ? ai-je dit à voix haute. Ici, il y en a bien dix mille des nôtres sans compter ceux des ennemis." Tu dois t'en souvenir, Bernardin ? Tu m'as fait taire en me disant : "Tu peux penser ce que tu veux de l'empereur, mais tu ne dois jamais le dire. Il y en a plusieurs qui ne priseraient pas de telles paroles."

« Tout en retournant patiemment ce sol qui accueillerait bientôt les dépouilles de milliers de nos compagnons venus mourir en cette terre étrangère, je me suis demandé anxieusement quand mon tour viendrait, et celui de Bernardin et de tous les autres dont les visages défilaient dans mes pensées. Notre retard, cette fois, nous avait sauvés du massacre, mais demain... Je me suis arrêté là, en m'efforçant de penser à autre chose. Je tombais d'ailleurs de sommeil et, pour peu, tant j'avais besoin de dormir, je me serais retrouvé étendu parmi les morts.

«Quand, tard dans l'après-midi, je me suis réveillé, étendu dans le foin, à l'abri d'une grange, j'aurais été incapable de dire comment j'étais arrivé à cet endroit. Le soleil était déjà tombé derrière les collines avoisinantes. J'ai entendu, à travers les aboiements de chiens en bagarre, les coups de pelles réguliers des fossoyeurs et leurs murmures. Je me suis mis aussitôt en quête d'un quignon de pain, j'avais une faim d'ogre. J'en ai trouvé près d'un immense feu qui avait été allumé là pour brûler tout ce qui ne méritait pas d'être conservé. Sur une table, à notre intention, du pain et des bouteilles de vin avaient été déposées qu'un cantinier à grosses moustaches était chargé de distribuer parcimonieusement, à grands renforts de: "Tiens, toi! Pas plus qu'un pain, pas plus que deux rasades et à ta bonne santé!" Plusieurs de nos compagnons de la veille, tout comme moi, avaient repris peu à peu leurs esprits, cependant qu'une nouvelle corvée nous attendait pour la nuit, comme si nous avions porté le mot "fossoyeur" en grosses lettres gravées sur le front.»

—Vous étiez obligés de faire ça? l'interrompit Emmanuel.

—Nous n'avions pas le choix. Un soldat obéit aux ordres et c'était précisément les ordres que nous avions reçus. Je me souviens de m'être révolté et avoir dit à

Bernardin : "Je n'ai jamais volontairement tué quelqu'un et je ne suis pas un voleur, pourtant, parce que j'ai survécu, me voilà fossoyeur, et quelle fosse, mes aïeux ! Ça commence à sentir en petit péché ! Ça pue, que ça n'a pas d'allure. De la chair à canon, voilà ce que nous sommes, Bernardin, de la chair à canon." "Console-toi, m'a-t-il dit, au moins, nous ne nous en sommes pas si mal tirés puisque nous sommes toujours vivants, tandis que pour eux c'est vraiment fini." "C'est-y Dieu possible qu'une fois mort on puisse sentir si mauvais ? De quoi on est fait, pardieu, pour tant puer une fois crevé ! Peux-tu me le dire ?" Bernardin n'a pas relevé mes propos.

« Une nuit encore, avec nos compagnons de la réserve, nous nous sommes arraché le cœur à creuser d'immenses fosses où les corps étaient alignés, épaule contre épaule, comme avant un combat. Quand chaque pied carré de la fosse était rempli, les aumôniers ont sorti leur goupillon, ont fait quelques prières, puis les pelletées de terre de centaines de pelles ont volé tout le tour de la fosse et en un rien de temps, le sol a retrouvé sa forme unie d'avant la bataille.

« La lune s'était levée, une lune pâle dont le falot éclairait ce champ de mort. Nous avons creusé l'extrémité d'une des immenses fosses destinées à accueillir les corps de milliers de nos camarades.

« Bernardin, tu dois t'en souvenir ? Tu as craché par terre et tu as grogné entre tes dents : "Attends, tu vas voir, demain on va parler de cette quasi défaite comme de la victoire d'Eylau." »

— Si! Je m'en souviens très bien, intervint Bernardin. J'ai même ajouté: "Si nous n'étions pas arrivés en retard aujourd'hui, nous ne serions pas là pour en parler."

— Tu avais à peine prononcé ces paroles, reprit Nicolas, qu'un frisson m'a parcouru le dos comme si la mort avait voulu me rappeler que je ne perdais rien pour attendre. Puis j'ai dit: "À quoi tout ça sert-il? Des milliers de morts pour absolument rien." Tu as secoué la tête. "À qui le dis-tu! Pourquoi eux et pas nous?"

«Heureusement, nous n'avons pas eu besoin de combattre de nouveau, du moins dans l'immédiat. Il y a eu une signature de traité. Comme nous n'avions encore que très peu d'expérience au combat, on nous a fait reprendre à rebours le chemin du dépôt pour aller y parfaire notre entraînement. Pendant des mois entiers, nous avons attendu un avis de marche qui ne venait jamais. Puis un beau jour, on nous a ordonné de faire notre barda afin de nous joindre aux soldats en route pour l'Espagne. Ainsi le voulait l'empereur, ainsi allait-il être fait. Je crois bien que ce furent les moments les plus durs que nous ayons passés dans l'armée.»

— Tu as raison, confirma Bernardin. Ce furent les plus tristes moments de ma vie et ils ne méritent guère d'être racontés. Vous allez nous excuser, Marie-Josephte et moi. Nous avons encore du chemin à faire avant d'être à la maison.

Ils se levèrent. Bernadette et Nicolas les accompagnèrent dehors. La brunante était proche. Un petit vent doux soufflait sur le faîte des arbres, les animant d'un murmure incessant. Déjà, la nuit allumait çà et là des étoiles, telles des balises argentées le long de la Voie lactée.

— Tout ça, dit Bernardin en désignant les cieux, vaut des milliers de fois la gloire éphémère et destructrice que procurent les fusils.

Chapitre 41

Les élections

Deux ans plus tôt, Nicolas avait dit aux Fils de la liberté qu'il ne se mêlait pas de politique et il ne s'en était pas mêlé davantage depuis. Il avait encore sur le cœur son incarcération injustifiée ainsi que celle de son beau-frère Ludovic. La pendaison, à la fin de l'année 1838 et au début de l'année 1839, de douze Patriotes, le révolta. Aussi, quand il entendit dire qu'on avait déposé aux communes un projet de loi sur l'union du Haut et du Bas-Canada, et apprit que le colonel Frederic-George Heriot venait d'être nommé membre d'un conseil spécial pour la réalisation de cette union, il décida de s'impliquer davantage afin que celle-ci ne voie pas le jour.

Il se confiait volontiers à Ludovic, à qui il rendait régulièrement visite, tout en lui empruntant des journaux afin de se tenir au fait des dernières nouvelles.

— Ils ne nous auront pas de cette façon, disait-il. Ils ont conquis notre pays, mais il est vaste. S'ils veulent se faire un pays au Haut-Canada, libre à eux de le faire, mais ils ne nous voleront pas notre Bas-Canada, le pays que nos ancêtres ont bâti à la sueur de leur front. Ce n'est pas vrai qu'ils vont faire de nous des gens comme eux, qui se croient supérieurs et autorisés à mépriser ceux qui ne sont pas Anglais.

— Je trouve, le beau-frère, que tu prends tout cela un peu trop à cœur.

— Ça ne t'a rien fait, d'être injustement mis en prison ?

— Ça m'a révolté, tout comme toi, mais que pouvons-nous y faire ? Ils ont à la fois le pouvoir et la force.

— Si nous ne pouvons pas intervenir, parce qu'ils tournent les lois en leur faveur, nous pouvons au moins leur faire savoir que nous ne sommes pas dupes, que nous ne les laisserons pas faire impunément. Si personne ne se lève, qui le fera ?

Plus le temps passait, plus Nicolas se sentait concerné par tout ce qui touchait la politique. Le jour de février 1841 où, de façon unilatérale, fut proclamée l'union du Haut et du Bas-Canada, la révolte grondait en lui. Quand, quelques jours plus tard, on déclara qu'il y aurait bientôt des élections, il décida de se porter candidat dans le comté de Drummond.

— Pour quel parti comptes-tu te présenter ? s'informa Bernardin.

— Pour le libéral, le seul dont les candidats s'opposent à cette union qu'on nous fait avaler de force.

Si les intentions de Nicolas s'avéraient louables, il déchanta rapidement quand il voulut soumettre sa candidature. On lui apprit que le gouverneur Sydenham venait de faire changer certaines clauses des lois régissant les élections. Pour pouvoir devenir candidat, il fallait posséder des biens fonds de 500 livres sterling, ce qu'il n'avait pas. Sa fureur s'accrut quand il apprit que le candidat du Parti conservateur dans Drummond, favorable à l'union, n'était autre que Robert Nugent Watts, le neveu même de Frederic-George Heriot.

— Ça ne se passera pas comme ça, tonna-t-il, je trouverai bien le moyen de faire quelque chose.

Plus la période du scrutin approchait, plus sa fureur grandissait. Bernadette tentait par tous les moyens de le raisonner :

— Pourquoi te mets-tu dans pareil état ? lui reprochait-elle. Pourquoi ? Est-ce que tout ça en vaut seulement la peine ?

Il ne répondait pas, mais continuait de se faire du mauvais sang. Pour lui, il était hors de question que, faute d'adversaire, les conservateurs fassent élire leur candidat par acclamation. Il en avait contre le mode de scrutin à main levée et, surtout, il était indigné de constater à quel point tout avait été mis en place par le gouverneur pour favoriser les candidats conservateurs favorables à l'union du Haut et du Bas-Canada. Il chercha longtemps comment intéresser ses concitoyens de langue française à la situation. « Il faut, leur disait-il, que nos adversaires apprennent notre désaccord avec leurs façons de faire. La démocratie est bafouée, nos droits sont foulés aux pieds. On nous considère comme des moins que rien. Nous devons leur faire savoir que nous existons, que nous ne nous laisserons jamais abattre.»

Il eut l'occasion, quelques jours plus tard, de faire un coup d'éclat quand il apprit que les conservateurs s'apprêtaient à distribuer gratuitement à tous les électeurs du comté un exemplaire du journal *Le Vrai Canadien*. Il dit à Éphrem, Édouard et Emmanuel:

— Ce journal anglais a été créé par le gouverneur Sydenham pour vanter l'union des deux Canada et tromper le peuple. Il vient de le faire imprimer, en français seulement, pour appuyer la cause des conservateurs. Nous devons empêcher cette livraison.

— Comment?

— Ces journaux doivent être apportés à Drummond par le charretier Hart de Sherbrooke. Nous allons l'intercepter sur la route avant son arrivée à Drummond. Nous allons nous emparer des journaux et nous les ferons brûler ce soir, sur la place de l'église.

Il partit en compagnie de ses fils. Ils n'eurent aucune difficulté à intercepter le charretier. Sans qu'un seul coup soit donné, ils s'emparèrent de tous les journaux.

— Tiens, mon brave, pour ta peine, dit Nicolas au charretier en lui donnant quelques shillings. Tu as fait ce que tu avais à faire, nous nous chargeons du reste. Tu peux retourner d'où tu viens et, surtout, ne t'avise pas de revenir sur tes pas ou encore de nous dénoncer, car tu passerais un mauvais quart d'heure!

Le soir même, près d'une centaine de personnes venues de Drummond et des environs se réunirent sur la place de l'église pour assister à ce grand feu de joie.

Nicolas en profita pour leur annoncer que, le soir choisi par les conservateurs pour le scrutin et l'élection par acclamation du candidat Watts, il prononcerait un important discours. Il leur donna rendez-vous à l'*Auberge Grenon*.

∽

Le soir de l'élection, alors que Nicolas s'apprêtait à se rendre à l'auberge, un jeune homme vint l'informer que cinq fiers-à-bras anglais étaient entrés à l'*Auberge Grenon* et empêchaient quiconque d'y pénétrer. Il y en avait même un armé d'un fusil.

Nicolas prévint aussitôt Éphrem, Édouard et Emmanuel.

— Nous allons mettre de l'ordre à l'auberge, leur dit-il.

— Comment allons-nous entrer ?

— Par la porte arrière.

— Il y aura sûrement quelqu'un là en faction ?

— Oui, mais quand je me présenterai à la porte d'en avant, il y aura tant de bruit qu'il sera distrait. C'est alors que vous devrez le maîtriser. Il faudra vous occuper ensuite de celui qui est armé, car je suis certain qu'il tentera de m'intimider avec son arme.

Nicolas avait raison. Quand il se présenta à la porte de l'auberge, soutenu par ses partisans massés à l'extérieur, les cris attirèrent trois des fiers-à-bras. Pendant ce temps, agile comme un écureuil, Emmanuel s'était introduit dans l'auberge par la fenêtre d'une chambre du deuxième. Il descendit prudemment dans la grande salle et, au moment où, distrait par ce qui se passait à l'avant, l'homme de faction à la porte arrière laissait quelque peu retomber sa garde, Manuel l'assomma d'un coup de bâton sur la tête. Il déverrouilla aussitôt la porte. Éphrem et Édouard entrèrent et firent face à un colosse fonçant droit sur eux. Le malheureux ne savait pas à qui il avait affaire. Les frères Grenon, réputés depuis longtemps pour la puissance de leurs coups, expédièrent le lascar au pays des rêves en moins de temps qu'il ne faut pour le dire. Pendant ce temps, Emmanuel, vif comme un chat, parvenu sans se faire voir dans le dos de celui qui était armé, lui faisait sauter le fusil des mains. Moins d'une minute plus tard, les cinq fiers-à-bras avaient leur compte et l'auberge se remplissait des rires et des cris d'une foule d'hommes enthousiastes venus entendre Nicolas.

Ludovic et Dorothée s'étaient réfugiés pendant tout le siège dans leurs appartements. Ils se montrèrent de nouveau au moment où Nicolas s'apprêtait à prononcer son discours. Les gens étaient venus en trop grand nombre pour tenir tous dans l'auberge. Ce fut donc à l'extérieur que l'orateur, grimpé sur un tabouret, s'adressa aux gens réunis dans la rue :

— Chers amis, si je vous ai convoqués à cette assemblée ce soir, c'est que l'heure est grave. J'ai voulu me présenter comme candidat à cette élection, mais les règles avaient été changées par le gouverneur, de telle sorte que seuls les riches puissent le faire. C'est ainsi que ce soir, au moment où je vous parle, sont rassemblés au Comfort Cottage, la maison de Fredreric-George Heriot, les conservateurs partisans de son neveu Robert Nugent Watts que vous connaissez tous, parce qu'il s'est fait donner une grande partie des terrains de Drummond. Qu'a-t-il fait de plus que nous pour les mériter? Je vais vous le dire: il a léché les bottes de ceux qui sont au pouvoir.

«Et que dire de ceux qui nous dirigent, en commençant par le gouverneur Sydenham lui-même? Pensez-vous que parce qu'ils sont Anglais, ils sont forcément honnêtes? Si c'est ce que vous croyez, écoutez bien ce que je vais vous dire. Cette élection est supposée nous permettre de nous prononcer sur l'union du Haut et du Bas-Canada, qui nous a été imposée de force. Pour être certain de faire entériner cette union, voici à quelles manœuvres malhonnêtes et déshonorantes s'est livré notre gouverneur.

«Il a vu à ce que le Haut-Canada anglais, ne comptant que 450 000 âmes, ait droit au même nombre de députés que le Bas-Canada français, qui a 200 000 âmes de plus. Il a ensuite fait déménager le siège du gouvernement de Québec à Kingston. Enfin, afin de favoriser le vote anglophone pour l'union, il a changé honteusement les divisions électorales, de telle sorte que des villes comme Kingston, Cornwall, Niagara, London et Bytown, ne comptant ensemble que 15 000 habitants, puissent avoir chacune un député, au même titre que nos comtés d'Huntingdon, Dorchester, Berthier, Deux-Montagnes et Beauharnois, qui regroupent ensemble 154 000 habitants.

«Vous vous demandez sans doute pourquoi il s'est adonné à de pareilles manigances? Je vais vous le dire. Pour nous faire avaler l'union des deux Canada. Et pourquoi cette union a-t-elle été proclamée? Pour nous obliger à participer, de nos deniers, au remboursement de la moitié de l'énorme dette de 5 500 000 dollars du Haut-Canada, alors que la nôtre est douze fois moindre. Sans notre contribution forcée, le Haut-Canada s'en allait droit à sa perte: il n'était plus capable de payer les intérêts de sa dette.

«Voilà ce qu'on nous demande avec arrogance à nous, Canadiens français, fondateurs de ce pays. Voilà ce qu'on exige de nous. Voilà à quoi nous pouvons nous attendre et à quoi nos enfants pourront s'attendre si nous continuons à mettre nos intérêts entre les mains d'étrangers sans vergogne. La malhonnêteté ne s'enseigne pas, elle se pratique. Ce gouvernement vient de nous en donner la preuve.

«Allons-nous laisser passer l'occasion de faire savoir à ces malhonnêtes gens notre mécontentement? Ils sont réunis en ce moment pour élire par acclamation, sans que nous puissions exprimer par le vote nos intérêts, celui qui, pendant les années à venir, va supposément défendre nos droits devant ce Parlement. Allons de ce pas faire savoir à ces hommes notre désapprobation. »

Une immense clameur jaillit de la foule. Nicolas, dominant parfaitement la situation, ajouta aussitôt:

— Nous n'allons pas là-bas pour nous battre à coups de poing. Nous nous y rendons pour faire savoir à ceux qui croient nous mener par le bout du nez et nous humilier que nous existons encore et que si la justice et la démocratie faisaient vraiment partie de la réalité en ce pays, les choses ne se passeraient pas comme nous sommes en train de les vivre, malgré nous.

Même s'ils étaient plus d'une centaine, c'est dans l'ordre qu'ils se dirigèrent vers Comfort Cottage et en envahirent les parterres. Les gens réunis pour entendre et élire le neveu du colonel Heriot leur firent aussitôt face.

Nicolas voulut prendre la parole. Les vociférations du clan adverse l'en empêchèrent.

— C'est ça la démocratie, version anglaise ! parvint-il à lancer dans un bref moment de silence.

Voyant qu'ils ne gagneraient rien à attendre là, il fit signe à ses partisans de se disperser dans l'ordre, heureux tout de même d'avoir pu signifier leur désaccord lors de ce rassemblement. Leur départ marqua également le démantèlement du groupe de supporteurs du candidat Watts, dont les cris de victoire vibrèrent encore un long moment à travers Drummond.

Comme Nicolas arrivait chez lui en compagnie de ses fils, trois de ces Anglais, le croyant à Comfort Cottage et n'escomptant pas si tôt son retour, s'activaient à fracasser à coups de pierres la vitre de la porte du magasin. À l'intérieur, Napoléon jappait à s'en étouffer. Une fois de plus, Emmanuel fut le plus prompt à réagir. Il rejoignit l'un des fuyards et lui donna un croc-en-jambe qui le fit s'effondrer dans la rue, pendant que ses comparses parvenaient à s'enfuir. Emmanuel le maîtrisa en lui maintenant le nez dans la poussière du chemin. Nicolas s'approcha, saisit l'homme au collet, le remit sur ses pieds et alla le conduire chez Heriot.

—Monsieur le major! entonna-t-il dès qu'il l'aperçut.

Celui-ci l'interrompit tout de suite:

—Je ne suis plus major, mais colonel. C'est dorénavant le titre qu'on doit me donner.

—Je ne suis plus soldat, répliqua Nicolas, en conséquence, je me contenterai de vous appeler monsieur. Donc, monsieur, je vous amène un de vos partisans que nous avons surpris, à notre arrivée à la maison, en compagnie de deux comparses, occupé à fracasser à coups de pierres la vitre de mon magasin. J'exige que cet homme et ses amis paient les dommages causés à mon habitation.

—À voir la façon dont vous l'avez traité, vous me semblez bien vous être fait justice vous-même. Que voulez-vous que je fasse de cet homme? Allez le conduire aux gendarmes. Ils sauront bien voir à ce que justice soit faite.

—Comme je connais la notion anglaise de la justice, j'ai préféré vous informer le premier des méfaits de cet individu. J'ai déjà dit que le jour où un Anglais s'en prendrait à ma famille ou à mes biens, je me chargerais moi-même de régler son cas. Eh bien, monsieur, ce jour est arrivé. Je vous ai amené cet homme. S'il ne répare pas les torts qu'il m'a faits d'ici vingt-quatre heures, je lui ferai payer moi-même son manque de jugement.

Le lendemain, un ouvrier venait remplacer la vitre cassée au magasin de Nicolas. Témoin de la chose, Bernardin, de passage à Drummond, se permit cette réflexion pleine de sagesse :

— Cher beau-frère, si tu te lances en politique, n'oublie jamais ce que je vais te dire. Dans ce milieu, il faut connaître toutes les règles du jeu, et c'est au moment où on les connaît, qu'on se rend compte, au fond, que c'est un jeu sans importance. Mets ça dans ta pipe !

Chapitre 42

Avant-dernier récit de guerre

Nicolas ne supportait aucune injustice, aussi tenait-il à ce que ses enfants puissent se faire une bonne idée de jusqu'où pouvait aller parfois la cruauté des hommes envers leurs semblables. Il avait vécu des expériences, au cours de ses années comme soldat, dont le récit, pensait-il, servirait de leçon à ses enfants tout en le libérant en partie du poids qui lui pesait sur le cœur. Il profita d'un soir où Bernardin, Marie-Josephte et Dorothée étaient en visite pour les réunir autour du feu.

— Ce soir, dit-il, j'ai résolu de vous raconter un autre des épisodes les plus marquants de ma vie de soldat. Un père devrait apprendre chaque jour à ses enfants une facette particulière de la vie. Je ne l'ai, hélas, pas fait assez souvent, mais ce soir, ce que vous allez entendre devrait vous mettre en garde contre la nature humaine. Je suis heureux que Bernardin soit parmi nous. Il pourra vous confirmer mes dires.

« Ce fut dans une Espagne en effervescence que nous avons pénétré après notre passage en France,

avec ordre de ne jamais quitter la route et nos camarades un seul instant. "L'Espagne entière est contre
nous, nous a prévenu le commandant. Ici on ne pardonne pas à l'ennemi. Attendez-vous, si vous êtes faits
prisonniers, à mourir d'une mort lente et raffinée. Ne
tombez surtout pas vivants entre les mains de ces
porcs!"

— Le capitaine avait entièrement raison de nous
parler de la sorte, intervint Bernardin. Ces Espagnols
sont les hommes les plus cruels que j'ai connus dans
ma vie.

— Vous comprenez, poursuivit nerveusement
Nicolas, que ce fut sur un permanent qui-vive que nous
avons traversé ces terres hostiles pour nous rendre à
notre cantonnement de Tolède. Au bout de plusieurs
mois passés à jouer à la police dans ce milieu empoi-
sonné, on nous a donné enfin un ordre aux allures de
délivrance. Nous allions prendre l'Andalousie et l'arracher aux mains de ces barbares, ce qui signifiait que
la victoire n'était pas loin.

Bernardin confirma :

— C'est vrai! Nous étions convaincus que la victoire était proche.

— Pourtant, poursuivit Nicolas avec un peu d'émotion dans la voix, nous n'avons pas eu long à faire avant
de nous rendre compte que la partie serait rude. La
route s'est mise à grimper en ne prêtant qu'un flanc
au soleil, puis elle s'est tordue à la manière d'une cou-
leuvre lasse de chaleur, pressée de changer de direction comme pour se permettre de reprendre un

moment son souffle, avant de s'élancer de nouveau à l'assaut d'un autre cran, pour se fondre dans l'ombre des arbres regroupés là par on ne sait quel tour de magie. Par instant, toute la montagne avait l'air d'un immense tapis qu'on secoue. Nous avons pu suivre la progression de nos camarades, tu t'en souviens Bernardin, rien qu'au serpent de poussière soulevé par leur passage. À part nous, en ces lieux, il n'y avait pas âme qui vive : la Sierra Morena semblait nous appartenir tout entière. Nous étions si nombreux qu'il aurait fallu une autre armée comme la nôtre pour nous chasser de ces lieux.

« Des effluves d'enclos à cochons et de plantes pourrissantes montaient de la plaine. À flanc de montagne, quelques cabanes éparpillées avaient l'air de se regarder avec soupçon, comme si elles craignaient que leurs voisines leur enlèvent un petit coin d'espace. Le sol tout autour était raviné comme après une pluie abondante, mais déjà le soleil le brûlait, lui donnant l'aspect d'une crêpe, avec çà et là des yeux de verdure faits de quelques touffes de cyprès, entre lesquelles se faufilait la petite route rousse que nous venions d'emprunter, déserte à cette heure, mais qui allait bientôt être animée par l'arrivée des troupes ennemies. »

— Vous vous en alliez combattre dans ces montagnes ? s'étonna Édouard.

— C'est en effet ce que nous comptions faire. Ce sont des cavaliers qui ont paru en premier, suivis de quelques fantassins et d'un groupe d'artilleurs dont les canons étaient tirés par des bœufs. Ils se sont arrêtés, ont disposé leurs armes et se sont installés comme pour un long siège. Pour nous, un retour en arrière était devenu impossible. Il nous aurait fallu d'abord les déloger de cette position stratégique sinon nous serions restés prisonniers de l'Andalousie. La Sierra Morena était désormais bien gardée. Nous n'étions pas assez nombreux pour laisser derrière nous des hommes qui auraient vu à ce que cette route demeure ouverte. "Nous voilà prisonniers de ces maudites montagnes, a commenté Bernardin. Nous devrons drôlement nous battre si nous voulons revenir sur nos pas."

« Devenu sans doute inconscient en raison de la chaleur, comme si désormais rien ne m'importait vraiment, j'ai tenté de le rassurer : "Nous n'aurons pas à le faire. Il suffira de les vaincre dans la plaine et nous sortirons par la mer." "C'est loin d'être fait." "Bah ! C'est tout comme." "Tu crois ?" "Attends que nous les rencontrions sur un champ de bataille." "Ils ne se battent pas de cette façon." "Il le faudra bien, quand ils auront toute notre armée à leurs trousses."

« Je n'ai pas tardé à me rendre compte à quel point je n'étais pas réaliste. Tout le jour, nous avons avancé sur une petite route pleine de chants d'oiseaux. Elle sautait d'un vallon à l'autre, avec ses ponts, ses forêts, ses tas de cailloux, ses petits villages entourés d'arbres, comme des parcs, et de temps à autre un moulin à farine arc-bouté au-dessus d'un ruisseau avec sa chute, sa retenue, ses galets lisses et son eau fraîche où nous aurions eu l'idée de nous jeter tout habillés. Mais et surtout, en raison de l'inhospitalité des lieux, nous

nous sommes tenus sans cesse sur nos gardes avec l'impression que chaque arbre cachait un homme muni d'un long couteau, prêt à tuer.

« Le vent s'est levé soudain sur la route, soulevant la poussière et nous forçant à détourner le visage pour ne pas être aveuglés. Souvent, en plein champ, une statue de la Vierge nous a rappelé que nous étions en pays catholique. Loin en avant s'est ensuite esquissée la tache blanche d'un clocher entouré de chaumières agenouillées comme pour la prière.

« Au soir, nous avons atteint une auberge dont les volets se sont fermés à notre approche pour ne plus s'ouvrir malgré des coups répétés à la porte. Il nous a fallu forcer les lieux pour mettre la main sur quelques quignons de pain noir et sur un vin assez fort pour décaper une armure.

« Des hommes ont été désignés pour chercher de l'eau au torrent voisin : ils ne sont pas revenus. "Qu'est-ce qui peut leur être arrivé ?" m'a demandé Bernardin. "Ils auront été surpris par des ennemis." "Crois-tu qu'ils sont toujours vivants ?" "J'en doute fort ! Ces Espagnols sont sans pitié. Ils ne veulent pas de nous sur leur sol." "Ils n'ont pas entièrement tort, a fait remarquer Bernardin. Si une armée se pointait chez moi, je ne serais pas long à me servir d'un fusil."

« Dès lors, la nuit n'a été pour nous qu'une longue veille à l'affût du moindre bruit, l'arme à portée de la main. Le lendemain, à une lieue de là, le long de la route, nous avons vu les corps de nos malheureux camarades suspendus aux arbres comme ceux d'animaux de boucherie avec, dans la bouche, leurs organes nettement tranchés au sabre ou à la machette. "Quand on pense que nous sommes en pays catholique", me suis-je dit en détournant le regard de cette horrible scène. J'en avais vu bien d'autres jusque-là, mais de telles horreurs me donnaient chaque fois des haut-le-cœur et attisaient en moi la haine contre ces barbares que j'avais de plus en plus hâte de combattre face à face. »

Emmanuel s'exclama :

— P'pa ! Ils étaient donc bien méchants ! Pourquoi ?

— C'est ça, la guerre, fit remarquer Nicolas. Quand on se permet de tuer, on risque d'être tué, surtout quand on n'est pas chez soi. Nous étions en Espagne, en sol ennemi.

Avant de reprendre son récit, Nicolas secoua la tête, comme pour en chasser ces tristes images. Puis, patiemment, il poursuivit :

— Une heure plus tard, nous avons dévalé une longue pente, presque à la queue leu leu, sur une route devenue soudain un sentier dans l'entonnoir des montagnes, un défilé parfait pour une embuscade. J'avais des yeux tout le tour de la tête et je m'efforçais de percevoir un mouvement quelconque sur les hauteurs à peine éclairées par le soleil. Pour une fois, le sort nous a été favorable et nous avons pu cheminer allègrement dans cet air frisquet, vers un torrent étouffé entre les rochers et grondant comme un ours enragé. Par bonheur, rien n'a bougé là-haut. Seuls sous nos pas les cailloux ont continué de crisser pendant que nous parvenait, de temps à autre, le chant d'un coq perdu quelque part dans une ferme invisible. Mais, à part nous, il n'y avait pas un chrétien dans les parages, ce qui valait mieux pour notre peau.

« À la hauteur du torrent, tout était sombre. L'air gorgé d'eau répandait une vapeur qui, suspendue comme un ruban, indiquait la route devant nous, étalée le long du cours d'eau. Il n'a pas été question de nous arrêter, personne ne semblait habiter ce coin de pays, sauf quelques chiens errants et parfois une chèvre perdue venant en un tournemain renflouer nos provisions. »

— C'est bien à ce moment-là que c'est arrivé ? questionna Bernardin.

— L'embuscade ?

— Oui ! L'embuscade, que nous redoutions tant, depuis le matin. En fait, elle est survenue à un autre passage étroit le long du torrent, mais, fort heureusement, les officiers avaient prévu le coup et un détachement de quelques centaines d'hommes, dont j'étais, avait eu pour mission d'escalader le flanc du rocher pour déloger d'éventuels tireurs embusqués. Trop préoccupés à surveiller tout en bas le chemin du défilé, ces hommes croyant surprendre ont été eux-mêmes surpris et abattus sur place avant même d'avoir pu tirer un coup de feu. Pour cette fois, nous avons été saufs et ce fut avec allégresse que nous avons quitté ce passage inhospitalier en espérant ne plus rien trouver de semblable jusqu'à Cordoue. Certains de les vaincre, et avec espoir de mettre fin de la sorte à cette petite guerre d'escarmouches ne pouvant que nous être néfaste, puisque nos ennemis avaient l'avantage de connaître à fond le territoire, nous avons ressenti une vive hâte de les affronter en terrain découvert.

« Sur l'heure du midi, alors que nous nous étions arrêtés pour casser la croûte dans un petit village dont les habitants ne semblaient pas trop hostiles, quelques gouttes de pluie sont tombées, et même si ce n'était pas vraiment une averse, nous avons vu tout à coup, partout autour des maisons voisines, les gens se hâter, qui pour courir fermer une fenêtre, qui pour entrer le linge mis à sécher sur les arbustes, qui, enfin, pour ramasser tout ce qui risquait d'être détrempé. Pourtant, de tout le reste de la journée, aucun nuage n'est venu menacer. Le vent s'amusait à faire frissonner l'eau à la surface des étangs, ouvrant et refermant les rideaux des nuages, si bien que d'un instant à l'autre tout le plan d'eau brillait puis s'assombrissait pour s'illuminer de nouveau tel un miroir au soleil, faisant apparaître et disparaître le reflet des arbres comme par magie, pendant qu'au loin des moucherolles étaient occupées à gober leurs proies entre des escales répétées d'un arbre à l'autre. »

Éphrem demanda :

— Ça devait être un beau pays ?

— Ah pour ça, oui ! C'était un pays magnifique. Il aurait fait bon y vivre si nous n'avions pas été en guerre. De temps en temps, malgré le bruit des pas cadencés de la marche et le rataplan-plan-plan répété des tambours, nous pouvions percevoir au loin le tintement d'une cloche, le grondement d'un torrent ou encore, sous une rafale plus forte de ce vent capricieux, le bruissement des feuilles au sommet des arbres. La fatigue et la chaleur suffocante nous ont fait vivement regretter l'air frisquet du matin, mais nous avancions tels des automates, sans penser à rien, seuls au monde, quoique entourés de milliers de camarades condamnés tout comme nous à marcher et marcher encore jusqu'à ce que, par le bon vouloir de l'empereur et les ordres des officiers, nous puissions enfin nous asseoir et manger, si, par bonheur, nous avions trouvé de la nourriture, ou encore dormir et recommencer à vivre enfin pour quelques heures.

Nicolas s'arrêta. Avant de poursuivre de nouveau son récit, il dit :

— Les enfants, toute votre vie, si j'ai un bon conseil à vous donner, arrangez-vous pour ne pas être à la merci des décisions des autres. Soyez vos propres maîtres. Il n'y a rien de pire que d'être obligé de vivre soumis au caprice d'autrui. Bon ! Où en étais-je ?

— Vous aviez marché tout le jour, dit Marie-Josephte.

— Ah ! Oui, je me souviens. Ce fut dans un monastère qu'une bonne centaine d'entre nous, dont j'étais, ont trouvé refuge cette nuit-là. Le soleil avait disparu, dessinant des silhouettes noires sur un horizon de sang. Nous avons entendu le clapotis des vagues sur les berges d'une rivière toute proche et, du jardin, montaient les parfums subtils des plantes aromatiques qu'un moine venait d'arroser. Nous avons pu enfin espérer passer une nuit paisible dans l'enceinte de ce monastère, havre de prières, étant loin de nous douter qu'on nous avait attirés en ce lieu pour mieux nous surprendre.

« La noirceur était tombée, avec son cortège d'ombres. À peine quelques arbres laissaient encore deviner leur présence au bout de l'allée menant sous le porche. Nous nous sommes occupés de préparer notre couche pour la nuit dans les allées du cimetière, entre les dalles et l'herbe. Ç'a été tout drôle de dormir en ce lieu de repos éternel, étendu six pieds au-dessus d'un mort, parmi les urnes, les croix et les tertres d'où émanaient des odeurs âcres. »

— Ah ! fit Emmanuel. Vous avez couché dans un cimetière avec les morts et leurs fantômes ! Je ne sais pas si j'aurais aimé ça.

— Nous n'avons pas aimé ça, nous non plus, mais nous n'avons pas eu d'autres choix. Peu à peu, autour de nous, tout s'est tu, à part les bruits de pas réguliers des sentinelles montant la garde. Je me suis couché sur le dos, et depuis longtemps j'étais perdu dans la contemplation des étoiles quand, soudain, le trop grand silence m'a tiré de ma torpeur. Je n'ai plus entendu le pas régulier des sentinelles, et des ombres se sont mises à cerner le cimetière. En moins de deux, j'ai été debout, sabre en main. Au hurlement que j'ai poussé, mes camarades ont sauté sur leurs armes et ce qui aurait pu devenir le pire des guets-apens s'est transformé en une bataille au corps à corps où l'effet de surprise escompté s'est retourné contre nos agresseurs. Après avoir égorgé les sentinelles, ils avaient compté nous tuer l'un après l'autre en plein sommeil, mais ce furent des soldats bien éveillés, sabre au poing, qui les ont accueillis. Il y a eu, certes, plusieurs tués ou blessés parmi les nôtres, mais au petit matin, nous avons dénombré par dizaines ceux des ennemis qui avaient laissé leur peau en pensant avoir facilement la nôtre.

— C'était bien triste à voir, fit remarquer Bernardin. Parmi les cadavres se sont trouvés une dizaine de moines qui, de connivence avec l'ennemi, avaient permis cette embuscade. Malgré leurs protestations d'innocence, tous les moines de ce monastère ont aussitôt été passés par les armes sans autre forme de procès ; il n'y a pas eu de pardon.

— Notre erreur, ajouta Nicolas, avait été de nous fier à ces religieux pervers, toujours prompts à exciter le peuple et à prendre eux-mêmes les armes pour occire le premier Français de passage.

« Tout ce que ce monastère contenait de nourriture a été partagé entre les survivants. Après avoir donné une sépulture décente à ceux des nôtres que la mort avait surpris en ce lieu, et avoir dépouillé nos agresseurs, dont nous avons laissé les cadavres sur place sans sépulture — des brigands et des assassins ne méritent pas un tel honneur —, nous avons repris notre route sans attendre la fin de la nuit afin de profiter de la fraîcheur, le cœur plus chargé que jamais de haine contre ce peuple qui pouvait produire de tels enfants.

«Il a été difficile, tellement les nuages étaient opaques, de savoir où en était la nuit : pas d'étoiles, pas de repères. Pour nous qui avions marché depuis longtemps déjà, il n'y avait que ce cadran intérieur nous disant à peu près l'heure. "L'aube est proche, a affirmé Bernardin, qui parlait toujours le premier, comme pour ramener tout le monde à la réalité." "Sans doute, a repris le sergent. Si je me fie aux douleurs que j'ai dans les jambes, il y a bien huit heures que nous marchons sans arrêt."

«Et comme pour leur donner raison, les nuages se sont déchirés, laissant passer un filet de clarté qui a découpé aussitôt le sommet des arbres de cette forêt apparemment sans fin. Nous avons marché encore une bonne heure avant de pouvoir profiter d'une halte. Nous savions que nous passerions tout le jour, tapis sous le couvert de la forêt, afin d'éviter la canicule mortelle en ce pays où, dès dix heures, la route devenait une étuve.

«Vers les quatre heures, nous sommes repartis, malgré un soleil encore très présent et une chaleur lourde, même si, enfin, une certaine fraîcheur avait imperceptiblement gagné la route. Nous avons atteint ce soir-là un petit hameau fait de quelques maisons vétustes, dont les murs couverts de vigne disparaissaient presque dans un paysage de bouquets d'arbres et d'îlots de verdure. Nous avons vainement cherché une auberge quand deux hommes sont venus au-devant de nous, nous offrant fort aimablement un gîte pour la nuit. Bernardin doit s'en souvenir. »

— Si je m'en souviens! dit-il. Il me semble que ça s'est passé hier. Écoutez bien la suite, vous allez comprendre comment il se fait que tout nous est resté si bien gravé dans la mémoire.

Nicolas poursuivit:

— Ces hommes nous ont conduit à une grange capable de loger une centaine d'entre nous et ont invité les autres à se disperser dans les maisons voisines. Je me suis dit, tout comme les officiers, que c'était trop aimable de leur part et qu'il devait y avoir de la moutarde sous le miel. Dans un champ, non loin de là, nous aurions pu facilement bivouaquer. Plutôt que d'accepter de disperser les hommes en surplus dans les maisons, les officiers ont décidé que ceux qui ne pouvaient trouver abri dans la grange allaient coucher sous la tente. Ils se sont mis aussitôt en devoir de s'installer. Bernardin et moi, sans le savoir, nous avions tiré le bon numéro, car nous avons pu trouver dans la paille de la grange une couche confortable pour la nuit.

«Comme ils se sont méfiés de cet accueil trop favorable de la part des Espagnols, les officiers nous ont dit d'avoir nos armes et tout notre fourbi à portée de la main. Les premiers qui se sont éveillés en sursaut au milieu de la nuit étaient couchés près de la porte: la grange flambait. En moins de deux, nous avons été tous debout prêts à sortir. Les officiers ont réagi aussitôt. "Ils veulent nous voir sortir par la porte: ils nous attendent certainement armés jusqu'aux dents, a prévenu le commandant. Arrachez une poutre au mur, servez-vous en comme d'un bélier, ouvrez une brèche à l'arrière de la grange." »

Bernardin commenta :

— C'était vraiment sinistre à voir. Le feu courait avec une rapidité extrême, à la fois dans la toiture et dans le foin sec. La fumée devenait de plus en plus opaque. Heureusement, elle était aspirée vers le haut, ce qui nous a permis de sortir de cet enfer.

— Il n'y a pas eu de panique, poursuivit Nicolas. Les ordres ont été suivis à la lettre. Nous étions des soldats habitués au danger et soumis à une discipline de fer. Malgré les flammes et la fumée, dans un ordre parfait, les armes à la main, nous sommes sortis un à un par l'ouverture que nous venions de créer. Nous avons contourné la grange, moitié d'un côté, moitié de l'autre. Nos assaillants nous attendaient vers l'avant. Ils ont été entourés en quelques minutes et tués sans avoir eu le temps de se rendre compte de ce qui s'était passé. Les quelques maisons du village ont été vidées de tout ce qui pouvait servir de nourriture. On a fait boucherie des quelques animaux trouvés dans les dépendances.

« Quelques jours plus tard, harassés d'une si longue marche et enragés du sort réservé à nos camarades faits prisonniers, nous sommes arrivés aux portes de Cordoue. Avant d'ouvrir le feu, notre commandant, le général Dupont, a fait prévenir les occupants de la ville qu'ils feraient mieux de céder la place sans combattre et qu'il ne répondrait pas de ce qui pourrait arriver par la suite. Il leur a promis que s'il n'y avait pas de combat, les personnes et les biens seraient respectés. La seule réponse qu'il a obtenue fut celle de quelques coups de feu.

« En un rien de temps, les canons ont été mis en place. Quelques boulets ont suffi à mettre en pièce la Porte-Neuve. Notre armée est entrée dans Cordoue. »

— Est-ce que c'était une grosse ville ? questionna Édouard.

— Oui, c'était une belle et grande ville. Bernardin sera de mon avis. Je n'ai jamais vu pareil saccage et semblable pillage.

— En effet, c'était infernal.

— Pendant six jours, nos soldats se sont emparés de tout ce qui leur tombait sous la main : assiettes d'argent, pièces d'or, bijoux, toiles, vin et femmes. Rien n'a pu assouvir leur soif et leurs appétits. Les officiers les ont laissé faire, quand ils n'ont pas participé eux-mêmes à cette vengeance collective. Les églises ont été dépouillées de leurs richesses, les maisons vidées de leurs biens. Je crois que tous les moyens de transport de la ville ont été réquisitionnés. Ce fut à l'aide de charrettes pleines de ce butin que notre armée a quitté Cordoue. Bernardin et moi, nous n'avons pas participé à ces vols et à ces orgies. Qu'est-ce que nous y aurions gagné ? »

Bernardin se leva, fit quelques pas comme pour chasser de son esprit les images qui y revenaient. Il poursuivit :

— Nous avons quitté Cordoue comme une bande de brigands chargés jusqu'au cou du fruit de leurs vols.

Certains avaient tellement bu qu'ils peinaient à suivre. Il a fallu les déposer comme des sacs dans les charrettes de butin. C'est ce qui nous a perdus. Nous avons pris du retard et quelques jours plus tard, l'armée espagnole nous a entourés si bien que notre général n'a pas eu d'autre choix que demander grâce pour les 25 000 hommes que nous étions.

— Voilà, ajouta Nicolas. La convoitise a été la cause de notre perte. N'est-elle pas d'ailleurs le pire fléau qui mène les hommes ? Pensez à ça avant de vous endormir, les enfants, ça pourra vous être utile un jour.

Chapitre 43

Le concours

Au mois de janvier 1841, Éphrem arriva à la maison avec une grande nouvelle. Les Anglais de Drummond organisaient une course de traîneaux à chiens. Il avait lu une affiche invitant tous les intéressés à communiquer avec Gideon Wright. Ils pourraient obtenir de lui tous les renseignements nécessaires et, s'ils manifestaient un désir sérieux de participer, Wright se ferait un plaisir de leur fournir les règlements détaillés. Le gagnant de cette course toucherait cinquante livres sterling.

— Il faut que je mette la main sur ces règlements, dit Éphrem.

— En quoi ça peut t'intéresser ? s'informa Édouard. Tu n'as ni chiens ni traîneau !

— Des chiens, nous pouvons certainement en emprunter pour la course, de même qu'un traîneau, et s'il n'y a pas moyen d'en trouver un, il n'y a rien de plus simple à fabriquer.

Nicolas, qui tendait l'oreille à la conversation, dit calmement :

— Commence par connaître les règlements avant de parler de chiens et de traîneau. Mon petit doigt me dit que cette course doit être réservée uniquement aux Anglais et à leurs amis.

— J'ai bien peur, ajouta Édouard, que si tu vas t'informer toi-même auprès de ce monsieur Wright, tu ne voies même pas un seul mot des règlements.

Voyant ses plans quelque peu contrariés, Éphrem semblait vouloir laisser tomber. Emmanuel proposa de lui venir en aide :

— Je connais quelqu'un par qui il serait facile d'obtenir les règlements.

— Qui ça, je t'en prie ?

— Mon oncle Ludovic.

— Mon oncle Ludovic ?

— Bien sûr ! Quelques Anglais fréquentent son auberge à l'occasion. S'il accepte de faire de la publicité pour l'événement en posant une ou deux affiches, il pourra sans doute obtenir une copie des règlements. Il n'aura qu'à prétendre vouloir répondre de façon adéquate aux questions de ses clients sur le sujet.

Un large sourire se dessina sur les lèvres d'Éphrem.

— Mon petit frère est un gros futé, insinua-t-il. Je me rends de ce pas chez l'oncle Ludovic.

— Je viens avec toi, dit Emmanuel.

Ils enfilèrent aussitôt leur manteau en laine, leurs bottes en cuir, leur casque en poil et leurs moufles. Dehors, un vent glacial soulevait la neige jusqu'au toit.

Ils se faufilèrent dans les tunnels ouverts le long des maisons et parvinrent sans trop de difficultés à l'auberge de leur oncle. Celui-ci les reçut avec toute l'amabilité qu'il leur avait toujours témoignée.

— Ça prend sûrement une bonne raison pour vous faire quitter votre tanière par un froid pareil. Vous vous faites toujours trop rares !

— Ce qui nous amène, mon oncle, vous en avez sans doute entendu parler.

— Quoi donc ?

— La course de chiens annoncée pour le mois prochain.

— Des clients m'en ont touché un mot. Seuls les citoyens de langue anglaise peuvent y prendre part. Ça peut se comprendre. Ils sont les organisateurs de la course et ils offrent la prime. Aviez-vous idée d'y participer ?

— Ça nous a en effet effleuré l'esprit, mais nous n'en connaissons pas les règlements.

Leur oncle, occupé à calculer une colonne de chiffres au moment de leur arrivée, prit quelques secondes pour finir son addition. Puis, levant la tête vers eux, il dit :

— Je présume que si vous êtes venus me voir, vous espériez quelque chose de ma part.

— Justement, mon oncle, dit Éphrem, nous pensions pouvoir obtenir ces règlements avec votre aide.

— De quelle façon ?

Emmanuel, qui en avait eu l'idée, exposa le fruit de sa réflexion.

— Tiens! Tiens! s'exclama l'oncle Ludovic, j'ai des neveux qui ont des idées brillantes. Mais pourquoi tenez-vous tellement à connaître ces règlements?

—Peut-être qu'il y a une clause ou un oubli qui nous permettrait d'entrer par la porte arrière pour participer.

Ludovic sourit.

—Il faut admettre que vous n'êtes pas des lâcheurs. Ce serait tellement beau de voir un de vous participer à cette course. Je vais voir ce que je peux faire. Bon, du travail m'attend, mais ne partez pas sans saluer votre tante Dorothée à la cuisine, elle aura bien un petit quelque chose de délicieux à vous donner.

Trois jours plus tard, l'oncle Ludovic leur apportait une copie des règlements de la course. Éphrem demanda:

—Je serais curieux de savoir comment vous êtes parvenu à l'obtenir...

— Rien de plus simple: j'ai dit que je venais la chercher pour mon client William Clampett, de passage dans une semaine et désirant vivement être de la course, mais qui n'avait pas le temps de se procurer les règlements.

— Wright vous a cru?

—D'autant plus, paraît-il, qu'on ne se bouscule pas chez lui pour s'inscrire à cette course.

— Pourquoi donc?

— Parce qu'on la dit gagnée d'avance.

— Par qui ?

— Le marchand Sanders : il a le plus bel attelage de chiens de tout le canton.

De satisfaction, Éphrem se tapa dans les mains.

— Tant mieux pour nous ! S'il n'y a pas beaucoup de concurrents, notre présence mettrait un peu de piquant dans la compétition.

— Comment comptez-vous avoir des chiens ?

— Un de mes amis à Headville en possède deux et me les passera volontiers. Il me suffira de lui promettre une petite part du magot si je gagne.

— Et les six autres chiens ? demanda Ludovic. Comment penses-tu te les procurer ?

— Les six autres ?

— Oui ! Parce que vous avez droit à un attelage de huit chiens. J'ai pris le temps de lire les règlements.

Emmanuel, silencieux jusque-là, demanda avec espoir :

— Mon oncle, auriez-vous trouvé une faille dans les règlements qui nous permettrait d'entrer par la porte arrière, comme on dit ?

— Hélas non ! Mais peut-être bien que vous en trouverez une. Bon ! Je dois y aller, mais pas avant de vous dire qu'un de mes clients possède trois chiens esquimaux. Je les verrais bien dans une course. Je vais lui glisser un bon mot pour vous.

Ils le remercièrent avec beaucoup de reconnaissance. Quelques minutes plus tard, Éphrem avait le nez plongé dans les règlements.

— Lis-les tout haut! le supplia Emmanuel. Qui sait? Je vais peut-être pouvoir t'aider avec une autre bonne idée.

Éphrem lut:

— *Premièrement: La course aura lieu le dimanche 14 février 1841. Le départ en est fixé à midi. Deuxièmement: Cette course n'est ouverte qu'aux résidents du canton de Grantham faisant partie de la grande communauté anglaise de ce même canton.*

— Éphrem, tu n'as aucune chance, dit Emmanuel. Les Anglais se la réservent.

Éphrem ne se découragea pas.

— Ah! On ne sait jamais, parfois des règlements, ça se change. *Troisièmement: Le départ de la course se fera rue Heriot, à la hauteur de l'église Saint-George. Les concurrents auront à parcourir cinq fois le trajet suivant: en direction nord la rue Heriot, puis le chemin Saint-George jusqu'à la rue Lindsay en descendant vers le sud au-delà de la rue Robinson en empruntant le chemin menant au canton de Wickham. Ils le remonteront sur deux milles avant de revenir par le même chemin jusqu'à la rue Robinson, qu'ils emprunteront en direction de la rivière Saint-François, pour descendre ensuite la rue Heriot jusqu'au point de départ.*

Éphrem semblait parfaitement heureux de ce qu'il lisait. De satisfaction, il se passait le bout de la langue sur les lèvres, à la manière de quelqu'un qui semble y goûter quelque chose de délicieux. Impatient de savoir la suite, Emmanuel lui dit:

— Qu'est-ce que t'attends pour continuer à lire ?

— C'est juste que je revoyais le trajet dans ma tête. Ça ne devrait pas être difficile. *Quatrièmement : Les concurrents ont droit à huit chiens. Les traîneaux devront mesurer huit pieds de longueur et seront inspectés par les juges avant le départ de la course. Cinquièmement : En cas de litige, la décision des juges sera irrévocable. Sixièmement : Un concurrent qui, afin de gagner la course, emploierait des tactiques déloyales contre les autres concurrents sera automatiquement disqualifié. Septièmement : Le gagnant de la course touchera une bourse de cinquante livres sterling, généreusement offerte par messieurs Frederic-George Heriot et Robert Nugent Watts. Huitièmement : Les concurrents ont jusqu'au samedi 13 février 1841, à quatre heures, pour s'inscrire, rue Heriot, à la maison de monsieur Gideon Wright, l'organisateur de cette course. Neuvièmement : Les concurrents devront se présenter au plus tard à dix heures le matin de la course, avec leur équipage, afin que les juges puissent déterminer si le tout est régulier et admissible pour la compétition. Bonne chance à tous !*

Après cette lecture, Éphrem demeura silencieux un long moment. Emmanuel respecta son mutisme avant de demander :

— Quelque chose te tracasse ?

— Oui, je cherche le moyen de découvrir comment je pourrais m'inscrire.

— D'après moi, dit Emmanuel, il n'existe qu'une seule façon.

— Comment ?

—Il faut leur dire qu'ils font cette course entre eux parce qu'ils ont peur de se faire battre par des Canadiens français.

Un large sourire fendit le visage d'Éphrem.

—Je pense que tu as raison. Il faut jouer sur leur orgueil.

Chapitre 44

Les préparatifs

Voyant Éphrem se démener pour trouver des chiens de traîneau, Nicolas lui dit :

— Tu mets la charrue devant les bœufs. Commence par savoir s'ils t'acceptent dans la course. Il me semble que les règlements sont très clairs à ce sujet.

— P'pa, il me faut quand même savoir si j'aurai des chiens et un traîneau, sinon, ça ne me donnerait rien d'aller les défier pour qu'ils me laissent participer.

— Je t'accorde ça, dit Nicolas. Mais, à ta place, j'irais un peu tâter le terrain avant de trop en faire. À quoi te serviraient un attelage et tout ce qui va avec si tu reçois un refus catégorique ? J'irais d'abord voir monsieur Wright. À ce que je sache, il s'agit d'un Anglais à l'esprit ouvert, puisqu'il parle assez bien français. Peut-être acceptera-t-il de faire une exception pour toi.

Suivant les conseils de son père, Éphrem ne tarda pas à se rendre rue Heriot, au commerce de Gideon Wright. Ce dernier pratiquait le métier de sellier et sa réputation était largement faite dans tout le canton. Voyant entrer Éphrem, qui le salua d'un bonjour bien senti, il s'empressa de lui dire dans un bon français :

— Vous venez, sans doute, monsieur, avec l'idée de vous procurer une bonne selle ? *I am sorry*. Je dois vous informer que j'en ai plus pour long de temps. Je les fais *only* sur commande.

— Détrompez-vous, monsieur Wright, je ne viens pas vous voir pour acheter une selle. Si je suis là, c'est à propos de la course.

— La course ? *Why ?* Elle n'est pas pour vous. Juste les messieurs anglais peuvent y être.

— Pourquoi ? reprit Éphrem. Ils craignent que nous les battions ?

Son interlocuteur le regarda avec des yeux qui en disaient long sur ce que lui inspirait la réflexion d'Éphrem.

— Quand avez-vous vu les Anglais perdre contre les Français ?

— Je ne suis pas Français, reprit Éphrem, je suis Canadien français. C'est pas pareil.

Gideon Wright le regarda avec un mélange de curiosité et de condescendance. Il avait cependant une trop bonne éducation pour laisser paraître dans son langage une quelconque forme de mépris. Il lui répondit avec une pointe d'ironie :

— À ce que je vois, jeune homme, vous êtes vraiment sûr de vous. Vous voulez donc être dans la course.

— Ce serait mon plus vif désir.

— *Well !* Peut-être, si vous êtes en mesure d'ajouter quelques sous à la bourse, ça pourrait s'arranger avec les autres. *Maybe* ils donneront à vous une spéciale *permit*. Combien mettrez-vous?

Pris de court, Éphrem ne savait pas trop quel montant proposer. «Si je n'offre pas assez, se dit-il, il se moquera de moi. Par ailleurs, je ne peux pas engager une fortune là-dedans.»

— Je ne sais trop comment je pourrais investir. Il me faudrait un peu de temps pour me faire une idée.

— Réfléchissez, jeune homme, l'invita monsieur Wright, et revenez me voir dans deux jours. *As for me*, j'aurai demandé leur avis aux autres. Si votre offre est assez, comment dire, *generous*, peut-être bien ils accepteront de faire exception. Mais, *before*, vous me dites qui êtes vous.

— Éphrem Grenon.

— Ah! Un des fils du marchand. *All right*, j'aurai réponse *the day after tomorrow*.

Tout au long du trajet jusque chez lui, Éphrem ne cessa de s'interroger sur le montant à offrir pour obtenir une chance d'être dans la course. Quand il en parla à ses frères et à son père, ils eurent tous la même réaction:

— Ça ne vaut pas la peine de risquer une somme dans cette course que tu es loin d'être certain de gagner. Ce serait de l'argent perdu.

Toujours aussi obstiné, il répliqua:

— Qui ne risque rien n'a rien!

Son père reprit aussitôt:

— Tu connais la fable de monsieur de La Fontaine, celle de la grenouille qui veut se faire aussi grosse que le bœuf. Cherches-tu à imiter cette grenouille? Tu n'as pas de chiens, tu n'as pas de traîneau, tu n'as pas de sous de trop et tu veux concurrencer des gens qui possèdent tout ça et qui en plus sont habitués à se déplacer sur la neige avec chiens et traîneau. Comment crois-tu sérieusement pouvoir les battre?

Une fois de plus, Emmanuel le tira d'embarras.

—Je suis prêt, dit-il, à te donner deux livres, toutes mes économies.

Éphrem sauta sur la proposition.

—J'ajouterai trois livres, dit-il. Si j'offre cinq livres, ils devraient bien accepter, puisque pas un d'entre eux n'a à débourser pour participer à la compétition.

⌘

Quand, deux jours plus tard, il se présenta chez le sellier, résolu à grossir la bourse de la course de cinq livres, il n'eut aucune objection de la part de monsieur Wright.

—J'ai consulté les autres concurrents déjà inscrits. Ils n'ont pas la chienne de se battre contre un Canadien français, à condition qu'il paye pour être de la course. Tes cinq livres devraient faire l'affaire. Je t'ai déjà inscrit. Si changement il y a, je te ferai le savoir. Apporte tes sous, demain, *it will be perfect*.

Sur ce, il remit à Éphrem une copie des règlements de la course. Éphrem ne portait pas à terre quand il revint à la maison pour annoncer la bonne nouvelle.

—Maintenant, dit-il, je me mets sérieusement à l'ouvrage.

Emmanuel s'interposa :

— Pas tout seul ! J'ai ma part là-dedans. Je vais t'aider.

Jusque-là, Édouard s'était peu mêlé aux démarches d'Éphrem et Emmanuel. Il décida lui aussi de s'investir dans l'affaire.

— Je m'occuperai des chiens, proposa-t-il, pendant que vous construirez le traîneau.

Ils décidèrent ensuite, d'un commun accord, de se réfugier au camp de leur père, au bord de la rivière, dès qu'ils auraient chiens et traîneau, afin qu'Éphrem puisse s'entraîner en vue de la course. Mais avant tout, ils devaient trouver des chiens. L'ami d'Éphrem accepta de lui prêter les deux siens. Puis ils réussirent à obtenir, jusqu'à la course, les trois appartenant au client de leur oncle Ludovic. Si ces cinq chiens avaient été relativement faciles à rassembler, il en restait trois autres à dénicher et les deux jeunes hommes ignoraient à qui s'adresser pour les obtenir.

— Les Abénaquis de Grantham en ont plusieurs. Peut-être bien qu'ils pourraient nous en prêter trois ? proposa Emmanuel.

Ce ne fut pas trois, mais seulement deux chiens que les Abénaquis acceptèrent de leur prêter contre diverses marchandises que Nicolas consentit à leur donner.

— Et le traîneau ? questionna Emmanuel.

— Le traîneau ? Nous allons nous en fabriquer un. Le bois ne manque pas au camp et nous avons encore du temps pour le faire.

En passant chez les Abénaquis pour chercher les chiens et leur remettre leur dû, ils se procurèrent la babiche nécessaire à la confection du traîneau. Tout au long de leurs démarches, Éphrem répétait:

— Ma seule chance de gagner, c'est en étant le plus léger possible. Il nous faut les matériaux qui pèsent le moins.

— Et comme passager? marmonna Édouard.

La remarque ne tomba pas dans l'oreille d'un sourd. Emmanuel éclata de rire cependant qu'Éphrem répliquait vivement:

— Veux-tu dire que je suis gros?

— Non, mais t'es pas petit non plus!

Voyant que la discussion pouvait s'envenimer, Emmanuel dit:

— Du bois et de la babiche, je ne pense pas qu'on puisse trouver mieux.

Ils mirent quatre jours à fabriquer un traîneau le plus simple possible.

— Moins il y aura de bébelles après, mieux ça sera, avait dit Éphrem. Comme il l'avait promis, Édouard s'occupa des sept chiens, les nourrissant et les faisant courir de temps à autre. Dès que le traîneau fut en état de glisser, il y attela les chiens et Éphrem put faire une première sortie, parcourant, aller et retour, le mille de distance entre le camp de Nicolas et la terre de Bernardin. Plus les jours passaient, plus Éphrem se sentait à l'aise à conduire le traîneau. Les six chiens suivaient avec énergie leur meneur, un gros chien esquimau prêté par l'ami d'Éphrem et répondant au nom de Balthazar.

Édouard et Emmanuel suivaient de près les progrès d'Éphrem. Dès que celui-ci partait, ils mesuraient, au moyen d'un sablier, le temps mis à faire son parcours. Ne pouvant prévoir la température du jour de la course, Éphrem prenait la piste par tous les temps. Au début, il améliora rapidement ses performances, puis peu à peu, il plafonna. Pour favoriser la glisse du traîneau, ils imaginèrent de faire geler les lisses en y versant de l'eau, ce qui leur fit gagner plusieurs secondes sur le temps du parcours. Puis ils tentèrent une autre expérience encore plus ingénieuse. Ils enduisirent les lisses de salive, laquelle, aussitôt gelée, donnait des résultats supérieurs à l'eau. Au bout d'une dizaine de jours, ils n'obtinrent aucun nouveau progrès notable.

Édouard avait une idée derrière la tête. Il décida de se rendre à Drummond pour jeter un coup d'œil discret aux préparatifs des autres concurrents. Ces derniers s'exerçaient sur le trajet même qu'ils auraient à parcourir au moment de la course. Bien installé à l'écart, le long du parcours, il se mit à mesurer les temps de passage des concurrents, surtout celui de Samuel Sanders que l'on considérait comme le futur gagnant. De retour au camp, il dit à Éphrem :

— Je ne veux pas te faire de peine, mais à la vitesse à laquelle tu boucles ton parcours, presque aussi long que celui de la course, tu ne gagneras jamais.

— Comment ça ?

— J'ai compté le temps mis par Sanders, Mitchel et Withfield pour parcourir le trajet de la course, et Sanders et Withfield te battront assez facilement.

— Ça se comprend, ils ont huit chiens et je n'en ai que sept.

Emmanuel entra dans la discussion en disant:

— Il nous faudrait un autre chien!

— C'est bien le temps d'y penser… Nous n'avons pas pu le trouver jusqu'à présent et il n'y a plus qu'une semaine avant la course.

Éphrem s'impatienta:

— As-tu quelque chose de mieux à suggérer?

— Oui, mais je n'ose pas le faire, parce que tu vas certainement mal le prendre.

— Propose toujours, on verra bien après.

Édouard le regarda en hochant la tête.

— Ça ne te fera pas plaisir, je te le dis d'avance.

— Crache, s'irrita Éphrem, qu'on en finisse!

— Tu as toujours dit depuis le début qu'il faut être le plus léger possible pour gagner cette course.

— C'est la logique même.

— Tu ne me le fais pas dire. Dans ce cas-là, ça devrait être Emmanuel qui la fasse.

— Emmanuel?

— Oui, Emmanuel. Il pèse au moins vingt livres de moins que toi.

Contrarié au possible, Éphrem se leva, blêmit, voulut parler, mais ne parvint pas à émettre un seul son. On sentait que la colère, sinon l'indignation, bouillait en lui. Édouard attendit qu'il s'apaise et reprit tranquillement:

— Vingt livres de moins sur le traîneau, à mon idée, ça augmenterait drôlement nos chances de gagner.

Directement concerné par la proposition, Emmanuel n'osait dire un mot. Par ailleurs, Éphrem semblait surmonter ses émotions. Il éleva la voix en se tournant vers son frère :

— Cette maudite course-là, il nous faut la gagner. Demain, tu vas t'essayer avec le traîneau et les chiens.

Le lendemain, une neige fine tombait, soufflée par un nordet particulièrement cinglant. Emmanuel, comme l'avait fait avant lui Éphrem, ne se formalisa pas du mauvais temps. Il parcourut du mieux qu'il le put leur circuit habituel. Malgré le temps plutôt maussade et l'inexpérience d'Emmanuel, le résultat fut des plus encourageants. Il retrancha plus de deux minutes sur le meilleur temps réalisé par son frère. Édouard avait vu juste : Emmanuel devait faire la course. Deux jours plus tard, mieux assuré sur son traîneau et plus habitué aux chiens, Emmanuel avait gagné six minutes sur le temps d'Éphrem. C'est alors qu'il eut une autre idée lumineuse.

— Si on enduisait de cire les lisses du traîneau, peut-être que ça nous permettrait d'obtenir encore de meilleurs résultats.

Ce qu'ils firent le lendemain avec un succès fou : Emmanuel avait gagné quatre minutes supplémentaires sur l'ensemble du parcours.

— Avec ça, lui garantit Édouard, je suis persuadé que tu vas sortir vainqueur.

— Demain, dit Emmanuel, je vais aller faire mon tour d'entraînement sur la piste de course. Il faut que je la voie et que je m'en rentre chaque détail dans la tête.

Il se rendit à Drummond, soulevant les rires de tous les concurrents.

—Avec sept chiens et un traîneau de même, se moqua l'un d'eux, il ne serait même pas bon pour livrer une bouteille de vin en dedans d'un mille.

Emmanuel les laissa dire et parcourut lentement le trajet prévu, pendant que les autres le dépassaient en lui criant toutes sortes d'insanités: «*French canadian pea soup*» «*stupid*» «*crazy*» et «*son of a bitch*». Emmanuel feignit de ne rien comprendre et joua le jeu jusqu'au bout en les saluant du large sourire de celui qui n'a pas toute sa tête.

La course approchait. Éphrem avait fini par admettre que leurs chances de gagner seraient passablement meilleures avec Emmanuel aux commandes. Ils étaient gonflés à bloc, confiants d'aller chercher le prix et faire du même coup un bon pied-de-nez aux Anglais, d'autant plus que le marchand Sanders, sûr de lui, avait promis que s'il perdait, il ajouterait volontiers dix livres à la bourse du vainqueur.

Chapitre 45

La course

Le dimanche de la course, dame nature se montra on ne peut plus collaboratrice. Le soleil était de la partie, sans grand vent, avec un froid modéré, offrant les conditions idéales au succès de l'événement. Des banderoles avaient été tendues à divers endroits au-dessus des rues où passait le circuit de la compétition. Il était rare qu'on se permette des réjouissances de la sorte à Drummond, si bien que tout le canton s'y était donné rendez-vous. Les auberges débordaient de visiteurs. Celle de Ludovic accueillait depuis le matin son lot de Canadiens français venus applaudir les performances du seul attelage qui les représentait.

Très tôt, Emmanuel était arrivé avec ses chiens, en compagnie d'Édouard et d'Éphrem. Ils s'étaient tout naturellement retrouvés à l'auberge de leur oncle pendant que, sous les quolibets des passants, Emmanuel faisait examiner son traîneau par les juges de la course qui ne trouvèrent rien à redire.

Environ une heure avant le départ, Édouard et Éphrem rejoignirent Emmanuel près de l'église Saint-George, en peinant à se frayer un passage parmi la foule. Ils le trouvèrent en grande discussion avec nul autre que le marchand Sanders, gesticulant et parlant fort :

— Vous avez là, jeune homme, un équipage digne du dernier des porteurs d'eau que vous êtes !

Sans s'offusquer, Emmanuel rétorqua :

— Le vôtre vous vaudrait sans doute les compliments de la reine Victoria.

— Sachez, jeune blanc-bec, que notre reine saurait certainement honorer le futur gagnant de cette course.

— Une course n'est gagnée que lorsqu'elle est terminée, monsieur. Vous ne connaissez peut-être pas la fable de monsieur de La Fontaine, intitulée *Le lièvre et la tortue*, mais elle illustre bien ce qui peut se passer dans une course.

— Si je comprends bien, dit le marchand riant à gorge déployée, je suis le lièvre et tu es la tortue.

— Et c'est bien tant mieux, remarqua Emmanuel, puisque dans la fable, c'est la tortue qui gagne.

La figure du marchand s'allongea et, d'une voix où perçait l'impatience, il dit :

— Jeune impertinent ! Apprenez que celui qui vaincra Samuel Sanders à la course n'est pas encore né.

Là-dessus, il ajouta d'une voix pleine de mépris :

— J'ai assez perdu de temps pour aujourd'hui.

Il alla ensuite se faire voir avec son bel équipage, passant la tête haute d'un groupe à l'autre.

— En voilà un, commenta Éphrem, qui mériterait une bonne leçon. J'espère que tu pourras la lui donner de belle façon. Concentre-toi uniquement sur ta course. Tu en connais le parcours. Fais attention aux tournants brusques et attends le bon moment pour dépasser. Rappelle-toi que nous avons tous les deux à récupérer notre mise dans cette épreuve.

Les juges demandaient aux gens de s'éloigner des attelages afin de laisser la place libre. Édouard s'approcha d'Emmanuel et lui donna une tape dans le dos en disant :

— Tous nos espoirs sont en toi, p'tit frère ! Ne nous déçois pas !

— Vous n'avez rien à craindre, répondit-il. S'il n'y a pas de coups fourrés, vous me verrez passer le premier le fil d'arrivée.

Six attelages étaient inscrits pour la course, mais la largeur de la rue ne pouvait en accommoder que cinq de front. Comme par hasard, l'organisateur avait donné à Emmanuel le dossard numéro six. Il dut se placer seul au deuxième rang, derrière les cinq autres concurrents. S'il voulait parvenir à gagner la course, il n'aurait d'autre choix de dépasser les cinq autres équipages.

Il entendait les clameurs des spectateurs, mais il avait surtout hâte au signal du départ. Il savait qu'il disposerait de cinq tours pour prendre la première place et il était hors de question qu'il se laisse distancer. Son plan consistait à dépasser un concurrent par tour. Aussi, dès le signal donné, il lança son attelage à fond de train. Il n'avait pas encore atteint le chemin Saint-George, qu'il se retrouvait déjà, à son plus grand étonnement, au cinquième rang qu'il occupait toujours au moment de boucler le premier tour. Il fut contraint en quelques occasions d'éviter des spectateurs traversant dangereusement la piste. Lors du deuxième tour, en revenant sur le chemin de Wickham, il croisa le concurrent qu'il avait dépassé. Ce dernier lui montra un poing menaçant, ce qui eut pour effet de l'encourager à rejoindre le plus tôt possible le concurrent qui le précédait et sur lequel il gagnait de plus en plus de terrain. Ce fut précisément au moment où il complétait pour une deuxième fois le circuit qu'il le dépassa, sous les huées des spectateurs. Il se retrouvait maintenant quatrième, mais ignorait à quelle distance de lui se trouvait le premier.

Il s'était entendu avec Éphrem et Édouard pour qu'ils le lui indiquent au passage. Éphrem avait inscrit sur une pancarte les mots « cent verges ». Il en conclut qu'il pourrait éventuellement le rejoindre, mais, pour lors, il devait d'abord remonter le plus proche concurrent dont il apercevait l'attelage à quelque cent pieds devant lui. Il attendit d'être rendu sur le droit du chemin menant à Wickham pour encourager ses chiens à grands renforts de « Allons, en avant ! » Ses bêtes obéirent et eurent tôt fait de le porter à la hauteur de l'homme au troisième rang. Quand celui-ci fit faire un écart à ses bêtes, Emmanuel parvint, de peine et de misère, à éviter un accrochage. Ses chiens étaient si bien lancés qu'ils ne perdirent rien de leur élan et finirent par semer ce concurrent récalcitrant.

Jusque-là, il avait parfaitement suivi son plan. Il lui restait encore plus de deux tours pour rejoindre les autres. Il approchait de la boucle qui les ramènerait vers Drummond quand il croisa le marchand Sanders puis, peu après, le dossard numéro quatre, sur les talons du marchand. Il se dit qu'ils ne seraient pas faciles à rejoindre. Il songea tout de suite à la tactique qu'il devrait employer pour se défaire du concurrent en deuxième place. Quand il emprunta le tournant de la rue Robinson, il se rendit compte qu'il avait gagné du terrain. Le deuxième rang était à sa portée. Il passa devant l'église Saint-George à toute vitesse avec seulement deux tours à faire. Éphrem lui signala qu'il était toujours à la même distance de Sanders. Se préoccupant davantage de l'attelage qui le devançait en deuxième place, il décida de tout faire pour le rejoindre au même endroit où il s'était défait du précédent. Sa tactique s'avéra payante, puisque l'autre ne put résister au dépassement.

Il était maintenant seul au deuxième rang. Son plus grand défi l'attendait : rejoindre le marchand Sanders. Le bougre était régulier comme une horloge, puisqu'en passant devant l'*Auberge Grenon*, il vit paraître la même pancarte entre les mains d'Éphrem : « cent verges ». Il lui restait un tour et demi avant la fin de la course. Il se dit : « C'est ici que l'on va voir la tortue dépasser le lièvre. » Il siffla avec toute la puissance dont il était capable. Il avait habitué ses chiens à accélérer au maximum à ce signal. Il sentit tout de suite que ses bêtes disposaient encore de bonnes réserves, car le traîneau volait littéralement sous lui. Il finit par se rapprocher de façon appréciable du marchand, qui ne s'était visiblement pas attendu à le voir surgir à pareille vitesse. Emmanuel le vit faire claquer son fouet, mais sans résultat apparent. Il demeura sagement dans son sillage, se réservant le plaisir de le dépasser là où il le désirait. Ce fut précisément entre le magasin de Sanders et celui de son père qu'il le sema. S'il parvenait à conserver le même rythme, il était désormais certain de gagner la course. Quand il tourna la boucle du chemin de Wickham, il devançait le marchand d'une centaine de pieds. Lorsqu'il le croisa sur le trajet de retour, il reçut en pleine figure le fouet du marchand. Il faillit perdre l'équilibre, mais parvint à rester sur son traîneau et poussa de nouveau ses bêtes par un long coup de sifflet.

Les gens s'étaient massés à la ligne d'arrivée. Édouard et Éphrem durent jouer des coudes simplement pour parvenir à l'apercevoir de loin. Quand apparut le premier équipage au bout de la rue Heriot, une forte clameur s'éleva de la foule. Ce fut le traîneau du marchand Sanders qui se présenta le premier. La déception d'Édouard et d'Éphrem fut grande, mais moins que leur étonnement quand ils virent arriver à tombeau ouvert le traîneau vide d'Emmanuel, suivi de près par celui du concurrent au dossard numéro quatre.

Sans plus attendre, ils prirent à rebours le chemin parcouru par les concurrents de la course. À mi-chemin de la route de Wickham, ils trouvèrent Emmanuel, tête nue, couché sur le dos, dans la neige. Il saignait à la fois de la gorge et du menton, ainsi que d'une lacération sur la joue. Il avait été durement sonné et il mit du temps à reprendre tous ses sens.

Ils eurent beau le questionner, il ne pouvait expliquer ce qui s'était passé.

— Que t'est-il arrivé?

— Je l'ignore.

— As-tu perdu l'équilibre?

— Pas du tout.

Incapable de justifier cette chute, Éphrem résolut de remonter un peu plus avant le circuit de la course. Il n'avait pas fait cinquante pieds qu'il aperçut dans la neige le bonnet de fourrure d'Emmanuel. En inspectant les abords, il découvrit à cet endroit et de chaque côté de la route plusieurs pistes dans la neige. C'est alors qu'il vit, attaché à un arbre, un câble suffisamment long pour être tendu en travers de la route. Il imagina facilement la scène.

Voyant Emmanuel au premier rang, quelqu'un avait tendu le câble sur son passage, le projetant brutalement au bas de son traîneau, pendant que ses chiens continuaient leur course sans lui. Les traces dans la neige laissaient croire que les autres concurrents avaient contourné et abandonné Emmanuel sur place. Éphrem s'approcha de l'arbre et défit le câble pour l'apporter en preuve. Il était taché de sang au beau milieu, à l'endroit où il avait failli égorger Emmanuel.

Ce dernier, encore étourdi par le choc, avait peine à marcher. Éphrem le laissa avec Édouard et partit en vitesse chercher la *sleigh* de son père. Quand ils revinrent à Drummond, la noirceur était tombée, mais chez les Sanders, on fêtait en grand la victoire du marchand.

Nicolas, Éphrem et Édouard se retrouvèrent, le lendemain matin, chez le gendarme Anderson pour faire rapport à propos de cet attentat. Le gendarme ne voulut d'abord rien croire. Quand Éphrem lui montra le câble et l'invita à le suivre pour voir les lieux du délit avant que la neige ne vienne en effacer les traces, il se fit tirer l'oreille. Nicolas se fâcha :

— Si vous ne voulez pas faire votre travail, menaça-t-il, nous allons nous rendre directement chez le colonel Heriot. Peut-être saura-t-il tendre une oreille plus attentive à nos revendications.

Le gendarme se montra soudainement plus coopératif. Nicolas se fiait toutefois si peu à lui qu'il demanda au docteur Barron, qui avait soigné Emmanuel la veille, de les accompagner.

Quand ils revinrent à Drummond, toujours en compagnie du gendarme, ils se dirigèrent directement chez Samuel Sanders, qui, les voyant arriver en délégation, les reçut bruyamment :

— Qu'est-ce qui me vaut votre honorable visite ?

— Vous le savez tout aussi bien que nous, dit Nicolas, puisque mon fils vous précédait sur la piste quand l'accident est arrivé.

— J'ignore, messieurs, de quoi vous parlez.

— Vous n'avez pas vu mon fils tomber brusquement en bas de son traîneau ?

—Je l'ai vu et j'ai même dû faire un écart pour éviter de lui passer dessus. Mais j'ai attribué sa chute à sa maladresse.

Nicolas, qui faisait des efforts pour ne pas éclater, présenta le câble au marchand.

—Je sais, dit-il, que ce genre de cordage n'est vendu que par vous. Vous nous rendriez un grand service en nous disant à qui vous en avez vendu dernièrement. Étant marchand moi-même, je sais fort bien que nous vendons rarement ce genre de marchandise.

—Vous m'excuserez, messieurs, mais rien ne m'oblige à vous révéler les noms de mes clients.

—Peut-être bien, monsieur, mais croyez-moi, nous prendrons les moyens nécessaires pour connaître la vérité autour de cet attentat où mon fils aurait pu perdre la vie et qui vous a permis de gagner une course qu'autrement vous auriez perdue.

Voyant que le marchand ne coopérerait pas, ils se rendirent directement chez le colonel Heriot l'informer de ce qui s'était passé. Il s'empressa de leur dire qu'il verrait à ce que la lumière soit faite sur cette affaire. Dès lors, Nicolas fut certain que, pour sauver la face, les Anglais feraient traîner l'affaire en longueur avant qu'elle soit oubliée, faute de preuves suffisantes. Pourtant Nicolas, tout comme Éphrem et Édouard, était persuadé que Jim, le fils de Samuel Sanders, était l'auteur de l'attentat. Quelques jours plus tard, un émissaire du colonel Heriot vint remettre à Nicolas les cinq livres misées par Éphrem et Emmanuel et s'en fut, sans autre explication.

Chapitre 46

Les conflits d'Emmanuel

Comme Nicolas l'avait prédit, l'enquête concernant l'attentat perpétré contre Emmanuel n'aboutit à rien. Il n'y eut même pas d'accusation portée. L'enquêteur, dans son rapport, admit qu'il y avait bien eu un traquenard dont Emmanuel avait été la victime. Mais comment établir la preuve d'un crime dont personne n'avait été témoin ? Et puisque la victime ne se souvenait de rien, l'affaire en resta là.

Samuel Sanders collabora à l'enquête en ouvrant ses livres. Aucune des personnes à qui il avait vendu du cordage similaire à celui employé lors de l'attentat ne pouvait être soupçonnée. Il ne manquait aucune page au livre de comptes de Sanders.

— Preuve, avait dit Nicolas, que le câble en question n'a pas été vendu, mais tout simplement donné, ce qu'un bon père de famille fait volontiers pour accommoder son fils tout en s'accommodant lui-même.

Cette réflexion de Nicolas avait fait bondir l'enquêteur :

— C'est une réflexion biaisée, sans fondement et intolérable. Je vous prie donc, à l'avenir, monsieur, de garder pour vous-même de telles affirmations.

— À ce que je vois, avait répliqué Nicolas, la vérité semble vous faire horreur et vous préférez la contourner plutôt que de l'examiner bien en face.

Outré, l'enquêteur avait menacé Nicolas de le traîner en cour. Bernardin et Ludovic l'avaient enjoint de ne pas pousser les choses plus avant. L'essentiel, lui répétaient-ils, c'était qu'Emmanuel n'y eût pas laissé sa peau.

Emmanuel profitait de la belle saison pour s'adonner, en compagnie de ses cousins, aux travaux de ferme chez son oncle Bernardin. C'était ce qu'il fit cet été-là.

— Celui-là, dit Nicolas, on n'en fera certainement pas un notaire.

— Espèce de vieux fou! le reprit Bernadette. Il n'est pas capable de lire ni d'écrire, comment voudrais-tu qu'il soit notaire?

Après une semaine ou deux de travail chez son oncle, Emmanuel prenait ordinairement une journée de congé pour flâner en ville et revoir ses parents, auxquels il était très attaché. Il aimait faire à pied le trajet jusqu'à Drummond. Il en profitait pour échafauder les plans de ce que serait sa future ferme.

Ce fut lors d'une de ces randonnées qu'il fut pris pour cible. Il marchait, insouciant, s'intéressant aux oiseaux qui se pourchassaient d'un arbre à l'autre, profitant pleinement de cette belle journée où le soleil s'amusait à jouer à cache-cache avec les nuages. Arrivé à un détour de la route, il vit surgir devant lui nul autre que Jimmy Sanders muni d'un fusil. Sans avertissement, ce dernier le mit en joue et, sans hésiter, fit feu. Emmanuel n'eut pas le temps de se demander comment Sanders avait été assez gauche pour le manquer. En deux bonds, il lui tomba dessus avant que l'autre ait le temps de tirer une deuxième fois. Il lui arracha le fusil des mains et, d'un même élan, le lui fracassa sur le dos. Puis, avisant un chêne dont une des plus basses branches était cassée, il souleva Sanders et le suspendit à celle-ci par le collet de son manteau. Il s'amusa à le voir se débattre comme un pantin, incapable de se sortir de sa mauvaise posture.

En arrivant au magasin de son père. Emmanuel s'empressa de lui faire part de sa mésaventure.

— Il t'a vraiment tiré dessus ?

— Oui ! Et sans hésiter une seconde.

— Tu étais seul ?

— C'est bien malheureux, il n'y avait pas de témoin.

— Tu ne l'avais pas provoqué ?

— Absolument pas !

Nicolas se gratta la tête avant de poursuivre :

— Te voilà bien mal pris. Ce Sanders t'en veut à mort. Il ne faut pas s'étonner, c'est certainement lui l'auteur de l'attentat lors de la course. L'aurais-tu accusé ouvertement ?

— C'est bien possible. J'en ai parlé icite et là. Je ne pensais jamais qu'il pouvait être aussi dangereux.

— Avec un ennemi pareil, tu es mieux de faire attention à toi. Il peut recommencer. Ta vie est en danger. La prochaine fois, il ne te manquera peut-être pas.

Emmanuel, guère ébranlé par l'incident, dit à la blague :

— Si jamais il s'essaie de nouveau, je vais lui faire avaler son fusil.

— Songes-y, tu n'en auras peut-être pas la chance.

Emmanuel fit son désinvolte et lança en riant :

— Qui vivra verra !

Un mois plus tard, alors qu'Emmanuel se rendait au camp du bord de la rivière, il vit de nouveau surgir Jimmy Sanders derrière un paquet d'aulnes. Comme la fois précédente, il tira sans hésiter, le touchant cette fois à l'épaule gauche. Malgré sa blessure, son agilité sauva Emmanuel : par un bond de côté, il roula au bord de la route. Sans arme pour se défendre, il empoigna une pierre et la lança sur son agresseur qu'il atteignit en plein estomac puis, sans demander son reste, il détala entre les arbres comme un animal surpris par un chasseur.

Emmanuel était bien conscient qu'il venait de l'échapper belle pour une deuxième fois. Il rentra à Drummond en compagnie de son oncle Bernardin pour se rendre directement chez le docteur Barron. En soignant sa blessure, heureusement superficielle, le médecin intrigué lui demanda :

— Veux-tu me dire, mon garçon, comment as-tu été assez gauche pour te tirer dans l'épaule?

Pris de court, Emmanuel ne se donna pas la peine d'inventer une histoire.

— On m'a tiré dessus.

— Vraiment! Tu as reconnu ton agresseur?

— Jimmy Sanders.

— Le fils du marchand?

— En plein lui!

— Décidément, ce jeune homme a plus qu'une dent contre toi.

Quand Nicolas fut informé de ce nouvel incident, il dit à Emmanuel:

— Mon garçon, il va falloir songer sérieusement à te faire oublier dans nos parages. Pars pour quelque temps, sinon il finira par avoir ta peau. Il y a comme ça dans la vie des situations où nous n'avons pas le choix. Je sais que tu es attaché à Drummond, mais tu devras aller voir ailleurs.

Emmanuel, ordinairement si sûr de lui, sembla soudainement désemparé.

— Mais où voulez-vous que j'aille?

— Justement! Puisque tu aimes la terre, j'ai pensé que tu pourrais aller t'établir pour quelque temps sur une terre que j'ai, à Baie-Saint-Paul.

— Vous avez une terre à Baie-Saint-Paul? s'exclama Emmanuel, incrédule.

— Eh oui! C'est l'héritage que m'a laissé mon père. Je n'ai jamais pu la faire valoir et je ne sais pas vraiment ce qu'elle vaut, mais elle est toujours à moi.

Une semaine plus tard, Emmanuel, le cœur serré, faisait ses adieux à son oncle Bernardin, sa tante Marie-Josephte et ses cousins et cousines. Il leur fit promettre que si jamais Jimmy Sanders quittait Drummond, il en serait informé dans les meilleurs délais. Il fit la même demande à son oncle Ludovic et à sa tante Dorothée.

— Vous êtes bien placés avec votre auberge pour connaître les dernières nouvelles.

— Tu peux compter sur nous, l'assura Dorothée. Si jamais nous entendons dire que le jeune Sanders a levé les voiles, tu seras le premier à le savoir.

— Et je reviendrai en vitesse, promit Emmanuel.

Quand il quitta ses parents, ses sœurs et ses frères, il était si ému que les mots lui manquèrent. Le charretier le conduisant jusqu'à Sorel l'aida à mettre dans la voiture ses maigres bagages et ils partirent sans tarder en empruntant le chemin Saint-George pour rejoindre la route de Yamaska. Emmanuel se retourna une dernière fois pour saluer les siens de la main. Il voulut leur lancer «Je reviendrai bientôt!», mais si les mots lui étaient revenus, ils ne parvinrent pas à se frayer un passage à travers sa gorge nouée.

Chapitre 47

Dernier récit de guerre

Profitant une fois de plus du passage de Bernardin chez lui, Nicolas réunit ses enfants pour leur raconter, de son propre aveu, l'épisode le plus pénible de sa vie de soldat.

— Je vous préviens dit-il, ce récit pourra vous paraître dur, voire invraisemblable, mais il est la vérité pure. C'est bel et bien ainsi que les choses se sont passées. C'est d'ailleurs la dernière fois que vous entendrez parler de mes aventures de guerre.

Bernardin l'interrompit :

— Tu vas sans doute raconter l'épisode de La Carolina ?

— C'est en plein ça !

— Eh bien ! Dans ce cas, bon courage !

— Ça s'est passé, dit Nicolas, une semaine environ avant notre reddition. Alors que la brunante allait tomber et que nous nous apprêtions à faire halte, un cavalier est arrivé, bride abattue, visiblement exténué. Il a eu tout de même l'énergie nécessaire pour descendre de son cheval et remettre un message au colonel. Sa mission accomplie, il s'est étendu sur place et est tombé, assommé de sommeil. Le colonel a lu le message, et a interpellé aussitôt le capitaine : "Venez ici, mon brave. J'ai un message du général Dupont à faire suivre jusqu'au général René, campé non loin de La Carolina. C'est urgent."

«Je me suis informé de ce qui se passait. "Un messager vient d'arriver et le capitaine est en longue conversation avec le colonel, m'a précisé Bernardin. À voir le capitaine gesticuler comme il le fait, quelque chose ne tourne pas rond."

«En tendant l'oreille, malgré les bruits ambiants, on a entendu le capitaine protester : "Je ne vous en céderai qu'un seul, mon colonel. J'ai besoin de tous mes soldats et en plus ils sont très fatigués. Si vous voulez une plus grosse escorte, il faudra vous adresser au général." Le colonel n'a pas semblé satisfait de cette réponse, mais le capitaine s'est vivement retourné : de l'index, il nous a désignés, Bernardin et moi. "Vous deux, approchez !" a-t-il commandé. Nous n'avons pas eu d'autre choix que de nous avancer. "Pile ou face ?" a demandé le capitaine. "Face", ai-je répondu. Il a projeté en l'air une pièce de monnaie, qui a roulé jusqu'à nos pieds. Je me suis penché et je me suis exclamé : "Face !" "Face ! a-t-il répété. Tu sais monter à cheval ?" "Oui, mon capitaine !" "Tu prends cette missive et tu la portes tout de suite au général René, quelque part de l'autre côté de La Carolina ! C'est un ordre et c'est urgent."

« Sans hésiter, j'ai sauté sur la monture qu'on m'offrait. À l'horizon, les arbres étaient déjà noirs, sous une ligne de nuages d'un bleu foncé, tandis qu'à l'endroit où le soleil avait disparu, des nuées formaient un vaisseau de braises. Je suis parti au galop en ayant l'impression de disparaître dans les plis de la nuit, alors que tout autour, mes compagnons d'armes étaient en train d'allumer les feux de bivouac. »

Bernardin, qui ne manquait pas un mot du récit de Nicolas, s'adressa à ses garçons.

— Les enfants, comptez-vous chanceux d'avoir celui qui vous a donné la vie, parce que ce soir-là, quand je l'ai vu partir, je me suis dit : "Tu viens de voir pour la dernière fois ton ami Nicolas."

— Pourquoi ? demandèrent-ils.

— Parce qu'on venait de lui confier la mission la plus dangereuse qui soit dans l'armée. La plupart des messagers ne rentraient pas vivants d'une telle expédition. Combien en avions-nous vu revenir sans vie, attachés à leur cheval, avec un avis accroché à leur selle : "C'est inutile, aucun message ne passera plus."

— P'pa, vous deviez avoir peur ? s'enquit Édouard.

— Si j'avais peur ? Je n'avais pas le temps d'y penser. La nuit a débuté sans lune, mais je ne me suis pas fait d'illusions, je savais que dans quelques heures, elle allait éclairer le paysage et que, dès lors, chaque ombre me semblerait un piège. J'étais bien conscient également des dangers que je m'apprêtais à courir. J'avais l'impression d'être un coq qui va se jeter directement dans la gueule d'un renard. Dans ce pays, tout était hostile, de la poussière du chemin jusqu'à l'homme le plus inoffensif. Il n'était pas question pour moi de m'arrêter pour demander mon chemin, c'eût été signer mon arrêt de mort. Je me savais à près de six lieues au moins de ma destination. Je me suis dit: "Le mieux à faire est de filer en vitesse. Il ne faut pas traîner: la nuit commence à peine. C'est moins étonnant d'entendre le galop d'un cheval à dix heures du soir qu'à deux ou trois heures du matin. Si je fais vite, je risque moins d'être intercepté sur cette route déserte à cette heure." »

Les enfants, que ce récit de leur père impressionnait au plus haut point, se posaient tous la même question. Éphrem s'en chargea pour eux:

— Connaissiez-vous bien votre chemin?

— Je n'y étais passé que pour venir. Je me suis dit: "Si encore, il y avait un village en feu quelque part là où je vais, ça me ferait un point de repère." Je me suis rappelé des villages en flamme que j'avais vus la nuit en Prusse.

— Ah oui! l'interrompit Bernardin. C'est long à brûler, un village, ça éclaire toute une nuit comme une torche immense. Je me souviens en particulier d'une ferme que nous avions vue se consumer, quelque part en Allemagne. Impuissants, les gens regardaient leur rêve s'envoler en fumée. Ils étaient tellement rivés à ce feu qu'ils en oubliaient de déposer leurs seaux pleins d'eau. La grange aussi brûlait avec toutes les récoltes. Les soldats avaient emporté les animaux: ces gens étaient plantés devant les ruines de leur vie. C'est ça, la guerre!

Nicolas reprit son récit :

— Pendant que je filais dans le noir sur la route, j'étais tellement accaparé par mes pensées que je fus presque jeté en bas de ma selle quand, instinctivement, mon cheval fit un bond de côté. Il y avait devant moi un obstacle sur la route. J'ai fait faire demi-tour à ma monture. À bonne distance, avec quelques fagots trouvés en bordure du chemin, je me suis confectionné de quoi m'éclairer. Puis je me suis approché prudemment et j'ai allumé ma torche improvisée, que j'ai lancée aussitôt droit devant moi. Ce bouquet de lumière a éclairé une charrette arrêtée de travers au milieu de la route. Je me suis dit : "C'est un guet-apens." Mon cœur s'est mis à battre à tout rompre. Je me suis empressé de faire reculer ma monture, mais rien n'a bougé du côté de la charrette. La torche s'est éteinte. Je ne savais pas si je devais continuer ou rebrousser chemin.

— Vous n'étiez pas obligé de continuer, p'pa, intervint Éphrem qui se tordait les mains d'inquiétude.

— Au contraire, a dit Nicolas, il me fallait poursuivre ma mission, sinon je serais passé pour le pire des lâches. J'ai opté cependant pour la prudence, et j'ai choisi de m'arrêter en contrebas de la route et d'attendre. Si quelqu'un venait à passer, je verrais bien de quoi il s'agissait, d'autant plus que la lune a commencé à se lever et a laissé filtrer une ligne de lumière. J'ai attendu là une bonne demi-heure sans que le moindre bruit trahisse une présence dans les parages. La lune plus haute au-dessus des arbres s'est mise à éclairer de biais la route. De là où je me trouvais, je pouvais distinguer beaucoup mieux la charrette. J'ai attendu encore un moment et, après avoir attaché les cordeaux de ma bête à un arbre, je me suis avancé prudemment en me tenant dans l'ombre, sabre à la main. La voiture était couverte d'une bâche, ce qui ne facilitait pas les choses. Quand j'ai été suffisamment près, j'ai bondi à l'arrière de la charrette. À mon grand étonnement, il n'y a pas eu de réaction. Ça sentait le vin à plein nez. J'ai soulevé la bâche et attendu que mes yeux s'accoutument à l'obscurité. La lune aidant, j'ai vu, étendu tout au fond de la voiture, un homme dont on avait tranché la gorge. Près de lui, un tonneau de vin avait été éventré. Ce qui restait du liquide coulait encore goutte à goutte par l'ouverture de la bonde qu'on avait fait sauter. J'en ai conclu qu'il avait été surpris par des brigands.

— Qu'as-tu fait alors? interrogea Bernadette.

— Je ne me suis pas attardé. J'ai continué en vitesse. La lune a dessiné devant moi le long lacet de la route comme un fil d'argent s'estompant dans un tournant, un peu plus en avant. Je me suis dit: "Qu'est-ce qui m'attend à chacun de ces détours, maintenant que je suis aussi visible de loin qu'une mouche au milieu d'une vitre?" J'ai mis la bête au galop, parcourant en vitesse une bonne lieue jusqu'à ce que j'aperçoive, au loin, un feu entre les arbres. J'ai entendu des chants et, à la simple manière dont ces hommes articulaient, même sans les comprendre, j'ai su qu'ils étaient saouls. Je me suis dit: "Ce sont sans doute les brigands qui ont assassiné le pauvre bougre de tout à l'heure." J'ai mis ma bête au pas, pensant de la sorte éviter d'attirer l'attention sur moi, mais il y avait un guetteur qui m'a tiré dessus sans m'atteindre. Aussitôt, j'ai fait galoper ma monture pendant que derrière moi montaient les vociférations de celui qui m'avait pris pour cible. Je m'attendais à une poursuite en règle, mais ces hommes étaient sans doute trop ivres pour monter à cheval. La route grimpait droit devant. Je me suis retourné pour m'assurer que personne ne me poursuivait et c'est alors que j'ai aperçu, au loin, le feu de ces brigands qui apparaissait et disparaissait à espace régulier, comme un fanal rouge qu'on agite dans la nuit. J'ai compris que ces brutes se servaient de leur feu pour transmettre des signaux : ils avaient des complices quelque part plus loin, dans la direction où j'allais. J'ai pénétré avec ma monture sous le couvert de la forêt à un endroit où je pouvais examiner la route sans être vu. »

Comme s'il venait de revivre intensément cet instant dramatique, Nicolas s'étira un moment et prit une grande respiration avant de poursuivre.

— Je n'ai pas eu à attendre bien longtemps : au moins six cavaliers se sont amenés en vitesse sur le chemin, croyant me surprendre. Je les ai laissés passer à ma hauteur et les ai regardés descendre vers l'endroit où se tenaient leurs complices. Quand ils ont été loin, j'ai sauté sur ma monture, que j'ai mise aussitôt au galop. La nuit avait filé, la lune tombait vers l'autre versant de la montagne, éclairant maintenant l'autre côté de la route. J'ai continué ma course sans m'arrêter, soucieux de traverser La Carolina sous le couvert de la nuit pendant le sommeil de ses habitants que je savais belliqueux.

« Je connaissais, pour y être passé en venant, une route ou plutôt un chemin en lacis contournant la ville. J'ai songé un moment à l'emprunter, puis j'ai pris la gageure de passer la ville sans me faire remarquer, ce qui m'a permis de sauver au moins une lieue. J'espérais arriver assez tôt auprès du général René pour pouvoir prendre quelques heures de repos. Même si j'avais la réputation d'être très endurant et de pouvoir me passer de sommeil plus que la moyenne de mes compagnons, ce qui avait sans doute poussé mon capitaine à me choisir pour cette mission, il me fallait tout de même dormir un peu.

« Ma gageure s'est avérée bonne puisque j'ai traversé La Carolina sans apercevoir âme qui vive. J'ai parcouru encore près de deux lieues avant de tomber sur le campement du général René. Mon message remis, je me suis laissé choir sur une butte de mousse repérée au bord de la route et j'ai sombré aussitôt dans un profond sommeil.

« Quel ne fut pas mon étonnement au réveil, quand l'aide de camp du général est venu me tirer de ma torpeur ! Je me suis demandé réellement où j'étais. "Le général René, m'a-t-il dit, veut savoir à combien de lieues se trouve le campement du général Dupont." "À Andujar, à environ dix lieues." "Nous partons à l'instant. Vous nous accompagnez, nous avons besoin de vous qui connaissez mieux la route que nous."

«Je me suis joint à l'escouade tout juste composée du général René, de son aide de camp, de deux gardes et d'un commissaire des guerres nommé Vosgien qui, je l'ai remarqué tout de suite, semblait avoir du chien dans le nez. Il était accompagné de son épouse.

«C'est ainsi que, sans même avoir eu le temps d'y penser, le sort, une fois de plus, m'a désigné pour me joindre à une faible patrouille dangereusement engagée sur les routes d'Espagne. Avec moi, ai-je constaté, non sans une certaine appréhension, nous n'étions que sept, la femme du commissaire y compris.

«Le général était pressé. Les chevaux piaffaient depuis un bon moment. "En route!" a-t-il lancé dès que je fus en selle. La petite bande que nous formions a pris le large à un bon rythme. Sans être fringants, les chevaux avaient eu une nuit de repos et ne se faisaient pas prier pour avancer. Ils ont filé d'abord sur un bout de route dépourvu d'obstacle, mais sonnant dur sous leurs sabots. De chaque côté, d'énormes pins se dressaient, alternant avec des arbres feuillus pour former une voûte au-dessus du passage. Tout n'était qu'ombre tellement le feuillage s'avérait dense.

«Je ne me sentais pas rassuré, et j'ai tenté de mon mieux de prévenir une possible embuscade. Je n'ai pas osé laisser poindre mon inquiétude de peur de passer pour une mauviette, mais j'ai gardé tous mes sens en éveil : un bruit, une senteur, un reflet pouvaient révéler entre les arbres la présence d'une troupe ennemie.

«Après avoir rejoint puis dépassé quelques centaines de soldats de notre armée qui, péniblement, semblaient marquer le pas sur la pente rude, nous avons grimpé les dernières montées abruptes de la Sierra, et bientôt la route s'est mise à descendre. Il n'y avait pas âme qui vive dans ces terres arides. Parfois apparaissaient soudain les ruines d'une ancienne maison ou d'une étable ayant déjà servi de relais, mais mangées depuis par la forêt. Même la route, entre les rochers, semblait avoir de la misère à conserver ses droits. Je m'étais laissé dire que, pour tracer de tels chemins, on envoyait des chèvres devant soi et il n'y avait plus qu'à suivre leur trajet. Pour lors, à voir cette route se tordre en montant comme une bête essoufflée, il me semblait plutôt qu'elle avait été tracée par des vipères.»

Le feu ayant diminué dans le poêle, Éphrem se leva pour l'alimenter de quelques bûches d'érable. Son père en profita pour reprendre quelque peu son souffle. Tout le monde était attentif à son récit. Sans perdre le fil de ses idées, il poursuivit:

—Je ne me rappelais pas être passé par là durant la nuit tant la clarté du jour change le paysage. J'avais depuis longtemps perdu l'habitude de monter à cheval et j'étais tout courbaturé de ma course de la nuit. J'ai espéré une halte alors que le soleil courait vers son zénith et que la chaleur devenait de plus en plus suffocante sous le ciel blanc, tant l'air était chargé d'humidité. Pas un instant le général n'a semblé vouloir ralentir notre progression. J'en ai déduit qu'il était porteur d'un important message. Sans m'en rendre compte, la fatigue aidant, je me suis tenu un peu moins sur mes gardes mais, heureusement, l'endroit où nous passions était désert et ne pouvait guère cacher de piège : la route courait maintenant entre des fardoches, sur un sol d'argile marqué par de profondes roulières. Les pesants chariots passant par là devaient mettre les freins pour ne pas être entraînés trop rapidement vers le bas de ces pentes prononcées et laissaient des marques profondes comme des labours au beau milieu de cette route trop sèche. Nous pouvions d'ailleurs apercevoir le long des fossés qui la bordaient les marques des pas des milliers de soldats qui, dans les jours précédents, avaient franchi ces cols arides.

« J'ai poussé un soupir de soulagement quand La Carolina nous est apparue, tout en bas d'une longue pente, un bijou de petit bourg entouré de jardins plein d'oliviers, d'aloès, de palmiers, d'orangers, de grenadiers et de figuiers. Je me suis demandé aussitôt si nous allions le traverser en si petit nombre, au risque d'être faits prisonniers. Le sentier qui contournait le village s'ouvrait non loin de là, à peine visible, sous une voûte de verdure. Je me suis permis d'intervenir : "Mon général, puis-je oser vous donner un conseil ?" "Allez donc, jeune homme !" "À mon avis, nous devrions contourner La Carolina par le sentier qui s'ouvre à notre droite. Les gens d'ici sont sur le qui-vive et tuent facilement tout ce qui est Français. Nous ne sommes que six en armes, ce serait plus prudent de ne pas trop attirer leur attention." "À cette heure, avec la chaleur qu'il fait, ils sont tous à leur sieste. Nous traverserons la ville sans qu'ils s'en rendent compte. À part les chiens et les moines, personne dans ce pays ne bouge entre dix heures et quatre heures." "Justement, mon général, ce sont les chiens et les moines qui sont les plus dangereux. Les premiers jappent, les seconds frappent." "Nous ne perdrons pas de temps à contourner cette agglomération, a-t-il conclu. Nous nous arrêterons quelque part plus loin, au premier ruisseau, histoire de nous rafraîchir et de casser la croûte." "À vos ordres, mon général."

« La Carolina semblait assoupie, comme l'avait prédit le général. La traversée s'est faite sans encombre, mais nous avons avancé lentement parce que le général voulait ménager le plus possible la femme du commissaire, qui était enceinte. Je trouvais que nous progressions à vitesse d'escargot. On s'est arrêté en début d'après-midi, quand un pont a tranché le passage. Du même coup, le paysage s'est ouvert tel un grand livre dont la couverture aurait balayé tout un pan de forêt. Venu du flanc de la montagne, sur la droite, un torrent s'engouffrait vers une vallée qu'il coupait en deux de sa profonde balafre. Nous allions profiter de cet endroit pour remplir nos outres quand j'ai compris que ce que je redoutais le plus depuis le matin allait se produire. L'éclair d'une arme entre les arbres a servi en quelque sorte de signal. En moins de deux, nous avons été entourés d'une trentaine d'hommes armés. Ils nous ont crié de descendre de monture sans faire de gestes brusques et de rendre nos armes. En même temps, des hommes se sont emparés de la bride de nos chevaux. Je ne tenais pas à tomber entre leurs mains et j'ai éperonné les flancs de ma bête. Mon cheval a renversé l'homme qui le tenait. L'effet de surprise a été tel que j'ai eu le temps de reprendre la route à bride abattue pendant que, comme un essaim de guêpes, des balles me sifflaient autour de la tête. Comment se fait-il que je n'ai pas été touché, je me le demande encore. Moins d'une minute plus tard, pour échapper à mes poursuivants, j'ai engagé mon cheval sous le couvert du bois. Je n'ai guère eu le temps de m'arrêter à réfléchir. La forêt était tellement dense que j'ai été contraint de mettre pied à terre, abandonner là ma bête et me frayer un chemin entre des taillis faits de fardoches. C'est d'ailleurs ce qui m'a sauvé. »

Nicolas s'arrêta de parler. Comme s'il craignait de révéler la suite, il dit en se levant :

— Bon, je crois que ce sera tout pour ce soir.

Le tollé, venu surtout des enfants, sembla le surprendre. Bernardin trancha en disant :

— Allons, Nico, tu en as assez dit pour que nous entendions la suite. Tu ne nous laisseras pas comme ça sur notre appétit.

Nicolas soupira.

— La suite est si sordide, dit-il, que je n'ai jamais voulu la raconter.

— C'est pourtant ce soir que tu vas le faire, l'enjoignit Bernardin. De le dire te fera du bien, de l'entendre assouvira notre curiosité.

Un peu à regret, Nicolas regagna sa place.

— Où en étais-je ? dit-il.

— Dans des fardoches avec des poursuivants à tes trousses.

— Ah oui ! Je me suis fait la réflexion suivante : "S'ils ne connaissent pas un autre chemin, ils devront faire comme moi." Aussi j'ai gagné l'orée du bois et, profitant d'une coulée se déversant plus bas dans le torrent, j'ai couru jusqu'au cours d'eau dans lequel je me suis jeté sans plus réfléchir. Je me suis dit : "Voilà une bonne chose, ils vont me chercher avec des chiens, il faut que je brouille ma piste." Sitôt à l'eau, je me suis fait entraîner par le courant, vers le bas de la pente, comme dans ma jeunesse à Baie-Saint-Paul, où je me laissais ainsi emporter dans les rapides de la rivière du Bras. Mais je n'ai pas tardé à me rendre compte que le torrent était plus vif, la pente plus abrupte et les eaux plus tumultueuses. J'ai eu un coup de chance quand j'ai vu surgir, droit devant moi, une grosse branche au-dessus du torrent. Je m'y suis accroché comme à une bouée et d'un coup de rein, je suis parvenu à gagner la rive. Étendu sur un cran de rocher, j'ai mis du temps à reprendre mon souffle et mes esprits. J'ai su que, pour l'instant, j'étais parvenu à semer mes poursuivants, mais j'étais tout aussi convaincu qu'ils n'abandonneraient pas la partie aussi facilement. J'entendais déjà des aboiements sur les hauteurs. Il me fallait vite continuer à brouiller ma piste.

« Je me suis levé d'un coup, j'ai descendu dans l'eau le long du torrent avant de remonter péniblement sur une centaine de mètres. De là, je suis redescendu sur la berge opposée, à l'endroit d'où je venais. Par cette ruse, je comptais confondre les bêtes lancées à mes trousses. Il me fallait maintenant trouver le moyen de passer de nouveau sur l'autre rive sans être emporté par le courant. Je me suis aperçu qu'à une centaine de pieds plus bas, des pierres obstruaient le cours d'eau. Si je parvenais à m'y agripper, j'étais sauf. J'eus besoin de toutes mes forces pour résister à la puissance de l'eau en m'appuyant sur ces rochers gluants pour gagner de peine et de misère l'autre rive. Quand j'y suis parvenu, j'ai poussé un profond soupir de soulagement, mais je n'étais pas pour autant au bout de mes peines : le torrent dévalait la pente au milieu de la vallée. J'étais bien conscient qu'on pouvait m'apercevoir de loin. Je devais me mettre le plus tôt possible à l'abri de la forêt. »

— Fiou ! lança vivement Édouard que ce récit fascinait, vous deviez être drôlement fatigué !

— Après ma courte nuit, je me sentais épuisé. Mais quand on lutte pour sa vie, on trouve toujours la force de continuer. Heureusement, pareille aventure n'arrive qu'une fois dans une vie.

« J'ai trouvé le courage nécessaire à ma survie. En m'accroupissant, je suis descendu jusqu'au cours d'eau, comptant de nouveau m'en servir comme d'un moyen de locomotion. Je m'y suis jeté et, porté cette fois par des eaux moins impétueuses, j'ai dévalé le reste de la pente. Tout en bas, je me suis retrouvé sous un pont à peine assez large pour laisser passer une charrette. Je m'y suis arrêté un moment.

« Je n'entendais plus les chiens, mais je me suis dit qu'il serait trop dangereux de suivre cette route, car je risquais d'y être facilement repéré. J'ai descendu encore un moment la rivière, jusqu'à une petite île où j'ai trouvé refuge. Du haut d'un arbre, je me suis fait une idée des environs. La rivière poursuivait sa course vers le sud. J'apercevais quelques maisons accrochées au flanc d'une falaise, à l'autre bout de la vallée où je me trouvais. J'en ai conclu que nos agresseurs devaient venir de là et qu'ils avaient dû y conduire mes compagnons, s'ils ne les avaient pas déjà tués.

«J'ai réfléchi longuement, puis, sous le couvert d'un petit bois, je suis parti résolument dans la direction des maisons. J'étais certain d'ailleurs que la route que je venais de quitter devait passer plus haut et j'ai pensé, avec raison, que le dernier endroit où ils me chercheraient, c'était précisément près de leurs demeures.»

— Tu jouais d'audace, dit Bernardin, mais il faut admettre que tu avais parfaitement raison de penser ainsi.

— Évidemment, approuva Nicolas, nous pensons toujours que les personnes en fuite s'éloignent le plus loin possible de leurs poursuivants. Je me suis dit que ce devait être le cas pour les miens.

«Au bout d'une heure et de mille détours, je suis parvenu à quelques centaines de pieds du village. Un énorme chêne se dressait devant moi. D'un bond, j'ai pu m'accrocher à l'une des branches basses puis je me suis hissé vers son sommet. Quand j'ai été assuré que le feuillage bien dense me dérobait à la vue de tous, je me suis immobilisé. En me penchant, je voyais à travers les feuilles les maisons blanches, toutes semblables, qui paraissaient désertes.

« Le soleil en avait encore au moins pour deux heures avant de plonger derrière la montagne. En équilibre sur ma grosse branche, je me suis mis à faire ce dont je rêvais depuis un bon moment. »

— Quoi donc? questionna Marie-Josephte.

— Je me suis dévêtu complètement pour faire sécher mon linge. Précautionneusement, j'ai étendu mes hardes au soleil, sur les branches tout autour de moi, m'assurant qu'elles ne seraient pas vues de loin. Je me souviens que j'ai pris beaucoup de soin à ce que mes bottes ne dégringolent pas au bas de l'arbre. C'est alors que j'ai entendu de nouveau des aboiements au loin. Là, j'ai bien pensé qu'ils finiraient par me retrouver. Pour me rassurer, je me suis forcé à croire qu'ils devaient avoir cessé de me chercher.

« Du haut de mon perchoir, à l'affût du moindre bruit, j'ai vu le soleil se coucher peu à peu pendant qu'autour des maisons, en face, on commençait à s'agiter. Les habitations formaient un fer à cheval, au milieu duquel se dessinait une place où des hommes dressaient un bûcher. Je les ai vus d'abord apporter de larges brassées de bois, puis une énorme marmite qu'ils portaient à quatre en la tenant par l'anse, une marmite assez grande pour faire cuire un bœuf entier.

« Les aboiements s'étaient enfin tus. Le soleil glissait derrière les arbres. J'ai touché à mes vêtements : ils avaient suffisamment séché pour que je puisse les enfiler, ce que j'ai mis bien du temps à faire, tant ma position sur la branche était précaire. Quand je suis parvenu enfin à chausser mes bottes, encore humides, la brunante avait gagné les lieux et, sur la place, entre les maisons, les hommes avaient allumé le bûcher.»

Une fois de plus, Nicolas s'arrêta.

—Qu'y a-t-il? demanda Bernadette.

—Je boirais bien un peu d'eau.

Elle alla lui en chercher. Il but en prenant tout son temps, pendant que les enfants attendaient la suite du récit avec impatience.

—Nous y voilà, dit-il, à ce moment le plus pénible de ma vie. Jamais je n'aurais pu croire que des hommes pouvaient être aussi monstrueux. Si je vous le raconte, les enfants, c'est pour que vous n'oubliiez jamais cette leçon: l'homme est un loup pour l'homme, il est son pire prédateur.

«Du haut de mon arbre, j'ai entendu, du côté de l'ouest, des hurlements qui m'ont fait frémir. Une trentaine d'hommes et de femmes s'amenaient, torche en main. Ils poussaient devant eux mes compagnons, qui faisaient pitié à voir tant ils semblaient avoir été roués de coups: tous les six marchaient courbés, la femme en particulier avait peine à se traîner. Arrivés au village, ils ont fait halte. Les prisonniers ont été poussés à coups de pied au milieu de la place. Les cris de haine ont soudain été enterrés par un cri de douleur extrême. Je n'en ai pas cru mes yeux et mon sang ne fit qu'un tour: un des gardes avait été transpercé par une longue broche et les hommes s'affairaient à le suspendre sur des fourches, au-dessus du feu. Je me suis dit: "C'est impossible, ils ne vont pas le cuire à la broche!" Ce que je n'ai pas osé croire s'est pourtant bel et bien déroulé devant mes yeux. Les cris aigus du garde se sont atténués au fur et à mesure que le feu a accompli son travail. Pendant ce temps, ces bourreaux sans nom s'enivraient de boisson et de ce spectacle qu'ils semblaient goûter tout autant.

«J'avais détourné le regard, mais une autre plainte vive m'a fait de nouveau frémir: je n'ai pas pu m'empêcher de regarder, car j'ai pensé que si je survivais, je devrais témoigner au sujet de cet ignoble massacre. Le deuxième garde a subi le même sort que son compagnon. En entendant les rires de ses bourreaux, des frissons m'ont parcouru tout le corps. J'ai prié pour que l'aide de camp, le général, le commissaire et son épouse enceinte soient épargnés. J'ai bien vite eu la réponse à mes prières. L'aide de camp a subi le même sort que les deux gardes, puis deux hommes se sont emparés du commissaire et l'ont ficelé entre deux madriers. Ils ont déposé leur fardeau sur des tréteaux pendant que des scieurs de long montés sur un échafaudage ont commencé leur atroce travail.

«Je me suis mis à trembler de tous mes membres, parvenant de peine et de misère à retenir le cri d'indignation qui voulait franchir mes lèvres. "Ils le scient vivant", suis-je parvenu à bégayer au moment même où le commissaire a émis la longue plainte d'une bête blessée. Longtemps ce cri a tranché l'air pour s'éteindre à son tour. Comment des hommes pouvaient-ils s'adonner à des gestes aussi atroces? J'en avais la nausée. Je me suis penché pour vomir, sans résultat. J'ai claqué des dents, aux prises avec un violent choc nerveux.

«Ne me demandez pas comment je suis parvenu à me ressaisir. Ce fut alors que j'ai vu des hommes attacher la femme à des planches afin de lui faire subir le même sort que son mari. Je n'ai perçu aucun gémissement. Je me suis dit que la femme avait perdu conscience. J'ai entendu, une fois de plus, le bruit des scies sur les planches, puis plus rien.»

Nicolas cessa de parler durant un long moment. Les garçons étaient recroquevillés dans leur coin, tandis que Bernadette et Marie-Josephte détournaient la tête pour cacher leurs larmes. Trouvant encore la force nécessaire pour poursuivre son récit, Nicolas ajouta :

— Il ne restait plus de vivant entre leurs mains que le général. Quel sort lui réservaient-ils ? J'ai eu bientôt ma réponse. On l'a écartelé en lui attachant les bras et les pieds à des piquets plantés en terre. D'un coup de sabre, un de ces brigands lui a tranché un bras à l'épaule le lançant aussitôt dans la marmite d'huile bouillante. À ce coup d'éclat, les hurlements de joie de ces monstres m'ont tellement indigné que j'ai été sur le point de foncer droit sur eux : seul mon instinct de survie m'a empêché de faire ce geste dérisoire. J'ai assisté, impuissant, au dépeçage du général dont l'autre bras et les deux jambes ont subi le même sort. De ce vaillant combattant d'Égypte, il n'a resté que la tête et le tronc. Ce fut avec une rage effroyable que ces ignobles bourreaux ont balancé le tout dans la marmite.

«Je n'en pouvais plus. Je me suis mis à pleurer sans pouvoir m'arrêter. Tout à leurs célébrations, les Espagnols n'ont pas entendu mes cris de malédiction.

Toute la nuit, du haut de mon arbre, en proie à des tremblements, à des crises de larmes et à des poussées de fièvre, je me suis demandé si je n'avais pas été, tout simplement, victime d'un cauchemar. Aux premières lueurs de l'aube, j'ai dû me rendre à l'évidence : ce qui des gardes n'avait pas entièrement rôti pendait à la broche. Des chiens se nourrissaient des restes ensanglantés du commissaire et de son épouse, tandis que de la marmite montaient encore des fumées grasses. Tout autour, saouls comme des porcs, ces monstres étaient endormis d'un sommeil profond.

« J'étais si enragé que j'aurais voulu les tuer tous, à moi seul. Je traînais toujours sur moi ma fronde, en guise de porte-bonheur. Je l'ai retrouvée dans mes vêtements. Je me suis dit que de l'endroit où je me trouvais, je pourrais peut-être supprimer un ou deux de ces porcs. Je suis descendu de mon perchoir. Je me suis affairé à trouver des galets le long du sentier. Je me suis avancé lentement entre les arbres jusqu'à ce qu'une trouée me donne l'espace nécessaire pour agir. Un des hommes dormait assis, adossé contre le mur de la maison. J'ai fait tourner ma fronde. Une fois la pierre partie, j'ai su que ce tortionnaire ne se réveillerait plus. Je me suis apprêté à régler le sort d'un suivant, quand une femme est sortie d'une des maisons pour se diriger vers le lieu du supplice.

« Je n'ai pas attendu mon reste et j'ai déguerpi en prenant soin de contourner ce village maudit. J'étais vidé, encore sous le choc des terribles images de cette nuit blanche. Lorsque je suis parvenu à proximité de la route, sans plus réfléchir, alors que je me trouvais dans un bois de hêtres, je me suis étendu sur la mousse et me suis endormi. Quand je suis revenu à moi, je me trouvais allongé dans une charrette, entouré de soldats que je ne connaissais pas mais qui étaient des nôtres, me disant que tout un pan de la journée avait filé sans que je m'en rende compte. "Que m'est-il arrivé ?" On m'a expliqué : "Tu es sorti des buissons comme un spectre et tu t'es écroulé à nos pieds sur la route. Tu faisais une violente poussée de fièvre. Ça fait deux jours que nous te veillons comme on veille un mort. Bienvenue parmi les vivants !"

« Dès qu'on l'eut prévenu que j'avais repris conscience, un lieutenant est venu m'interroger : "Qu'est-ce que tu faisais dans ces parages ?" Submergé par les images d'horreur me revenant en mémoire, j'ai mis du temps à répondre. Je me suis remis à trembler malgré moi, puis, me reprenant, j'ai raconté en long et en large ce que j'avais vécu. "C'est folie de se promener en si petit équipage sur ces routes maudites, a constaté le lieutenant. Quel pays misérable que celui-là pour donner naissance à de pareils monstres ! Je ne ferai pas la bêtise d'envoyer un messager au général Dupont, ça serait expédier ce pauvre bougre à la mort. Le général sera informé quand nous serons à Baylen. Cependant, pareil crime ne restera pas impuni."

« Il a regroupé une centaine de soldats. "Sur la route que nous venons de parcourir, à environ deux jours de marche d'ici, a-t-il dit, il y a un petit bourg. Demain soir, je le veux en feu, sans aucune âme qui vive." L'ordre a été exécuté à la lettre. Voilà, conclut Nicolas, ce que j'ai vécu. »

— J'ai cru à un miracle, poursuivit Bernardin, quand, le lendemain, je l'ai reconnu parmi un groupe de soldats venus faire le lien avec notre compagnie. Nous avions repris la route au lever des oiseaux. C'était en ce pays les meilleures heures de la journée, avant que le soleil embrase l'espace et que l'air devienne brûlant comme la pierre. Comment les arbres encore verts étanchaient-ils leur soif quand, de chaque côté de la route, tout n'était que désert, plantes séchées, pierres lavées, ossements burinés ? Sur le sol martelé par nos pas se levait une poussière se logeant entre nos dents et s'accrochant au bord de nos paupières, faisant de nous des fantômes gris, occupés à grignoter des lieues et des lieues sur ces routes hostiles, en même temps que les jours de notre triste destin.

Nicolas enchaîna :

— Nous sommes arrivés enfin à Baylen, où s'est fait le regroupement des troupes. C'est là que quelques jours plus tard, entourés d'ennemis, nous avons rendu les armes. Moins de deux semaines après, nous étions prisonniers sur des vaisseaux ancrés dans le port de Cadix. Le reste, ajouta-t-il, vous le savez maintenant tout aussi bien que nous.

Chapitre 48

Les aléas de la vie

Ce matin-là, au lever, Nicolas jeta un coup d'œil par la fenêtre. Le soleil faisait luire une neige d'argent. Le temps semblait on ne peut plus propice à son dessein de se rendre chez des clients, du côté de Richmond. Éphigénie était maintenant en âge de travailler et aidait sa tante Dorothée à la cuisine de l'auberge. Bernadette décida de profiter du voyage pour rendre visite à Bernardin et Marie-Josephte. Elle avait le goût de causer avec sa belle-sœur, et de s'offrir ainsi une journée de répit. Elle ferma le magasin et partit, heureuse de sa décision. Nicolas la laissa en passant, promettant de la reprendre le soir à son retour.

Après avoir passé la matinée en compagnie de Marie-Josephte, Bernadette décida d'aller rendre visite à Éphrem qui, depuis une bonne semaine, se trouvait au camp de son père, près de la rivière.

— Ce n'est qu'à un mille d'ici, dit-elle, et il fait très beau.

—Tu ne feras pas le trajet aller et retour à pied et en raquettes, dit Marie-Josephte. Bernardin va te prêter le poney et la carriole. De même, tu vas avoir plus de temps avec Éphrem.

—Je ne voudrais pas vous en priver pour l'après-midi.

—Tu ne nous en priveras pas du tout, nous n'en avons pas besoin. J'irais bien avec toi, mais j'ai les animaux à nourrir. Une ferme, tu le sais, ça ne laisse guère de temps libre.

—À qui le dis-tu! Tu vois, ce matin, je n'ai eu qu'à fermer le magasin. Éphigénie travaille maintenant à l'auberge et les autres vaquent à leurs affaires.

Bernardin attela le poney et Bernadette partit aussitôt. Après quelques heures passées avec son fils, elle le quitta pour être de retour chez Bernardin avant la noirceur. Le beau soleil du matin avait disparu depuis quelques heures. Le nordet s'était levé, soufflant des nuages de neige.

—Ne vous attardez pas, m'man, conseilla Éphrem. On dirait bien qu'une tempête se prépare.

—Je n'ai pas long de chemin à faire. Je serai rendue dans pas grand temps.

Elle mit le poney au trot. La neige s'était mise à tomber, d'abord clairsemée, puis de plus en plus drue. Le vent, en rafales, soulevait des rideaux de poudrerie. Heureusement, la route s'avérait encore praticable.

De retour de Richmond, Nicolas fut surpris lui aussi par ce début de tempête. Il rejoignit la route menant chez Bernardin au moment où tombait la brunante. Bientôt, il ne vit plus ni ciel ni terre. Se sachant près de chez Bernardin, alors que des bourrasques de plus en plus fréquentes formaient des bancs de neige au travers de la route, il poussa un soupir de soulagement quand se profila enfin la maison de son beau-frère. Il conduisit le cheval directement à l'écurie. La tempête grondait. Les arbres gémissaient sous les coups de bélier du vent. S'étant assuré que sa monture disposait d'une bonne ration de foin, il se dirigea vers la maison, où il s'engouffra en même temps qu'un grand coup de vent, à la surprise de sa sœur.

— Mais c'est Nicolas ! s'écria Marie-Josephte. Nous ne t'espérions plus. Nous te pensions arrêté quelque part en route.

Le nouvel arrivant ressemblait à un bonhomme de neige. Tout en parlant, Marie-Josephte l'aida à se départir de son manteau. Entouré de ses neveux et nièces, il s'assit pour enlever ses bottes. Il trouva le moyen de taquiner les plus jeunes, puis s'étonna de ne pas voir Bernadette.

— Où est ma femme ?

— Elle a décidé à midi d'aller voir Éphrem, au camp de la rivière.

— Comment s'est-elle rendue là ?

— Avec le poney et la carriole, dit Bernardin. J'imagine que quand elle a vu la tempête venir, elle a décidé de rester avec Éphrem.

Nicolas poussa un soupir qui trahit son inquiétude.

— Pourvu qu'elle n'ait pas décidé de s'en venir par ce temps du diable !

— Dans ce cas, elle serait déjà là.

— Ou bien perdue dans la tempête, si elle a pris ce risque, grommela Nicolas. Mais quelle bête l'a piquée d'aller voir Éphrem toute seule ?

— C'est un peu de ma faute, avoua Marie-Josephte. J'avais trop d'ouvrage pour quitter la maison. Elle a insisté quand même pour partir. Après tout, le camp n'est pas si loin.

— Mais par un temps pareil !

— Quand elle est partie, il faisait beau. Mais des fois, les tempêtes ne s'annoncent pas.

Nicolas passa la soirée à se faire du mauvais sang. Dehors, la tempête ne décolérait pas. Le vent ne tomba qu'au petit matin. Aux premières lueurs de l'aube, Nicolas fut debout. Il attela son cheval et partit sans plus attendre en direction du camp. Les accumulations de neige au milieu de la route rendaient la progression difficile. Le cheval avançait de peine et de misère avec parfois de la neige presque à hauteur du ventre. Il y avait bien une demi-heure qu'il avait quitté la maison de Bernardin quand il lança un tonitruant juron. Des arbres, des souches et des branchages bloquaient la route. Nicolas éclata :

— Le maudit fou a recommencé !

Il tenta de contourner l'obstacle par la droite, en passant dans le fossé. La neige de la veille lui permit de progresser sans trop de peine. Il avança encore sur une centaine de pieds et comprit qu'un drame s'était déroulé au milieu de la tempête. Ne pouvant plus avancer, Bernadette avait fait demi-tour. Sans doute aveuglée par la poudrerie, elle avait quitté la route. Cheval et voiture avaient roulé dans le fossé. Un des patins de la carriole s'était cassé. Il trouva le poney encore attelé, mort gelé. Il fouilla sous la carriole sans rien découvrir. Il se dit qu'elle avait dû tenter de continuer à pied. Il chercha tout autour. Un pan de son manteau dépassant dans la neige lui permit de la retrouver. Elle était morte gelée.

Seul au monde, il s'assit dans la neige et se mit à sangloter. Comme un automate, il gratta la neige autour de sa femme et dégagea le corps, qu'il porta dans son traîneau. Ce fut un homme abattu et perdu que Bernardin et Marie-Josephte virent revenir.

Ils eurent de la difficulté à le reconnaître, lui d'ordinaire si fier et si maître de ses moyens. Les yeux hagards, il claquait des dents et tremblait de fièvre. Le choc ressenti en trouvant Bernadette morte avait fait remonter en lui toutes les horreurs vécues comme soldat. Pendant des jours, il demeura fiévreux et à demi conscient, au point de ne pouvoir assister aux obsèques de son épouse.

Dorothée se chargea de prévenir Emmanuel de la mort de sa mère.

Drummondville, le jeudi 9 février 1843

Cher Emmanuel,

Je me vois confier une bien triste tâche. Sois courageux ! Il me faut t'apprendre que ta mère nous a quittés tragiquement hier, morte gelée dans la pire tempête que nous ayons eue de l'hiver. Elle était partie de chez ton oncle Bernardin pour visiter Éphrem, au camp de la rivière. En revenant de là, elle a été prise dans une tempête et y a laissé la vie.

Tu ne peux pas mesurer toute la peine que son départ nous a causée. C'était une femme charmante et une bonne épouse pour ton père. Inutile de te dire que ce dernier met beaucoup de temps à se remettre de ce choc insensé.

Éphrem et Édouard s'occupent de faire marcher le magasin pendant son absence, car ton père, pour le moment, vit chez ton oncle Bernardin en attendant de surmonter cette terrible épreuve.

Nous te savons au loin, mais peut-être trouveras-tu le moyen de revenir par ici. Ai-je besoin de te dire que tes sœurs et tes frères sont tout comme nous terriblement ébranlés par cette disparition si subite. Si tu trouves quelqu'un qui peut nous écrire en ton nom, nous serons consolés d'avoir de tes nouvelles.

Affectueusement,
Ta tante et marraine Dorothée

Après deux semaines de torpeur, Nicolas se mit à reprendre tranquillement ses esprits. Au début, il ne semblait pas trop savoir où il était et Bernardin se demandait s'il se souvenait même de ce qui s'était passé. Son rétablissement s'étendit sur des semaines. Marie-Josephte le gardait chez elle et veillait attentivement sur lui. Avec le printemps, il prit l'habitude de sortir, s'assoyant seul près de la grange, sans dire un mot, et n'en bougeait plus, comme un oiseau blessé.

— Ça lui fait du bien de prendre l'air, assurait Marie-Josephte.

Bernardin, pour sa part, espérait le voir sortir de sa torpeur.

— Le jour où il exprimera le désir de faire quelque chose, ce jour-là, il sera vraiment sur le chemin de la guérison.

Le printemps était déjà bien entamé quand il réclama sa hache et son fusil. Il se rendit dans le bois et se mit alors à bûcher avec rage. Bernardin dit :

— Il y a des choses qui remontent en lui. Il tente d'en débarrasser son esprit en bûchant comme un déchaîné. C'est bon signe !

Ils s'habituèrent à le voir partir dans le bois, tous les matins, et revenir à l'heure du dîner. Il avait l'air d'un homme accablé mais, au moins, il s'adonnait à une activité qui, selon Bernardin, lui permettrait de redevenir l'homme qu'il était.

Un beau matin, il partit comme à l'accoutumée, muni de sa hache et de son fusil. À l'heure du dîner, il n'était toujours pas revenu. Inquiet, Bernardin se rendit dans le bois où il bûchait, mais ne l'y trouva pas. En revenant vers la maison, Bernardin aperçut de la fumée, au loin sur la route. Il sauta sur son cheval et partit en vitesse dans cette direction. Les arbres et les souches encombrant le chemin brûlaient en tas. Quand Bernardin s'approcha, il vit des flammes du côté de la terre de Jamieson. Nicolas avait mis le feu à la grange.

Bernardin arriva juste à temps pour l'intercepter alors qu'il se dirigeait vers la maison de l'Anglais. Comme il le rejoignait, un coup de feu tiré depuis une fenêtre de l'habitation les manqua de justesse. Leurs réflexes d'anciens soldats les firent se jeter à plat ventre sur le sol où, comme on le leur avait enseigné, ils se mirent à ramper en s'éloignant de la ligne de tir. Bernardin se releva en premier. Il dit à Nicolas :

— Amène-toi, vieux grognon, nous n'avons plus rien à faire ici.

Nicolas le suivit sans rien dire. Bernardin lui enleva son fusil des mains et le força à monter à cheval.

— Tu as ta vengeance ! Ça suffit !

Ils revinrent ainsi, Nicolas à cheval, Bernardin à pied, tenant l'animal par la bride.

— Tu vas nous attirer des ennuis, dit-il à son beau-frère indifférent qui se laissait conduire comme un enfant.

Le vieux Jamieson porta plainte, réclamant pas moins de cent livres sterling pour dommages et intérêts. Mais il n'eut pas gain de cause, entendu qu'il avait déjà été condamné pour avoir entravé la route. Le fait qu'il avait de nouveau passé outre à ce jugement, ce qui avait causé le décès de Bernadette, pesa lourd dans la balance. Le juge lui dit : « Vous avez mérité ce qui vous est arrivé. Les dommages que vous avez subis compenseront le mal que vous avez causé. »

— Pour l'instant, nous avons peut-être gagné une bataille conclut Bernardin, mais certainement pas la guerre.

❧

Quelques jours plus tard, Dorothée et Ludovic se présentaient chez Bernardin. Dorothée tenait à voir comment son frère se portait, mais surtout à lui lire une lettre reçue d'Emmanuel, espérant ainsi lui donner du réconfort.

— Nicolas, dit-elle, je crois bien que tu seras heureux d'apprendre qu'Emmanuel nous a fait parvenir de ses nouvelles.

Nicolas la regarda sans manifester aucune émotion. Dorothée ne se laissa pas décontenancer et, puisque Marie-Josephte lui faisait signe d'aller de l'avant, elle lut à haute voix, comme elle l'avait si souvent fait pour les siens :

Baie-Saint-Paul, le mercredi 10 mai 1843

Madame Dorothée Grenon,

Votre neveu Emmanuel m'a demandé de vous écrire pour vous remercier de votre lettre du mois de février dernier. Le décès de sa mère l'a beaucoup attristé, mais plus encore le fait de ne pas avoir été avec vous et sa famille pour partager votre peine. Il vous demande de transmettre à son père, à ses sœurs et à ses frères ses condoléances et ses regrets pour la perte de celle qu'ils aimaient tant.

Il aurait fait volontiers le voyage jusqu'à Drummond si sa vie, là-bas, n'était pas menacée. Tout cela ne l'a pas empêché d'être avec vous en pensée et de cœur tout au long de ces moments pénibles. Il tient à ce que vous sachiez à quel point vous lui manquez. Il vous prie cependant de ne pas vous en faire pour lui, car il se débrouille fort bien à Baie-Saint-Paul. Il vous annonce d'ailleurs qu'il a quelqu'un en vue pour un mariage éventuel. Si la chose se concrétise, il vous le fera savoir. Puisqu'il ne peut se rendre à Drummond, mais que l'élue de son cœur habite à Sainte-Claire-de-Dorchester, vous serez invités à cet endroit pour le mariage et les noces.

Il vous espère tous en bonne santé et souhaite de tout cœur que son père puisse surmonter le départ de celle qu'il aimait, comme il l'a toujours fait pour les nombreuses épreuves qui ont jalonné sa vie.

Il vous souhaite à tous la santé et beaucoup de bonheur.

Jean-Joseph Simard, notaire,
pour Emmanuel Grenon

Si Dorothée espérait voir cette lettre déclencher chez son frère une quelconque réaction, son espoir fut déçu puisque, une fois la lecture terminée, Nicolas ne broncha pas, comme s'il était devenu indifférent à toute chose en ce monde.

En regagnant l'auberge, Ludovic dit à Dorothée :

—Je ne veux pas te faire de peine, ma mie, mais j'ai l'impression que ton frère nous a quittés en même temps que sa Bernadette.

—C'est triste, dit Dorothée, de voir un homme si vivant se replier sur lui-même comme si soudain tout était mort en lui. Il me semble bien, hélas, que tu as raison : la mort de Bernadette a sonné le signal de la sienne.

Sur ces mots, Ludovic passa le bras autour de l'épaule de Dorothée pour l'attirer à lui. Tout le reste du trajet, elle le passa collée ainsi contre lui.

Chapitre 49

L'ultime combat

Après l'épisode Jamieson, Nicolas, toujours aussi taciturne, exprima le désir de se retirer dans son camp du bord de la rivière.

— Si c'est vraiment ce que tu veux, concéda Bernardin, nous ferons tout pour t'aider à y vivre très bien.

— Pas besoin, grogna-t-il, je suis capable tout seul.

Bernardin insista pour se rendre avec lui au camp, désireux de s'assurer qu'il n'y manquerait de rien. Avec les années, le camp avait fini par être bien aménagé et, surtout, bien isolé. Il était désormais possible d'y vivre l'hiver, à condition bien sûr d'y entretenir un bon feu.

Dès qu'il y fut, Nicolas se remit à bûcher, préparant avec acharnement son bois pour l'hiver. Après quelques mois, avec sa longue barbe et ses vêtements troués, il ressemblait à un ermite. Au début, il ne tolérait guère de visite, même celle de ses enfants. Ses sœurs passaient le voir de temps à autre, lui apportant de la nourriture. Toutefois, la chasse et la pêche lui permettaient de se suffire à lui-même. Quand Bernardin pouvait se libérer, il faisait un saut au camp où, parfois, sans le brusquer, il parvenait à faire sortir Nicolas de son mutisme. Il évoquait avec lui leurs années dans l'armée, mais surtout ce temps où ils s'étaient établis ensemble sur leur terre du canton de Wickham. Mais jamais Bernardin n'osait prononcer le prénom de Bernadette.

Chacun tentait de son mieux d'accepter cette situation pénible qui les peinait profondément. L'espoir de voir Nicolas émerger de sa claustration fut avivé par la réception d'une lettre d'Emmanuel, qui les invitait tous à son mariage, au milieu de l'été 1844, à Sainte-Claire de Dorchester. Ils s'empressèrent d'informer leur père de cette nouvelle sensationnelle. Mais il resta indifférent à la joie qu'elle avait suscitée chez tous. Ils ne manquèrent pas de se rendre en grand nombre à ces noces et firent le voyage en groupe, mais sans celui qu'ils auraient tant aimé voir les accompagner.

Au bout d'une année et demie de vie en solitaire, Nicolas, selon les jours, tolérait un peu la présence de ses enfants, de ses sœurs et de ses beaux-frères. Cependant, Éloi lui fit le plus beau des cadeaux en venant de Sorel avec Marie-Louise et leurs deux enfants. La vue de ses petits-enfants sembla lui redonner le goût de vivre. Éloi s'en rendit compte et promit de venir le voir plus souvent.

Puis des semaines passèrent et l'hiver s'installa de nouveau. Dorothée et Marie-Josephte, de même que

Bernardin, se faisaient un devoir d'aller lui rendre fréquemment visite. Après une de ces visites à son frère, à son retour à l'auberge, Dorothée dit à Ludovic :

— J'ai eu une idée qui, il me semble, ferait grand plaisir à Nicolas.

— Quoi donc ?

— Tu te souviens que la visite d'Éloi avec Marie-Louise et leurs deux enfants a semblé lui redonner de la vigueur. Je pense qu'une visite d'Emmanuel et de Fabienne pourrait avoir autant d'effet.

— Tu as parfaitement raison, ma mie. Tu devrais écrire à Emmanuel, après tout c'est ton filleul. Nicolas ne l'a pas vu depuis longtemps. Il en serait d'autant plus heureux.

Le soir même, Dorothée sortit l'encre et la plume pour écrire la lettre suivante :

Drummond, le 2 décembre 1844

Cher neveu,

Tu n'as pas connu ton grand-père Grenon. C'était un homme qui aimait particulièrement rappeler de nombreux proverbes. Je me souviens de l'avoir souvent entendu dire : « Pas de nouvelles, bonnes nouvelles ! » Puisque tu ne nous donnes pas souvent des tiennes, nous présumons que tout va très bien pour toi. Nous t'espérons, ainsi que Fabienne, en bonne santé.

Tu sais que depuis la mort de ta mère, ton père s'est retiré dans son camp au bord de la rivière. Nous allons le voir le plus souvent que nous le pouvons, mais les visites qu'il apprécie le plus sont celles de ses enfants et petits-enfants. Dernièrement, Éloi est allé le voir en compagnie de Marie-Louise et de leurs enfants. Ça lui a fait un bien énorme. Voilà pourquoi, après en avoir discuté avec Ludovic, nous avons pensé que si tu lui faisais une visite surprise en compagnie de Fabienne, il l'apprécierait beaucoup. Ta venue serait pour lui un très beau cadeau, le meilleur que tu puisses lui faire. Nous espérons donc que tu profiteras du temps des fêtes pour venir à Drummond. Le trajet se fait mieux en sleigh en hiver qu'en voiture en été.

Je te transmets, ainsi qu'à ton épouse, avec les miennes, les salutations de ton oncle Ludovic, de même que celles de ton oncle Bernardin et de ta tante Marie-Josephte. Ai-je besoin de te dire que ta sœur Élise, tout comme ton frère Éloi, me parlent souvent de toi. Quant à tes frères Édouard et Éphrem, qui font marcher le magasin de ton père, ils se promettent bien d'aller te voir bientôt à Baie-Saint-Paul. Ta sœur Éphigénie demeure avec nous. Elle nous rend de précieux services à l'auberge, particulièrement à la cuisine où elle me seconde, y ayant pris la place occupée jadis par ta grand-mère.

Voilà, dans les grandes lignes, les dernières nouvelles à propos de notre famille. Puisses-tu, de ton côté, trouver quelqu'un qui voudra bien nous faire part de ce que tu deviens.

Ta tante et marraine Dorothée, au nom du clan Grenon.

FIN DU DEUXIÈME TOME

Table des matières

TROISIÈME PARTIE
La suite des combats (1825-1837)

QUATRIÈME PARTIE
Derniers combats (1838-1845)

GARANT DES FORÊTS
INTACTES

Réimprimé en octobre 2010
sur les presses de Transcontinental-Gagné
Louiseville, Québec